Nachtdief in Amsterdam

www.mynx.nl

Chris Ewan

Nachtdief in Amsterdam

Oorspronkelijke titel: *The Good Thief's Guide to Amsterdam* (Long Barn Books)
Vertaling: Gerrit-Jan van den Berg
Omslagontwerp: Zeno vormgevers

Eerste druk: juni 2008

ISBN 978-90-225-5058-8 / NUR 330

Voor Jo

I

'Ik wil dat je iets voor me steelt.'

Het was niet voor het eerst dat ik deze woorden hoorde, maar gewoonlijk had de persoon die dit soort woorden uitsprak een wat langere inleiding nodig. Maar dat gold niet voor de Amerikaan. Hij kwam onmiddellijk ter zake, bijna terloops zou je kunnen zeggen. Als ik een iets minder goede schrijver zou zijn, zou ik vermelden dat het 'een alarmbelletje bij me deed rinkelen' of dat het 'een huivering langs mijn rug veroorzaakte'. Maar in werkelijkheid zorgde het ervoor dat ik nog wat beter luisterde.

'U vergist u,' zei ik hem. 'Ik ben schrijver, geen inbreker.'

'En wát voor schrijver. Ik heb je werk nauwlettend gevolgd. Je bent goed.'

Ik glimlachte. 'Een broodschrijver die een dure opleiding heeft gevolgd, meer niet.'

'O, zeker, als schrijver. Maar als dief is het een heel ander verhaal. Je hebt talent, jongen, en dat is hier momenteel maar moeilijk te vinden.'

'Hier' betekende Amsterdam. Om precies te zijn: 'hier' was een schemerig bruin café langs het noordelijk deel van de Keizersgracht, op twintig minuten wandelen of tien minuten fietsen van mijn appartement verwijderd. Het was een krappe ruimte, eerder verwarmd door de dicht opeen staande muren dan de nagloeiende houtblokken in de open haard tegenover ons tafeltje. Ik was hier al eens eerder geweest, hoewel slechts vluchtig, en de naam zei me helemaal niets toen de Amerikaan het als ontmoetingsplaats had voorgesteld. En nu was ik hier weer, met een glas Hollands bier voor me, en ook nog eens geconfronteerd met een nogal delicaat voorstel.

De Amerikaan had via mijn website contact met me gezocht. De meeste thrillerschrijvers beschikken tegenwoordig over een website en daarop kun je alle mogelijke informatie over mij en mijn boeken vinden. Elk inbrekersboek dat ik tot nu toe heb geschreven, heeft een eigen pagina, terwijl er ook een nieuwssectie is, met daarin details over de lezingen die op mijn programma staan, alsmede wat persoonlijke dingen die mijn fans misschien zouden willen weten, zoals waar ik woon als ik mijn nieuwste boek aan het schrijven ben. Er is ook een link waarmee lezers direct met mij kunnen e-mailen, en op die manier had de Amerikaan dan ook contact met me gezocht.

Ik heb een klusje voor je, had hij geschreven. *Zeg maar hoeveel je wilt. Hoor m'n verhaal aan in café De Brug. Donderdag (morgen dus) 10 uur 's avonds.*

Ik had natuurlijk geen idee wie deze Amerikaan was, en nog minder reden om hem te vertrouwen, maar ik moet daar onmiddellijk bij aantekenen dat de verleiding van een nieuwe klus nou net iets was wat ik al een hele tijd geleden had opgegeven me tegen te verzetten. Want de waarheid is, als je dat tenminste niet al vermoedde, dat ik niet alleen boeken schrijf over een professionele dief, ik bén er toevallig ook nog eens een.

'Dat talent waar je het over hebt,' zei ik. 'Stel nou eens dat dat inderdaad bestaat.'

'"Stel nou eens", dat mag ik wel.'

'Oké, stel dat ik werkelijk over dat talent beschik, dan ben ik nieuwsgierig hoe ik dat volgens jou in praktijk zou moeten brengen.'

De Amerikaan keek over mijn schouder naar de deur, en vervolgens over zijn eigen schouder achterom het café in. Toen hij ervan overtuigd was dat zijn nek nog steeds goed functioneerde en dat niemand ons gesprek afluisterde, stak hij een hand in een zak van zijn windjack en haalde een klein voorwerp tevoorschijn dat hij op het houten tafelblad vlak voor me zette. Het bleek een beeldje van een aap te zijn, ongeveer even groot als mijn duim. De aap zat op zijn hurken, zijn knieën tegen zijn borst gedrukt, terwijl hij zijn voorpoten voor zijn ogen had geslagen en zijn mond wijd open had, alsof hij zich doodgeschrokken was van iets wat hij zojuist in het windjack had gezien.

'Horen, zien en zwijgen,' zei ik, half tegen mezelf, en de Amerikaan knikte en sloeg zijn armen over elkaar.

Ik pakte de aap op om hem eens wat beter te bekijken. Afgaande op het gewicht en het droge, korrelige oppervlak ervan was het beeldje van gips gemaakt, wat gedeeltelijk verklaarde waarom het bepaald niet verfijnd was afgewerkt. De verbaasde blik die ik op de snuit van de aap meende te zien, kon voor hetzelfde geld door de maker bedoeld zijn als een uiting van angst, of zelfs van geluidloze vreugde. Alles in ogenschouw genomen, kon ik me onmogelijk voorstellen dat het ding veel meer waard zou zijn dan een handvol ponden, of, nu we het er toch over hebben, zelfs dollars of euro's.

'Er bestaan nog twee van deze aapjes,' zei de Amerikaan, een opmerking die me niet geheel verraste. 'Eentje die zijn handen tegen zijn oren heeft gedrukt, terwijl de andere zijn handen voor zijn mond geslagen heeft.'

'Je meent het.'

'Ik wil dat je die voor me steelt.'

Ik hield mijn hoofd een beetje scheef. 'Ervan uitgaande dat ik ze voor jou zou kunnen... bemachtigen, dan ben ik er alleen niet zo zeker van of dat al mijn moeite wel waard is.'

De Amerikaan boog zich wat verder naar me toe en fronste een wenkbrauw. 'Hoeveel wil je om het voor jou de moeite waard te maken?'

Ik nam een bedrag in gedachten, en verdubbelde dat toen.

'Tienduizend euro.'

'Wil je dat vanavond nog in handen hebben?'

Ik lachte. 'Maar dit is een waardeloos beeldje,' zei ik terwijl ik het beeldje naar de Amerikaan terugwierp, die met een ruk overeind schoot om te voorkomen dat het op het tafelblad zou kletteren.

'Voor mij niet, jongen,' zei hij tegen me, terwijl hij het aapje behoedzaam afveegde om hem vervolgens weer in de jaszak van zijn windjack te stoppen. 'En, wat denk je?'

'Ik zal er eens over nadenken. Nog een biertje?'

Ik stond op, pakte zonder op antwoord te wachten onze glazen en liep naar de bar, waar een niet onaantrekkelijke blondine een stuk of wat kleine schaaltjes vulde met cashewnoten. Ze was lang en slank en op die Scandinavische manier gebruind – het hele jaar door – waardoor ik me als altijd weer zo'n typische Engelsman voelde. Je zag zo dat ze gewend was om om te gaan met dwazen zoals ik en toen haar ogen die van

9

mij ontmoetten, was dat met een blik waarin op voorhand al een verontschuldiging te zien was.

'Twee pils, alstublieft,' wist ik in het Nederlands uit te brengen, ondertussen twee vingers omhoogstekend alsof ze nog aan mijn bestelling kon twijfelen ondanks het feit dat ik met twee lege bierglazen voor de tapkast stond.

'Maar natuurlijk,' zei ze nadrukkelijk in het Engels.

Ze schoof een lok haar achter een oor, nam een van de glazen van me aan en hield hem onder de tap, terwijl ik vervolgens alle mogelijke moeite deed om aan iets anders te denken dan aan de sproeten in haar nek, en kwam vervolgens uit bij de gedachte hoe de Amerikaan bij mij was uitgekomen. Inderdaad, het was bijzonder intrigerend, want ik deed altijd mijn uiterste best geheim te houden dat ik zelf stal, en dat was een van de redenen waarom ik altijd zoveel reisde. De enige persoon met wie ik sowieso over deze kant van mijn karakter sprak bevond zich in Londen, en hier in Amsterdam had ik de afgelopen vier maanden slechts drie klusjes opgeknapt, en die waren absoluut niet het soort diefstal dat gewoonlijk veel aandacht trekt. Klopt, een van die diefstallen was in opdracht geweest, maar de man die mij had ingehuurd was een Belg, die zijn instructies aan mij had doorgegeven via een heler uit Parijs die ik volkomen vertrouwde, en dus was het zeer onwaarschijnlijk dat de Belg de Amerikaan over mij had ingelicht, aangezien we elkaar nog nooit hadden ontmoet. Dus hoe was de Amerikaan aan de weet gekomen hoe hij met mij in contact moest komen? En waarom wilde hij in godsnaam dat ik twee waardeloze beeldjes voor hem stal?

'Uw bier,' zei de blondine, terwijl ze met een plastic spatel het teveel aan schuim van de bovenkant van de kraag verwijderde om vervolgens twee kwartliterglazen vlak voor me op de bar neer te zetten.

'Die man daar,' zei ik, terwijl ik met mijn hoofd in de richting van de Amerikaan knikte. 'Heb je hem hier wel eens eerder gezien?'

'Jazeker. Het is een Amerikaan.'

'Komt hij hier wel vaker?'

Ze tuitte haar lippen. 'Ja, best vaak, dacht ik zo.'

'Weet je hoe hij heet?'

'Nee,' zei ze, en ze schudde haar hoofd. 'Maar hij is wel erg beleefd en geeft altijd een fooi.'

Natuurlijk was hij beleefd. Ik legde wat extra geld op de bar en pakte de glazen bier.

De Amerikaan liep tegen de zestig, vermoedde ik, hoewel er verder niet veel over hem te vertellen viel. Hij had een behoorlijke bos dik grijs haar op zijn hoofd, dat in een ietwat warrige, jeugdige stijl was gemodelleerd, en hij zag er voor zijn leeftijd verhoudingsgewijs nog uitermate fit uit. Het windjack stond hem uitstekend en zorgde ervoor dat hij er sportief uitzag, het type man dat in zijn vrije tijd graag zeilde. Ik was net van plan om op zijn handen te letten om te zien of daar door touw veroorzaakte schuurplekken op te ontdekken zouden zijn, toen hij me uit mijn gedachten rukte door te zeggen: 'Als je wilt weten hoe ik heet, hoef je daar alleen maar naar te vragen. Mijn naam is Michael.'

'Michael...'

'Je hoeft hem nog niet eens een keertje zo langzaam te herhalen.'

'Ik wachtte eigenlijk tot je met een achternaam zou komen.'

'Daar kun je dan lang op wachten. De aapjes,' vervolgde hij, 'bevinden zich op twee verschillende locaties. Het is erg belangrijk voor me dat je ze allebei te pakken krijgt. Het is tevens erg belangrijk dat je ze in één en dezelfde nacht ontvreemdt.'

'Twee verschillende locaties?'

'Hm hm.'

'In Amsterdam?'

'Inderdaad. Twee verschillende plaatsen, die een kwartiertje lopen uit elkaar liggen.'

'En die plaatsen zijn particuliere woningen?'

'Particuliere woningen,' herhaalde hij. 'Jeetje. De ene is een appartement en de andere is een woonboot, oké? Je hoeft je geen zorgen te maken over alarmsystemen en je hoeft ook niet bang te zijn dat je bij je werk zult worden gestoord, want beide zullen er in de nacht dat je deze klus klaart verlaten bij liggen.'

'Hoezo?'

'Omdat de mannen die daar wonen dan aan het eten zijn. Samen met mij.'

Ik moest daar even over nadenken. Ik stond niet bepaald te springen van enthousiasme bij wat ik te horen kreeg.

'Het klinkt nogal gecompliceerd,' reageerde ik. 'Waarom pik je die apenbeeldjes niet zelf? Ik kan me nauwelijks voorstellen dat ze gemist zullen worden.'

'Om te beginnen,' zei hij, terwijl hij een wenkbrauw optrok, 'heeft de knaap van de woonboot een kluis en doet hij nogal geheimzinnig over de combinatie van het slot. De andere man heeft een appartement in de Jordaan, dat bevindt zich op de bovenste verdieping van een vijf verdiepingen hoog gebouw en ik weet dat hij minstens drie sloten op zijn voordeur heeft zitten.'

'Maar hij heeft geen alarmsysteem.'

'Geen enkel.'

'Weet je dat zeker?'

'Luister, het is nu eenmaal onmogelijk om een alarmsysteem op een woonboot te installeren, dat gaat af zodra het een keertje hard waait of een schip te snel door de gracht vaart.'

'En het appartement?'

'Zoals ik je al zei is dat op de vijfde etage. Volgens mij denkt die knaap dat hij alleen daarom al helemaal geen alarmsysteem nodig heeft.'

'Die sloten...'

'Die moeten voor jou geen enkel probleem zijn. Ikzelf beschik én niet over de sleutels én niet over jouw talent, en dat zijn dan ook precies de redenen waarom we dit gesprek hebben.'

'Dan is er nog wat,' zei ik. 'Als we er nu eens van uitgaan dat de beeldjes voor deze twee mannen even belangrijk zijn als voor jou, tja, wat gebeurt er dan als ze na het etentje met jou naar huis gaan en merken dat de beeldjes verdwenen zijn, dat maakt je ogenblikkelijk verdacht?'

Hij schudde zijn hoofd. 'Ze vertrouwen me.'

'Kan best. Maar als ze je verdenken en ze gaan naar je op zoek, tja, dan is de kans groot dat mijn naam ter sprake komt.'

'Niet uit mijn mond.'

'Dat zeg jij. Maar het bevalt me niets.'

'Nou, luister dan eens hiernaar, ik was niet van plan om rond te blijven hangen op een plek waar ze me kunnen vinden. We hebben om zeven uur afgesproken en om tien uur moet het etentje zijn afgelopen, dus heb jij volgens mij ruim de tijd. Het café hier gaat om elf uur dicht en ik wilde voorstellen dat je je hier om half elf komt melden, mét de beeldjes. Als alles volgens plan verloopt, ben ik al vóór middernacht uit Amsterdam weg. En ik was niet van plan om ooit nog terug te komen.'

'Vertrek je uit Nederland?'

'Dat hoef jij toch zeker niet te weten?'

Ik zweeg even en probeerde het op een andere manier.

'Ik vind het tijdschema nogal aan de krappe kant. Als het me nu eens niet lukt om die kluis open te krijgen?'

'Dat lukt je heus wel.'

'Of als ik in dat appartement het beeldje niet kan vinden?'

'Die knaap bewaart het onder zijn kussen.'

Ik keek hem fronsend aan. 'Sláápt hij erop?'

'Voor mijn part vrijt hij ermee. Maar je vindt het beeldje onder zijn kussen.'

Ik wendde me van hem af en liet mijn blik door het interieur van het café dwalen. De blondine was met een vochtige doek de bar aan het afnemen, haar haren dansten rond haar gezicht. De enige andere gasten waren drie Hollandse mannen die aan een tafeltje bij de voordeur een biertje zaten te drinken. Ze sloegen elkaar lachend op de schouder en grinnikten hun grote voortanden bloot alsof het hen in het leven onmogelijk nóg beter kon gaan. Achter hen joeg een dicht regengordijn tegen de brede voorruit van het café, waardoor ik de verlichte brug over de gracht die ik aan de andere kant van het glas kon onderscheiden alleen nog maar in een waas zag. Ik zuchtte eens diep en besloot open kaart met hem te spelen.

'Luister,' zei ik. 'Ik moet hier nee tegen zeggen. Ik weet niet hoe je me gevonden hebt, en dat maakt deel uit van het probleem. Het andere punt is dat je wilt dat ik dit morgenavond al doe, en dat vind ik geen prettig idee. Ik ga liever altijd eerst even op verkenning uit voor ik aan een klus begin, en die tijd geef je me niet.'

De Amerikaan vlocht zijn vingers ineen, steunde met zijn handen op de tafelrand en tikte met zijn beide duimen tegen elkaar aan.

'En als ik je honorarium nou eens verdubbel?'

'Dat is nou het rare,' zei ik hem, 'daar word ik alleen nog maar nóg nerveuzer van. Kijk, ik weet nu dat het voor jou, om welke reden dan ook, van het grootste belang is dat dit morgenavond gebeurt. En het feit dat je me daar twintigduizend euro voor wilt betalen, doet vermoeden dat er twee keer zoveel risico aan verbonden is dan ik oorspronkelijk dacht.'

'Risico maakt er deel van uit. En dat geldt ook voor de beloning die ertegenover staat.'

'Het blijft nee.'

De Amerikaan vertrok zijn gezicht tot een grimas en schudde vermoeid zijn hoofd. Toen stak hij zijn hand in de zak van zijn windjack en haalde er een vierkant stuk papier uit. Hij aarzelde een ogenblik, keek me opnieuw recht aan, en schoof het stukje papier toen over de tafel mijn kant uit.

'Jongen, ik neem een groot risico. Dit hier zijn de adressen. Ik wil dat je die vast bij je hebt, voor het geval het morgenavond is, het tegen zevenen loopt en je van mening veranderd mocht zijn.'

'Dat zal niet gebeuren.'

'Daar ben je blijkbaar volkomen zeker van. Maar waarom zouden we er geen rekening mee houden dat je misschien tóch nog van gedachten mocht veranderen? Op deze manier beschik je over alle noodzakelijke bijzonderheden en heb je alle touwtjes in handen. Aan jou de keus.'

Ik bleef hem even aankijken en, dwaas die ik was, stak mijn hand uit en pakte het velletje papier van tafel.

'Heel goed, jongen,' zei hij me. 'Het enige wat ik je vraag is om er over na te denken.'

2

En óf ik erover nadacht, het grootste deel van de nacht en de hele volgende dag. Ik dacht eraan toen ik eigenlijk het manuscript had moeten corrigeren dat op mijn schrijftafel lag, en ik dacht er tussen de middag aan, tijdens mijn wandelingetje, en ook toen ik rond drieën een pakje sigaretten ging halen. En verdomd als het niet waar was: ik dacht er nog steeds aan toen ik die avond om kwart over zeven tegenover café De Brug stond.

De Amerikaan zat er inderdaad weer, aan hetzelfde tafeltje, en was in het gezelschap van twee mannen. Die waren beiden jonger dan de Amerikaan, en de manier waarop ze waren gekleed had iets Europees, hoewel ik, zonder hun stem gehoord te hebben, onmogelijk kon zeggen of het Hollanders waren. Ze droegen nagenoeg identieke leren jacks en lichte spijkerbroeken, maar fysiek waren ze onmiskenbaar elkaars tegenpool. De man die met zijn rug naar mij toe zat was nogal zwaargebouwd, met een dikke nek en een kaalgeschoren hoofd, terwijl zijn vriend graatmager was, een ziekelijke indruk maakte en zijn gezicht iets gekwelds uitstraalde, alsof hij te hard aan een sigaret had getrokken en vergeten was uit te ademen. Waren dit de mannen die in de woonboot en in het appartement in de Jordaan woonden, en als dat het geval was, wie was dan wie? Ik ging ervan uit dat de magere knaap de man van de woonboot was, want ik zag hem niet elke dag vijf trappen beklimmen zonder een stelletje ziekenverzorgers om hem heen en een stuk of wat cheerleaders voor hem uit, maar de gezette kerel kwam niet op me over als het soort man dat voldoende geld had om in de Jordaan te kunnen wonen. Maar misschien zat ik er helemaal naast, ondanks de boeken die ik schreef hoopte ik van ganser harte dat ik er in de verste verte niet als een inbreker uitzag.

Ik stak mijn hand in mijn zak en betastte het stukje papier waarop de twee adressen stonden. Even was ik van plan om de situatie nog eens door te nemen, de voors en tegens waarmee ik werd geconfronteerd op een rijtje te zetten, maar in feite was dat een zinloze exercitie. Ik bedoel maar, wie hield ik nu voor de gek, staande voor het café, terwijl ik net deed alsof ik een besluit probeerde te nemen? De kans dat ik een middernachtelijke stoeipartij met de blonde dame achter de bar zou laten schieten was nu beduidend groter dan de kans dat ik voor deze klus weg zou lopen. Dus liep ik bij het raam vandaan, ging de brug over, sloeg een paar keer een hoek om, dan weer links, dan weer rechts, om even later van de straat op het geverfde metalen dek van een oud Nederlands beurtschip te stappen.

Ik neem aan dat sommige mensen het volgende nogal vreemd zullen vinden: de meeste beroepsinbrekers willen liever niet midden in de nacht inbreken. Natuurlijk, er zijn dan minder mensen op straat, maar als iemand je om drie uur 's nachts voor een op slot zittende deur op je hurken ziet zitten, zal dat toch met een behoorlijke dosis achterdocht worden bekeken. Daar staat tegenover dat je, als je pakweg om half acht 's avonds een slot probeert open te krijgen, het risico loopt dat je door aanzienlijk meer mensen wordt gezien, maar dat de kans ook groot is dat die mensen daar verder niets achter zoeken. Want inbrekers zijn uitsluitend actief ná middernacht, toch?

Uiteindelijk bleek dat deze inbreker zich over geen van beide zorgen had hoeven maken. Om te beginnen was het al donker en stond er een gure wind waardoor de mensen binnen bleven en de straat zo veel mogelijk meden, maar daar kwam nog eens bij dat ik meer tijd nodig had om mijn microschroevendraaier en een set *lockpicks* uit mijn zak tevoorschijn te halen, dan om het trage oude cilinderslot in de toegangsdeur van de oude woonboot open te laten klikken.

Ik klopte een paar keer luid op de deur en wachtte lang genoeg zodat iemand eventueel naar de deur kon lopen, en duwde die toen pas helemaal open. Van enige beweging of gerommel was geen sprake, er was zelfs helemaal níets te horen. Dat verraste me niet echt, aangezien het interieur van de woonboot volkomen in duisternis was gehuld en ik wist (althans, dácht dat ik het wist) dat de eigenaar op dat moment druk bezig was aan het verorberen van een biefstuk à la minute. Ik klopte nog eens en pas toen ik ervan overtuigd was dat er echt niemand thuis was, stapte ik naar binnen, deed de deur achter me op slot (dat is onder dit soort omstandigheden het verstandigst) en drukte op een lichtschakelaar. Ik neem aan dat de meeste mensen zich daar ook over zullen verbazen, maar het is echt alleen maar een kwestie van gezond verstand. Als je ergens een plafondlamp aandoet wekt dat automatisch de indruk dat je het recht heb om op die bepaalde plek te zijn, terwijl je, als je met een zaklantaarn aan door een kamer scharrelt, je onmiddellijk en onnodig opvalt.

Het interieur bestond uit één open ruimte met een jarenzeventigallegaartje, de wanden waren met geel geschilderde schrootjes afgetimmerd, op de vloer lag een ruw, bruin tapijt en voor de ramen hingen oranje gordijnen. De nog openhangende gordijnen trok ik dicht en ik nam een ogenblik de tijd om om me heen te kijken. Veel meubilair stond er niet, voor in de boot eigenlijk alleen maar een groot bed, met daarop verkreukelde lakens en wat achteloos neergegooide kledingstukken, een plastic keukentafel die vol stond met vuile borden en een lege doos van de een of andere afhaalchinees, plus een versleten bank met doorgezakte kussens die voor een televisie stond en volgens mij uit de tijd dateerde dat dit interieur voor het laatst onder handen was genomen. Langs de zijkanten van het vertrek was behoorlijk wat bergruimte, waarvan een deel werd afgedekt door geruite zitkussens, alsmede een klein hokje dat aan één kant uitsprong en waarvan ik vermoedde dat daar de badkamer moest zijn.

Ik kraakte mijn knokkels als een concertpianist of, beter gezegd, een dief met een milde vorm van artritis. Vervolgens boog ik mijn vingers, bewoog ze heen en weer door de lucht, alsof ik in staat zou zijn om ze op de een of andere kosmische aanwezigheid te richten en exact te doorzien waar de kluis verborgen was. Mijn vingers maakten daarbij een zwak ruisend geluid, aangezien ik chirurgische handschoenen droeg die afkomstig waren uit een doos die ik thuis had staan, en die ik tijdens een recent bezoek (vanwege mijn artritis natuurlijk) uit het plaatselijke ziekenhuis had meegenomen. Ik droeg gewoontegetrouw dit soort handschoenen, mijn vingerafdrukken stonden buiten het Verenigd Koninkrijk weliswaar nergens geregistreerd, en het was weinig waarschijnlijk dat iemand in deze ruimte er naar op zoek zou gaan, maar vaste gewoonten en routine waren nu eenmaal goede vrienden van me, de

17

veiligste manier om mezelf te beschermen tegen kostbare vergissingen.

Maar ik dwaal af. De kluis.

Afgezien van het heen en weer bewegen van mijn vingers, was de beste manier om die te vinden het uitvoeren van een beredeneerde, methodische zoekactie, beginnend bij de voorkant van de boot en vervolgens de twee zijkanten af te werken, eerst bakboord, dan stuurboord, waarbij elke kast, elk hoekje en elke holle ruimte moest worden nagekeken, totdat ik het slaapgedeelte in het achterste gedeelte zou bereiken, aangenomen dat ik hem in de tussentijd niet al gevonden had. Ik zou straks dan ook op die manier te werk gaan, nadat ik eerst nog een paar voor de hand liggende dingen had geprobeerd.

Goed, waar zou ík me verbergen als ik een kluis was? Op Antigua? Hmmm. De badkamer? Nee, daar niet. De keuken? Wélke keuken? Boven het bed. Niets te zien. Achter dat niet bepaald recht hangende schilderij van een tulpenveld aan de wand boven de bank? Ach, dank u. Zo te zien schrok de eigenaar van onze woonboot niet terug voor een clichématige aanpak.

En ook was hij, jammer genoeg, geen fan van de klassieke kluis met combinatieslot. Dat was heel jammer, aangezien ik meer avonden dan me lief is met mijn oor tegen de stalen deur van enkele van de bekendere merken gedrukt heb gezeten, draaiend aan het combinatieslot, luisterend naar de veelbetekenende klik van de contactpunten op de nokkenschijf. Dan noteerde ik de met de klikken corresponderende cijfers op millimeterpapier, om even later in het bezit te zijn van de cijfervolgorde die noodzakelijk is om de ooit zo onaantastbare deur te doen openzwaaien. Maar aan al die ervaring had ik hier niets, want de kluis waar ik nu naar keek was met een elektronisch slot uitgerust. Alles bij elkaar tien cijfertoetsen, van nul tot en met negen, ondergebracht in een uiterst zakelijk paneeltje. Ik kon natuurlijk proberen klikken op te vangen, maar daar had ik weinig aan, aangezien een elektronisch slot geen enkel geluid maakt. Ik zou ook alle mogelijke combinaties kunnen uitproberen, maar daar had ik dan wel de rest van mijn leven voor nodig, en ik ben bang dat ik daar het geduld niet voor heb. Nee, een elektronisch slot was een lastige klant, zeker weten, en ik wist dat er slechts drie manieren bestonden om zo'n ding open te krijgen.

Om te beginnen, en dat was tegelijk de minst aantrekkelijke manier, kon je er een snijbrander op zetten. Je moet begrijpen dat kluizen gewoonlijk in twee categorieën in te delen zijn: ze zijn óf bestand tegen inbraak, óf ze zijn bestand tegen vuur. Hoe vreemd het ook mag lijken, je komt in een particulier huis zelden een kluis tegen die tegen beide bestand is, om de simpele reden dat zo'n kluis dan veel te duur zou worden. Inbraakbestendige kluizen, safes die zodanig ontworpen zijn dat een inbreker alleen met de grootst mogelijke moeite bij de inhoud kan, beschermen die inhoud dus meestal niet tegen hoge temperaturen. Maar dat mag allemaal zo zijn, veel had ik er niet aan, aangezien ik geen tijd had om een vuur aan te leggen dat zo'n intense hitte zou veroorzaken dat het metalen omhulsel openbarstte. Nee, als ik dat zou doen, zou dat de kluis waarschijnlijk in een soort oven veranderen en werd het voorwerp dat ik wilde stelen eerst nog even gekookt.

De tweede en aanzienlijk te prefereren methode was de code te gebruiken. Je moet me maar niet kwalijk nemen dat ik hier iets voor de hand liggends zeg, maar ondanks het feit dat we talloze malen te horen hebben gekregen dat we het níét moeten doen, noteren de meesten van ons wel ergens de codes van onze creditcards en mobiele telefoons, en, ja, van onze kluis natuurlijk, terwijl we dit soort aantekeningen vaak op een handige plaats bewaren, niet al te ver verwijderd van de zaken die deze codes zouden moeten beschermen. Dus ik ging eens goed op zoek naar de code. Om te beginnen keek ik op de rand van de kluis zelf, op de wand die om de kluis heen was gebouwd, op de voorzijde en vervolgens op de achterzijde van het schilderij dat voor de kluis had gehangen, in kasten en laden in de directe omgeving, en in kasten en laden in de minder directe omgeving, in de badkamer, tussen de vuile was onder het bed. En ik vond helemaal niets. Niet één enkel cijfertje. Maar het was het proberen waard geweest.

Dat betekende dat ik mijn toevlucht moest nemen tot mijn laatste optie, die weliswaar identiek is aan de tweede, maar tegelijkertijd iets omslachtiger, ondanks het feit dat hij gebaseerd is op een uiterst simpel principe: om een elektronisch slot open te krijgen, dien je op een paneeltje enkele toetsen in te drukken. En als je dat soort toetsen indrukt, kom op, wat betekent dat dan? Vingerafdrukken, jawel! Een veelheid aan vingerafdrukken. En als je niet al te vaak van code verandert (het liefst helemaal niet), kan een vindingrijke inbreker aan jouw vingerafdrukken zien welke toetsen hij moet indrukken, hoewel jammer genoeg niet in welke volgorde. Tussen haakjes, volgens mij is de enige manier om niet in deze val te lopen het in huis dragen van handschoenen, maar wie draagt er nou handschoenen in huis, afgezien dan van je eigen aardige inbreker aan huis?

Als ik wat meer tijd had gehad, had ik een wel heel fraai kunststukje kunnen uitvoeren: dan had ik een beetje ultraviolette inkt uitgesmeerd op een oppervlak dat de bewoner van de woonboot nagenoeg zeker aangeraakt moest hebben vóór hij de kluis zou openen, zoals de schilderijlijst bijvoorbeeld, en had ik vervolgens op mijn gemak mijn black light ingeschakeld (dat absoluut niet misstaan zou hebben in dit decor) om op díé manier aan de code te komen. Maar helaas beschikte ik over te weinig tijd en zat er niets anders voor me op dan mijn toevlucht te nemen tot de op één na beste manier: een setje waarmee ik vingerafdrukken kon vastleggen.

Dus haalde ik uit een kleine verzameling inbrekersgereedschap die ik op zak had een klein make-updoosje tevoorschijn dat ik enkele maanden eerder al met vingerafdrukpoeder had bijgevuld. Ik klapte het doosje open, pakje het kleine borsteltje dat aan de binnenkant van het deksel zat vastgeklemd, en begon vervolgens zorgvuldig elke genummerde toets in te poederen. Toen ik daarmee klaar was, blies ik het overtollige spul weg, deed even het grote licht uit, mijn kleine zaklantaarn aan en scheen met de lichtbundel schuin over het toetsenpaneel totdat ik zag waarnaar ik op zoek was. En daar had je ze – vier toetsen waren bedekt met talloze lagen vingerafdrukken – de mysteriecijfers waren 9, 4, 1 en 0. Nadat dit stukje magie achter de rug was, deed ik het grote licht weer aan, veegde zo goed mogelijk het vingerafdrukpoeder van het paneeltje en begon verschillende combinaties van de code die ik nu in handen had in te toetsen, uitgaande van de veronderstelling dat die code uit slechts vier cijfers bestond. Op een gegeven moment, zo'n tien minuten later, toen ik er langzaam maar zeker van overtuigd raakte dat ik tot volgende week zondag bezig zou zijn met het intikken van toetsen, hoorde ik eindelijk de welkome harde klik en het gezoem waarmee het slotmechanisme werd ontkoppeld, waarna, geloof het of niet, de kluisdeur opensprong.

Omdat ik een nogal vindingrijk type ben, deed ik de deur ervan helemaal open en tuurde naar binnen. Het was maar een kleine kluis en er bevonden zich slechts vier zaken in. De eerste was een enigszins verkreukelde foto van twee mannen met op de achtergrond een modderige rivier. De mannen hielden beiden een hengel en een viskoffer vast en keken glimlachend in de camera. Ik herkende een ervan als de magere man uit het café en de tweede persoon was naar alle waarschijnlijkheid zijn vader. Onder de foto lag een stapeltje bankbiljetten, euro's. Ik pakte het stapeltje en begon te tellen. Het waren allemaal biljetten van honderd euro en alles bij elkaar waren het er zestig. Ik legde de bankbiljetten terug op de plaats waar ik ze had gevonden, pal naast een geelbruine reep die eruitzag als hasj. Vlak naast de hasj bevond zich het apenbeeldje. Het aapje hield zijn handen tegen zijn oren gedrukt, alsof hij bang was dat ik van plan zou zijn de kluis met een springlading open te blazen. Ik pakte het beeldje en woog het in mijn handpalm; het voelde net zo aan als het beeldje dat de Amerikaan me had laten zien. Ik stak het in mijn zak en dacht na over wat me te doen stond.

Vervolgens besloot ik de bankbiljetten alsnog in te pikken. Tuurlijk, ik werd betaald voor de risico's die ik nam bij het uitvoeren van deze klus, maar dat betekende niet dat ik wat extra geld moest laten liggen dat hier zomaar lag, klaar om door mij meegenomen te worden. En hoewel de hasj geen enkele aantrekkingskracht op mij uitoefende – Amsterdam was nauwelijks een *seller's market*, en mocht ik ooit zin in een stevig rokertje hebben, dan werd ik waarschijnlijk een stuk sneller high van de goedkope wiet uit de talrijke coffeeshops die zich binnen loopafstand van mijn appartement bevonden – nam ik de drugs ook maar mee. Op die manier zou de magere man, als hij na thuiskomst toevallig zijn kluis mocht controleren, niet automatisch hoeven aannemen dat de persoon die bij hem had ingebroken specifiek achter het beeldje aan had gezeten. Althans, dat was mijn theorie.

Nu de kluis op de foto na verder leeg was, duwde ik de deur ervan weer dicht, deed hem op slot, hing het schilderij weer terug op de plaats waar ik het had aangetroffen en draaide het grote licht uit. Toen pas trok ik de gordijnen open die ik eerder had gesloten en ging weer naar buiten, ik deed de deur van de woonboot achter me op slot en trok mijn handschoenen uit.

Ik keek op mijn horloge. Het was al kwart voor negen en ik zou op

moeten schieten wilde ik mijn deadline halen. Met een bijna noncha-
lante polsbeweging gooide ik de hasj over de zijkant van de boot in het
donkere grachtenwater, waarna ik op de wal stapte en op zoek ging naar
een fiets.

3

In Amsterdam worden constant fietsen gestolen. Dat is een van de redenen waarom alle fietsen zo oud zijn, niemand heeft zin om te investeren
in iets wat waarschijnlijk elk moment meegenomen kan worden. Het is
grappig om te zien hoeveel bewoners van de stad bereid zijn hun gestolen fiets te vervangen door een ándere gestolen fiets. Ze kopen zo'n fiets
van dieven die op en rond de Dam actief zijn, zodat deze duistere gang
van zaken eindeloos in stand gehouden wordt.

Ik kan onmogelijk zeggen hoeveel fietsen er per dag worden gestolen, maar ik weet wél dat het er erg veel zijn. Dus ligt het voor de hand
dat er behoorlijk wat fietsendieven rondlopen. En bijna allemaal, althans, die indruk heb ik, maken ze gebruik van een betonschaar om het
fietsslot zo snel mogelijk door te knippen. Daarbij vergeleken ga ik nogal ongebruikelijk te werk, aangezien ik mijn picks gebruik. Als het om
een gewoon fietsslot of een hangslot gaat, ben ik op die manier minstens even snel als een betonschaar, terwijl mijn picks heel wat gemakkelijk mee te nemen zijn. En de bonus is dat ik het slot van de eigenaar
niet onmiddellijk verruïneer, want dat slot alleen al is vaak aanzienlijk
meer waard dan de fiets in kwestie.

Voor deze gelegenheid koos ik een fiets uit met een dynamo en een
comfortabel uitziend zadel, waarna ik in nog geen minuut het slot en de
bijbehorende ketting verwijderde. Daarna maakte ik de ketting weer
aan de brugleuning vast en fietste rustig weg. Al snel bleek dat de versnelling iets hoger was dan waar mijn voorkeur naar uitging, maar daar
kon ik weinig aan doen aangezien deze fiets slechts over één versnelling
beschikte. Deze fiets had een zogenaamde terugtraprem, iets waarmee
fietsen in het Verenigd Koninkrijk helemaal niet uitgerust mógen zijn,
en hoewel de dynamo gewillig tegen de rand van mijn achterwiel zoem-
de, vertoonde mijn fietslamp vóór nauwelijks een flikkering. Maar des-

alniettemin genoot ik van het tochtje. Dat duurde nauwelijks vijf minuten en toen ik de straat bereikte die ik in mijn hoofd had, vond ik het bijna jammer af te moeten stappen en de fiets tegen een boom te moeten zetten.

Het gebouw waarvan het appartement deel uitmaakte was typisch Jordaans. Het was hoog en smal, opgetrokken uit donkere baksteen en voorzien van een trapgevel, terwijl helemaal boven aan de voorgevel een hijsbalk was aangebracht. Het maakte deel uit van ongeveer veertig min of meer identieke huizen, met uitzicht over het Singel, zonder meer een prima locatie.

Ik beklom de stenen trap naar de voordeur en liet mijn blik over de deurbellen glijden die op het deurkozijn waren bevestigd. Bij de bovenste zoemer, waarvan ik aannam dat hij bij het appartement op de vierde etage hoorde, stond geen naam. Ik drukte op de bel en wachtte af. Gezien de ouderdom van het gebouw, en omdat er geen luidsprekertje naast de deur was gemonteerd, vermoedde ik dat er van een modern intercomsysteem geen sprake was, dus gaf ik de bewoner ruim voldoende tijd om een raam open te doen of de vier trappen af te dalen en de deur voor me te openen. Ik wachtte tot de minutenwijzer van mijn horloge twee volledige omwentelingen hadden gemaakt, en toen er vervolgens nog niets gebeurde, drukte ik nog een keer op de bel en wachtte toen nog even. Uiteindelijk, alert als ik ben, kwam ik tot de conclusie dat er niemand thuis was.

Het ontbreken van een intercomsysteem kostte me niet alleen tijd, maar het belemmerde me tevens bij het gemakkelijk binnenkomen van het gebouw. Bij een modern appartementenblok kon ik altijd nog op de bel van een van de andere flats drukken, zodat een nietsvermoedende medebewoner van het blok me binnen kon laten. Maar hier kon dat niet, want als iemand binnen mij zou horen bellen, moest hij of zij wel naar beneden komen om de deur open te doen, wat zou betekenen dat ik me naar binnen moest zien te praten terwijl de ander alle tijd had om zich mijn gezicht in te prenten. Waarschijnlijk zou me dat niet lukken, en zelfs als ik wél binnen zou komen, was dit behoorlijk gevaarlijk.

De voordeur zelf zag er nagenoeg onneembaar uit: ruim een halve meter breder en hoger dan gebruikelijk, alsof hij me door middel van intimidatie alleen al probeerde af te schrikken. Maar gelukkig was het

24

slot waarmee hij was uitgerust ongeveer net zo tegen mijn charmes op-
gewassen als de heupwiegende halfnaakte vrouwen achter de rood verlichte ramen een paar straten verderop. En net als de wat commerciëlere
dames onder hen accepteerde de deur moeiteloos mijn creditcard, die
ik tussen de deur zelf en het kozijn omhoog haalde tot de schoot van het
knipslot opensprong. De deur was echter nog van een tweede slot voorzien, dat met een verzonken grendel was uitgerust, en dát open krijgen
zou een aanzienlijk lastiger opgave zijn geweest, ware het niet dat de lieve mensen die in het appartementengebouw woonden dit niet hadden
gebruikt.

Behoedzaam duwde ik de deur open en stapte naar binnen. Recht
voor me uit bevond zich een nagenoeg verticale trap die ik beklom op
de manier waarop je gewoonlijk een ladder bestijgt. De treden waren
van hout en brachten allerlei soorten gekraak en gekreun voort, en een
deel van mij maakte zich zorgen of hierdoor geen nieuwsgierige buur-
man uit een van de andere flats naar buiten zou worden gelokt om mij
te vragen wie ik eigenlijk was. Het andere deel van mij vervloekte de
idioot die deze trap onder zo'n onmogelijke hoek had geconstrueerd,
we waren hier niet op de kermis. Het drong tot me door dat iedereen
die hier op een van de bovenetages woonachtig was verhoudingsgewijs
jong en gezond moest zijn, en dat als ik hier halsoverkop zou moeten
vertrekken, dat geen eenvoudige zaak zou worden. Het onaantrekkelijke beeld van mijzelf, uitglijdend en op meerdere plaatsen mijn been
brekend, drong zich aan mij op, en ik huiverde toen ik in gedachten
mijn dijbeen verschillende keren snel achter elkaar hoorde knappen, als
een ijsblokje dat in een glas leidingwater werd gegooid.

Uiteindelijk bereikte ik de bovenste etage. Misschien dat ik een keer
of twee ben blijven staan om op adem te komen en om het zuur in mijn
dijbenen de gelegenheid te geven weg te lekken, maar ik kwam verder
niemand tegen en was daar dankbaar voor. De deur waarnaar ik op
zoek was bevond zich aan het einde van de gang, en terwijl ik mijn
schouders rechtte en mijn blik erop richtte, onderging ik een lichte tinteling van nerveuze energie bij de gedachte dat ik op het punt stond opnieuw een ruimte te betreden die verboden gebied voor me was. Deze
keer werd een deel van dat gevoel veroorzaakt door de uitdaging die de
sloten boden. Het waren er drie, precies zoals de Amerikaan had ge-

zegd, maar ze waren van een totaal andere orde dan de sloten die ik even eerder had geopend. De reden van dit alles was dat het hier om 'wespensloten' ging. Wespensloten waren de duurste sloten die er op de Nederlandse markt te koop waren, en terecht. Toen ik voor het eerst in Holland kwam, had ik er een stuk of wat gekocht, en het had een tijdje geduurd voor ik enigszins aan hun eigenaardigheden was gewend. Mijn grote doorbraak kwam pas toen ik een van de sloten uit elkaar haalde en vervolgens weer ín elkaar zette om te doorgronden wat er nou zo lastig aan was. Het antwoord was een extra stel pennen aan de onderkant van de cilinder, én aan de bovenkant, maar met deze wetenschap was het openen van zo'n slot nog steeds geen makkie, en meestal had ik wel een paar pogingen nodig om er met behulp van mijn picks langs te komen.

Maar voor ik op de sloten aanviel klopte ik stevig op de deur en wachtte opnieuw. Toen er niemand kwam kijken om te vragen wat ik wilde, voelde ik me voldoende veilig om mijn chirurgische handschoenen aan te trekken en mijn zaklantaarn tevoorschijn te halen. Ik liet de lichtbundel langs de deurrand glijden, op zoek naar eventuele veelzeggende draden. De informatie die de Amerikaan me had gegeven had tot dusverre allemaal geklopt, maar als ik werd betrapt was het míjn hoofd dat op het blok lag, dus wilde ik me er per se van overtuigen dat er geen alarminstallatie was aangebracht. Ik kon geen draden zien, maar hoewel dat nauwelijks doorslaggevend genoemd kon worden, was het voor mij voldoende om aan het werk te gaan.

Ik besloot eerst het bovenste slot aan te pakken, en vervolgens het onderste, want dat waren beide knipsloten en waarschijnlijk een stuk gemakkelijker te openen dan het veiligheidsslot in het midden. Dus haalde ik mijn schroevendraaiertje en mijn picks weer tevoorschijn, en begon – met mijn zaklantaarn in mijn mond – de inwendige pennen omhoog te wrikken die moesten voorkomen dat de grendel aan de bovenkant van het slot terug zou glijden. Binnen de kortste keren begon de zaklantaarn tussen mijn tanden steeds onprettiger aan te voelen, terwijl ook mijn kaak nog eens pijn ging doen, en omdat ik toch nauwelijks gemak had van het schijnsel, haalde ik de zaklantaarn maar uit mijn mond en stopte hem weer in mijn broekzak. Ik bewoog mijn kaken een paar keer tot die licht begonnen te kraken, en toen het geheel weer prettig aanvoelde hervatte ik mijn gepeuter in de cilinder van het slot, om na enige tijd opnieuw beloond te worden met het gedempte tikken van een pennetje dat omhoog werd getild en kwam te rusten op de delicate inwendige richel die ik in mijn hoofd gevisualiseerd had. Na korte tijd had ik de pennetjes aan de bovenkant allemaal omhoog gebracht, waarna ik mijn pick omdraaide om het onderste set pennetjes af te tasten. Het was een lastig werkje, maar ik was koppig genoeg om deze klus af te willen ronden zonder daarvoor de deur te hoeven forceren, en ik hield vol tot het laatste pennetje op zijn plaats viel en de druk die ik met de schroevendraaier uitoefende alleen al voldoende was om het cilindermechanisme te doen draaien. Nu het moeilijkste deel achter de rug was, zette ik de cilinder zodanig vast dat hij open bleef staan en voerde dezelfde procedure uit bij het onderste slot, dat korte tijd later ook openging.

Alleen het middelste slot moest ik nu nog open zien te krijgen, wat ik heel even voor me uit schoof door een ogenblik lang te pauzeren om weer enigszins op adem te komen en met de mouw van mijn jas het zweet van mijn voorhoofd te wissen. Toen ik uiteindelijk mijn volle aandacht op het slot richtte, besefte ik met een licht gekreun dat het hier om een wespenslot speciaal ging, een product dat eindelijk eens voldeed aan de naam die de marketingmensen ervoor hadden verzonnen. De speciaal, weet je, werkte op dezelfde basisprincipes als de twee sloten die ik al eerder onschadelijk had gemaakt, maar er waren bij deze nog een paar extra trucs ingebouwd, die geen van alle echt noemenswaardig zijn, behalve dat er behoorlijk wat meer denkwerk en vindingrijkheid voor nodig zijn, en hoewel zoiets me binnen het gemak van mijn eigen huis nog wel zou kunnen amuseren, vind ik dat behoorlijk irritant als het me belet het huis van iemand anders binnen te gaan. Dus vervloekte ik mijn geluk, klemde mijn kaken op elkaar en zuchtte eens diep, om me vervolgens weer bijeen te rapen en me op dat verdomde ding te concentreren. Om te beginnen wierp ik me weer op de pennetjes, hoewel ik daarbij mijn toevlucht moest nemen tot alle mogelijke soorten gekonkelefoes, improvisatie en brute kracht om, in íéts meer dan vijf minuten, de cilinder zover te krijgen dat hij wilde draaien. Toen pas ontdekte ik iets vervelends wat ik eigenlijk al had moeten zien aankomen: het slotmechanisme was niet verbonden met een simpele schoot, maar zat vast aan een aanzienlijk grotere stalen stang die over de hele breedte van de deur doorliep.

Dit was zonder meer een probleem, en de reden dát het een probleem was sproot voort uit het feit dat ik naar alle waarschijnlijkheid niet voldoende kracht op mijn kleine schroevendraaiertje kon uitoefenen om die stang in beweging te brengen, en ik had niet de vooruitziende blik gehad om een zwaardere schroevendraaier mee te nemen. Ik deed een stapje achteruit, dacht een ogenblik na en kwam tot de conclusie dat ik niet voldoende tijd had om voor deze klus het juiste gereedschap op te halen. Ik moest het maar met het verkeerde gereedschap zien te doen. Dus sloot ik me helemaal af voor alles wat verkeerd zou kunnen gaan, gaf aan de minuscule schroevendraaier zo hard en zo snel ik kon een stevige ruk, waarna de stalen stang – zeer tot mijn opluchting – meegaf vóór het schroevendraaiertje kon breken.

Nu ik het laatste obstakel had bedwongen, haalde ik alle staafjes en picks uit de diverse sloten, duwde vervolgens de deur wat verder open en tuurde naar binnen, op zoek naar het infrarode geknipper van eventuele bewegingsdetectoren. Toen ik die niet zag, stapte ik ruim over de deurmat heen, om te voorkomen dat ik op eventuele druksensoren zou stappen, en keek toen ónder de mat om te kijken of het appartement écht niet van een alarminstallatie was voorzien. Toen dat inderdaad niet het geval bleek te zijn, deed ik de deur achter me dicht, deed hem op slot, knipte het grote licht aan en ging op zoek naar de slaapkamer.

Het appartement had toevallig twee slaapkamers, beide aan de achterzijde van het gebouw, ver verwijderd van het uitzicht op de gracht door de vensters van de zitkamer, die zich aan de voorkant bevond. De eerste slaapkamer was vrij klein en er stond alleen een onopgemaakt kampeerbed, zonder kussen. Ik liep door en kwam uit bij de tweede, aanzienlijk grotere slaapkamer, die werd gedomineerd door een groot tweepersoons bed dat midden in de kamer stond. Ik knielde naast de matras neer en voelde onder het enige kussen dat erop lag. Ik voelde in de kussensloop. Toen haalde ik het kussen úít de sloop en draaide de sloop binnenstebuiten. Er zat niets in.

Ik legde het kussen terug zoals ik het had aangetroffen en ging op zoek onder het dekbed en rond, en vervolgens ónder, de matras. Nadat ik de kussensloop nog eens had nagelopen ging ik op de grond zitten en liet mijn blik door het vertrek glijden. Dat was op een grote houten hutkoffer na verder leeg. De hutkoffer was met een klein hangslot afgesloten en bijna zonder na te denken peuterde ik dat open en keek ik wat erin zat. Er zat voornamelijk kleding in, evenals een doordrukstrip met iets wat nog het meest op hoofdpijnpillen leek, alsmede een stuk of wat condooms in verschillende kleuren. Ik zocht nog wat dieper en mijn vingers raakten iets kouds en hards. Vóór ik het uit de hutkoffer haalde wist ik al precies wat het was, maar desalniettemin haalde ik het tevoorschijn.

Het voorwerp was een vuistvuurwapen, een pistool. Inderdaad, mijn kennis aangaande vuurwapens is op z'n best rudimentair te noemen, maar elke idioot zag onmiddellijk dat het dodelijk was. Nu ik zo'n vuurwapen in mijn hand hield, bedacht ik voor de zoveelste keer dat ik toch eindelijk eens moest proberen iets meer over dit onderwerp te weten te komen. Op die manier was ik, telkens als ik er een tegen het lijf zou lopen (en dat gebeurde aanzienlijk vaker dan me lief is), in staat de patronen eruit te halen of iets destructiefs te doen met het trekkermechanisme, zodat er niet meer mee geschoten zou kunnen worden. Maar om de een of andere reden komt het daar nooit van, dan lijkt er bij mij een soort weerstand te ontstaan. Misschien komt dat omdat alleen criminelen zich in de werking van vuurwapens verdiepen. En de politie natuurlijk.

Omdat ik het wapen niet onklaar kon maken, overwoog ik het dan maar ergens te verstoppen, een tactiek waartoe ik in het verleden al vaker mijn toevlucht had gezocht. Het probleem was alleen dat de enige plaats in de slaapkamer waar ik het wapen zou kunnen verbergen de hutkoffer was, en ik had zo het vermoeden dat de eigenaar om te beginnen wel eens in die koffer op zoek zou kunnen gaan. Een andere mogelijkheid was het ding mee te nemen, maar dat vond ik geen aantrekkelijk idee. Stel je voor dat ik buiten door een passerende politieagent zou worden aangehouden en gefouilleerd, die vervolgens het inbrekersgereedschap én het vuurwapen bij me aantreft. Dat was een weinig aanlokkelijk vooruitzicht.

En bovendien iets waar ik mijn kostbare tijd niet aan zou moeten verdoen. Per slot van rekening ging het nu vooral om erachter te komen waar dat apenbeeldje ergens uithing. Als zich dat nog steeds in het appartement bevond, was het heel wat lastiger op te sporen dan een wandkluis. Goed, het appartement was spaarzaam gemeubileerd, maar het apenbeeldje was maar enkele centimeters groot en kon nagenoeg overal in verborgen zijn, ervan uitgaande dat dat ding hier nog steeds in huis was. De Amerikaan had nadrukkelijk gezegd dat het hier onder het kussen zou liggen, en daar was simpelweg geen sprake van.

Ik keek opnieuw op mijn horloge. Het was bijna half tien, wat inhield dat ik nog maar een uurtje had voor ik geacht werd me bij de Amerikaan te melden en dat het nog maar een half uurtje zou duren tot de dikke man en de magere man met hun maaltijd klaar zouden zijn. De marges werden steeds smaller en onplezieriger, en dan ging ik er voor het gemak maar van uit dat de Amerikaan de situatie niet nóg neteliger zou maken door eerder afscheid van zijn beide metgezellen te nemen. Was dat eigenlijk wel zo onwaarschijnlijk? De Amerikaan wist per slot van rekening niet dat ik van gedachten was veranderd, ondanks het feit dat hij wellicht nog hoop koesterde dat ik dat inderdaad zou doen.

Tien minuten. Meer tijd zou ik mezelf niet toestaan, en zo gek lang was dat nu ook weer niet. Ik kon in elk geval niet blíjven treuzelen. Maar waar moest ik beginnen? Ik schudde mijn hoofd en richtte mijn blik naar het plafond, wellicht in de hoop daar een of andere aanwijzing aan te treffen. Wat nogal vreemd was omdat ik daar iets veel beters ontdekte: een luik.

Het zat zich recht boven mijn hoofd en ik had het niet eerder opgemerkt omdat het in dezelfde kleur was geschilderd als de rest van het plafond. En je kunt het geloven of niet, de hutkoffer stond er recht onder. Apart, toch?

In een flits stopte ik het pistool achter de tailleband van mijn broek, deed het deksel van de hutkoffer dicht en klom erbovenop. Ik ging op mijn tenen staan, duwde het luik omhoog en schoof het vervolgens opzij. Vervolgens tastte ik met mijn vingertoppen rond de opening. Het hout was ruw en korrelig en bedekt met een laag stof. Ik voelde langs het houten frame en vond nog steeds niet datgene waarnaar ik op zoek was. Maar toch had ik er een vreemd gevoel over, en dus stopte ik mijn zaklantaarn weer in mijn mond, voerde een goed getimede sprong uit en slaagde erin me zodanig op te trekken dat mijn hoofd in de opening verdween. Uiteraard had ik er niet aan gedacht de zaklantaarn aan te doen, dus moest ik me nog een stuk omhoog hijsen, tot ik mijn ellebogen op de rand van het luik kon laten rusten, waarna ik eindelijk met mijn vrije hand bij mijn zaklantaarn kon. Ik klikte hem aan en liet de lichtbundel door het koude, muf ruikende interieur glijden. Vóór mij was niets van enig belang te zien, dus draaide ik me met behulp van mijn ellebogen een slag om, waarbij mijn benen in het vertrek onder me bungelden, en had al bijna een volle cirkel gemaakt voor ik eindelijk het apenbeeldje zag. Het stond pal achter het houten frame van de opening, en lag op zijn kant op het sponsachtige materiaal waarmee deze vliering was geïsoleerd, de ogen wijd open van verrassing, en met de voorpoten voor zijn bek geslagen. Ik stak mijn hand ernaar uit en pakte het beet, terwijl ik me afvroeg waarom dit ding al die moeite waard zou zijn.

De vraagtekens werden nog groter toen ik in de gang een scherpe knal hoorde, direct gevolgd door nog een knal en het geluid van versplinterend hout.

4

Opnieuw was het geluid van versplinterend, splijtend en barstend hout te horen, maar iets minder woest deze keer, alsof de indringer de resten aan de kant duwde, bij het gat vandaan dat hij in de voordeur had gebeukt. Toen hoorde ik hoe de drie sloten werden omgedraaid, en ik ging ervan uit dat de indringer zijn hand door het gat had gestoken om erbij te kunnen.

Niet dat ik, zoals je ongetwijfeld begrepen zult hebben, was blijven rondhangen om te zien of ik het bij het rechte eind had. In feite had ik me, zodra ik hoorde dat er op de deur werd ingebeukt, verder opgedrukt, de vliering op, en was nu druk bezig zo geluidloos mogelijk het luik op zijn plaats te schuiven. Langs de randen van het luik was het licht uit de slaapkamer nog zichtbaar, maar ik was er nagenoeg van overtuigd dat het precies op zijn plaats zat. Was dat niet het geval, dan zou ik daar binnen de kortste keren vanzelf achter komen.

Ik liet de lichtbundel van mijn zaklantaarn door de vliering glijden om er zeker van te zijn dat mijn lichaamsgewicht op de juiste wijze over de balken verdeeld was en niet op de dunne zachtboardplaten van het plafond rustte. Daarna deed ik mijn zaklantaarn uit en wachtte af.

De deur van het appartement ging open en iemand kwam naar binnen. De persoon in kwestie bleef heel even staan, wellicht verbaasd over het feit dat de lichten aan waren en zich afvragend of hij misschien toch niet beter eerst even had kunnen kloppen.

'Hallo?'

Het was een man en zo te horen was hij Hollands. Heel even schoot het door mijn hoofd om te reageren, en dat misschien het geluid van mijn stem al voldoende was om hem er als een haas vandoor te laten gaan. Vervolgens drong tot me door dat ik dit soort stomme ideeën onmiddellijk uit al mijn hersencellen zou moeten bannen.

We wachtten af, de indringer en ik, en toen hij eindelijk tot de conclusie was gekomen dat het appartement even leeg was als hij zich had voorgesteld, kwam hij mijn kant uit gelopen, waarbij het geluid van zijn voetstappen resoneerde tot in de houten balken waarop ik balanceerde.

Hij leek de kleine tweede slaapkamer net zo snel te negeren als ik, ging op weg naar de grote slaapkamer en bleef toen een kleine meter pal onder me staan. Had ik daar soms iets laten liggen? Ik dacht van niet. Sterker, ik was ervan overtuigd dat het niet het geval was. En ik had ook het bed en de matras achtergelaten zoals ik het had aangetroffen, en het deksel van de hutkoffer had ik ook weer dichtgedaan. Wel bestond natuurlijk de mogelijkheid dat ik bij het doorzoeken van de vliering stofvlokken had losgemaakt, en dat die nu op een veelzeggende hoop op de vloer eronder waren terechtgekomen, maar dat was niet waarschijnlijk, en de indringer zou over een uitmuntend stel ogen moeten beschikken om vanaf de andere kant van het vertrek het stof te kunnen waarnemen.

Ik noem het stof omdat het een scenario was, zij het misschien wat vergezocht, dat ik in een van mijn eerdere inbrekersboeken had verwerkt. Mijn hoofdpersoon in de serie, Faulks, was in het ventilatiesysteem van een Berlijnse kunstgalerie gekropen met de bedoeling te wachten tot de galerie zou sluiten, om zich daarna aan een staalkabel te laten zakken en een bepaald schilderij te stelen, maar hij had per ongeluk wat fijn puin door een raster naar beneden laten vallen, vlak voor de voeten van een oplettende, al wat oudere museumsuppoost. De suppoost, wiens argwaan was gewekt, had naar boven gekeken, en Faulks, die nu eenmaal razendsnel kon denken, had in de ventilatiekoker met zijn nagels wat schrapende geluiden gemaakt. Zijn geïmproviseerde imitatie van een rat was voldoende geweest om de suppoost te doen huiveren, maar ik zag niet hoe dat me in mijn huidige situatie zou kunnen helpen.

Wat deed die knakker daar beneden allemaal?

Behoedzaam drukte ik mijn oor tegen het luik. Maar dat hielp me geen steek verder, dat leek alleen het kolkende geluid van het bloed in mijn oren maar te versterken. Ik probeerde door de nietige spleet langs de rand van het luik te kijken, maar het enige wat ik zag was een wazige streep licht. Ik kwam overeind en luisterde nog wat beter, waarbij ik mijn uiterste best moest doen om nog iets boven het tromgeroffel van mijn hartslag uit op te vangen. Ik hoorde iets bewegen, maar kon onmogelijk zeggen wat precies. Het enige waarschijnlijke was dat de man bezig was het beddengoed te doorzoeken, want welk ánder geluid zou hij anders gemaakt moeten hebben? In elk geval was het nauwelijks te horen.

Plof.

Dát leek erop alsof er een matras op de vloer werd gegooid, alsof de indringer hem had opgetild om te kijken of er ook iets onder lag. Nog meer voetstappen. Een zacht krakend geluid en een gedempt gebonk. Ik vermoedde dat hij de hutkoffer aan een nader onderzoek onderwierp. Lang was hij daar niet mee bezig. Toen hoorde ik hoe hij de hutkoffer over de vloer verschoof, misschien om te kijken of er iets onder lag, iets waaraan ik helemaal niet had gedacht, en een paar minuten later hoorde ik lange, scheurende geluiden. Ik meende te doorzien wat dat betekende: hij sneed het beddengoed open, waaruit op te maken viel dat hij een mes bij zich had.

Dat mes was geen prettige gedachte. Ik bedoel maar, mensen die met een mes rondlopen zijn over het algemeen lieden die geen moment aarzelen het ook daadwerkelijk te gebruiken. Ik zag beelden voor me van een pokdalige zwerver met één oog, die het mes onophoudelijk van de ene hand overgeeft naar de andere, popelend om de ongelukkige inbreker die zich op de kille vliering vlak boven hem verborgen heeft aan flarden te snijden.

Maar daar moet onmiddellijk bij worden gezegd dat de kans dat hij me zou vinden erg klein was, en zelfs al zou hij me wél vinden, dan bestond er altijd nog een kans dat ik me eruit zou kunnen kletsen. Dat was me in het verleden wel vaker gelukt. Ik ben eens door een bewoonster op heterdaad betrapt terwijl ik druk bezig was me haar beste tafelzilver toe te eigenen, en slaagde erin om zonder kleerscheuren het pand te verlaten nadat ik haar eerst nog een globale taxatie van de waarde van haar collectie had gegeven.

Maar waar maakte ik me eigenlijk zorgen om? Ik had nog steeds dat pistool achter de tailleband van mijn broek zitten. Wat me op slag een onrustig gevoel gaf, aangezien ik er, vóór ik het wapen in de richting van mijn kruis had geschoven en begonnen was in deze benauwde ruimte rond te kruipen, niet eens aan had gedacht te kijken of de veiligheidspal er wel op zat

Zo behendig mogelijk rolde ik me op mijn zij en viste behoedzaam het wapen van achter mijn broeksband vandaan, om de zware loop vervolgens op het luik te richten. Wat mij betreft kon de indringer nu de aanvechting krijgen zijn hoofd door het luik te steken, en als hij het op mij mocht hebben voorzien, zou ik er niet tegenop zien dat hoofd van zijn schouders te schieten.

Uiteindelijk hield ik dat wapen zó lang beet dat mijn pols er pijn van ging doen, terwijl de scheurende en snijdende geluiden gewoon doorgingen. Toen, even abrupt als het was begonnen, hield het scheuren op en begaf de indringer zich naar de tweede slaapkamer. Ik legde het wapen neer, schudde met mijn pols in een poging er weer enig gevoel in terug te brengen en keek met de zaklantaarn op mijn horloge om te zien hoe laat het was. Het was al na tienen, wat inhield dat de dikke elk moment thuis kon komen. En die wist van het bestaan van het luik, ook al had de indringer dat nog niet opgemerkt.

Ik richtte de lichtbundel van de zaklantaarn op het apenbeeldje en vroeg me af wat er zo speciaal aan was. De aap staarde me in de lichtbundel aan, als een doodsbange verdachte tijdens een stevige ondervraging. Hij hield zijn handen nog steeds voor zijn mond, alsof hij bang was een geheim te verklappen, of, erger nog, zou piepen, en zo ons beider schuilplaats zou verraden. Ik was net van plan om deze kleine opsodemieter eens stevig onder druk te zetten, zodat hij zou gaan praten, toen ik de voetstappen van de man weer hoorde, maar deze keer wel een stuk doelbewuster, hoewel ik blij was te kunnen vaststellen dat ze zich van me verwijderden. Vervolgens hoorde ik hoe de voordeur openzwaaide en het geluid van zijn voetstappen in het niets oplosten.

Hij was vertrokken, daar was ik hoegenaamd van overtuigd, maar ik wachtte toch nog een paar minuten om er zeker van te zijn dat hij echt weg was. Daarna, nadat ik er volledig van overtuigd was dat hij inderdaad verdwenen was, kwam ik langzaam vanuit mijn gebogen houding overeind en strekte me, zodat de kramp uit mijn benen en rug zou worden verdreven. Nadat ik me weer enigszins had bewogen schoof ik behoedzaam het luik opzij, zwaaide mijn benen over de rand, zodat die opnieuw uit het plafond bungelden. Vervolgens, terwijl ik zo ver mogelijk naar één kant leunde, tilde ik een vierkant stuk van het spul op waarmee de vliering was geïsoleerd, stopte het vuurwapen eronder en liet het toen weer zakken, stak daarna het apenbeeldje in mijn zak, liet mezelf vanuit de luikopening naar beneden zakken en probeerde zo zacht mogelijk op de vloer van de slaapkamer neer te komen.

Op dat moment had ik natuurlijk de hutkoffer weer op zijn oorspronkelijke plaats terug kunnen schuiven en erbovenop kunnen gaan staan om het luik weer terug op zijn plaats te schuiven, maar dat was in feite zinloos. Mijn opvolger had van het beddengoed en de matras zo'n puinhoop gemaakt, dat je de indruk kreeg dat in een of andere studentenslaapzaal een kussengevecht totaal uit de hand was gelopen. Aan repen gescheurd textiel en donsveren bedekten de vloer, helemaal tot aan de deur, en ik koesterde geen enkele hoop dat ik een en ander weer in de oorspronkelijke staat zou kunnen terugbrengen. Maar zelfs als ik over de magie had beschikt om een nieuw, identiek dekbed tevoorschijn te toveren, dan zou ook dát gebaar volkomen zinloos zijn geweest, gezien het grote gat in de voordeur van het appartement.

Dus klopte ik mezelf af en ging zo snel als ik kon naar buiten. Ik liet de deur op een kiertje staan en roffelde haastig de vijf trappen af totdat ik bij de voordeur van het gebouw aankwam, die, al bleek snel, dezelfde behandeling had ondergaan als zijn neefje boven, hoewel deze keer met name het deurslot te lijden had gehad van de voorhamer die kennelijk was gebruikt om binnen te komen.

Ik glipte naar buiten en stond op straat, zoog mijn longen vol met frisse lucht en merkte, heel eventjes maar, dat er nog iets was waarom ik moest glimlachen. Mijn fiets stond er nog.

5

Toen ik er terugkeerde lag café De Brug er verlaten bij. De lichten waren gedoofd en toen ik naar binnen wilde bleek de deur op slot te zitten. Ik was maar een paar minuten te laat, maar nergens was een spoor van de Amerikaan te bespeuren. Ik vroeg me heel even af of hij me vanuit een donker zijstraatje iets toe zou fluisteren, maar dat soort dingen gebeurde uitsluitend op de pagina's van mijn detectives. Toch keek ik om me heen en ik zag dat de straat geheel verlaten was. Als ik het graag zou willen, was dit de perfecte gelegenheid om in het café in te breken, hoewel ik daar onmogelijk het nut van inzag. Uiteindelijk duwde ik weer tegen de deurklink en ik sloeg vervolgens hard met mijn handpalm tegen het glas.

Even later verscheen de blonde bardame vanuit een vertrek achter in de zaak. Ze deed het licht aan en haastte zich naar de deur om die voor mij van het slot te doen, en wachtte niet eens af om te zien wat ik wilde. Haar bewegingen waren gejaagd en ze maakte een ongeruste, ietwat angstige indruk. Ik wil niet zeggen dat alle kleur uit haar gezicht was weggetrokken, want daarvoor was haar bruine teint toch te nadrukkelijk aanwezig, maar haar opgewektheid was in elk geval totaal verdwenen. Ze deed de deur achter me op slot, beet besluiteloos op haar lip, sloeg haar handen ineen, maakte ze toen weer los en schoof met haar rechter een pluk haar achter haar oor, terwijl ze via wel honderd minder duidelijke signalen liet zien dat ze feitelijk radeloos was.

'Ze hebben hem meegenomen,' zei ze buiten adem.

'De twee mannen?'

Ze knikte. 'Een uur geleden. Naar zijn appartement.'

'Heb jíj iets te maken met dit alles?'

Ze aarzelde. Ik haalde een van de aapjes uit mijn zak en liet dat aan haar zien. Zodra ze het beeldje zag leek ze zich te verslikken, en toen knikte ze, waarbij haar blauwe ogen strak op het beeldje bleven gericht.

'Hoe heet je?'

'Marieke.'

'Wat is jouw relatie met de Amerikaan precies?'

Ze keek me aan, knipperde met haar ogen en ik besefte onmiddellijk dat dat een erg domme vraag was. Toen keek ze opnieuw naar het apenbeeldje, waarna ik het weer in mijn zak liet glijden.

'Je denkt niet dat hij nog terugkomt?' vroeg ik haar.

Ze schudde haar hoofd, alsof ze zich los wilde maken van de ban die het aapje blijkbaar over haar had. 'Hij zei dat hij de hele nacht hier zou blijven,' zei ze. 'Dat hij niet weg zou gaan.'

'Maar iets heeft hem van gedachten doen veranderen.'

'Dat kwam door dat tweetal.'

'Goed.' Ik liet mijn blik door het café dwalen, op zoek naar de een of andere vorm van inspiratie. Ik had het gevoel dat ik op dat moment behoorlijk wat inspiratie tekortkwam. 'Dat appartement waarover je het had; ben je daar wel eens geweest?' vroeg ik.

Ze knikte.

'Dan kun je maar beter laten zien waar dat ergens is.'

De blondine liep opnieuw het vertrek achter de bar in, zodat ik de kans kreeg om eventuele twijfels over waar ik nu precies mee bezig was naar de diepste, donkerste krochten van mijn brein te verbannen. Toen ze weer tevoorschijn kwam droeg ze een gewatteerde winterjas en had ze een bos sleutels bij zich waarmee ze het café achter zich op slot deed. Direct daarna stak ze de brug over en vervolgde ze haar weg dwars door een stuk of wat met kinderhoofdjes geplaveide straatjes, waarbij haar hakken duidelijk hoorbaar in het duister weerkaatsten. Het was gaan motregenen, ik zette mijn kraag op en stak mijn handen diep in mijn zakken terwijl ik naast haar liep. Ik vond het maar niets, de manier waarop de zaak zich ontwikkelde, om te beginnen het tweede apenbeeldje dat niet op de plaats was waar het had moeten zijn, toen het vuurwapen en de inbreker, en nu dit weer. De hele situatie riekte naar problemen en ik had een redelijk goed idee hoe dit zou kunnen aflopen, maar ik zat ook opgezadeld met een meisje dat eruitzag alsof ze wel enige steun kon gebruiken. En dan bestond wellicht nog de mogelijkheid om twintigduizend euro te incasseren.

De flat waar de Amerikaan woonde bevond zich, vertelde Marieke, in de St. Jacobsstraat, niet al te ver verwijderd van het Centraal Station. De straat zelf was een tweederangs afgeleide van de Wallen, een aaneenschakeling van ordinaire kroegen en coffeeshops, en bevolkt door toeristen die domweg vanaf het Damrak deze kant uit waren gelopen om vervolgens te worden benaderd door ongure types die drugs aan de man probeerden te brengen. Een van de dealers liep een tijdje achter ons aan en vroeg me of ik misschien bereid was wat Viagrapillen te kopen voor de dame. We negeerden hem en na een tijdje droop hij af, terwijl wij over straat langs grote vensters liepen die verlicht werden door gekleurde tl-buizen, en waarachter de prostituees de indruk wekten deze hele schertsvertoning toch vooral maar saai te vinden. Een van hen zat in een lycra bikini op een houten stoel, de benen wijd uiteen en de schoenen met hoge hakken tegen het glas gedrukt, ondertussen druk in de weer met het intoetsen van een sms-bericht op haar mobieltje.

We waren nog niet eens halverwege de straat toen Marieke bleef staan voor een enigszins scheefhangende deur naast een van de coffeeshops. De deur ging nagenoeg schuil achter een lading aanplakbiljetten en graffiti, en zag eruit alsof hij al heel wat keren was opengebroken. Ze stak een sleutel in het veerslot en ging me voor naar een gemeenschappelijk halletje dat werd verlicht door een kaal, aan de muur gemonteerd peertje, en waar het naar verschaalde marihuana rook. Zwijgend beklommen we de trap naar de eerste etage, terwijl ik ondertussen mijn latex weggooihandschoenen aantrok, waarbij ik probeerde zo min mogelijk geluid te maken en zo min mogelijk haar aandacht te trekken, wat niet zo moeilijk was, want Marieke was druk met haar sleutels in de weer.

Al snel bleek dat ze die helemaal niet nodig had, want de deur van het appartement van de Amerikaan stond op een kier.

Ik schoof langs haar heen naar binnen en kwam terecht in een benauwde, vensterloze zit-slaapkamer. Er stond nauwelijks meubilair in het vertrek, dat er overigens keurig netjes uitzag. In een hoek stond een eenpersoonsbed met eroverheen een groene sprei en witte lakens. Boven op het bed lag een geopende koffer. Snel doorzocht ik die. Er zaten netjes opgevouwen kleren in, alsmede enkele reisdocumenten en een kleine laptopcomputer, maar verder niets belangrijks. Naast het bed stond een ladekast, waarvan alle laden openstonden die verder helemaal leeg waren. Aan de andere kant van het vertrek stond een kleine houten tafel en twee klapstoeltjes, een enkelvlams gasbrander met gastank, plus een vrijstaande gootsteen waarop een paar gekraste glazen stonden te drogen. Schuin voor ons bevond zich een tweede deur.

Marieke liep voor me uit in de richting van die deur, maar ik legde snel een hand op haar arm en ging als eerste naar binnen. Ik was niet écht verrast door wat ik daar aantrof; uitsluitend door het feit dat hij nog leefde. Hij hing onderuitgezakt in de geëmailleerde badkuip en zat onder het bloed. Dat bloed was dik en geoxideerd, en donker als kwaliteitsinkt. Vlak boven de linkerslaap was zijn schedel ingeslagen, en ik zag witte vlokken – zo te zien botfragmenten – te midden van het bloed dat zijn haar had doen samenklitten. Zijn rechterhand hing over de rand van het bad, de vingers onder een angstaanjagende hoek helemaal naar achteren gebogen, maar hoewel zijn ogen gesloten waren en hij zonder meer bewusteloos was, ging zijn borst, zij het onregelmatig, nog steeds op en neer.

Achter me slaakte Marieke een gil en ze liet haar sleutelbos op de vloer vallen, wat beter was dan flauwvallen, bedacht ik. Ik draaide me om met de bedoeling haar de badkamer uit te duwen, terug het vertrek ernaast in, toen ik het geluid van sirenes hoorde, gevolgd door het gegier van autoremmen. Enkele seconden later trapte iemand de voordeur van het gebouw open en schreeuwde 'Politie!' door het trapgat naar boven.

Je mag het gerust ouderwets van me vinden, maar als zoiets gebeurt heb ik de neiging me zo snel mogelijk uit de voeten te maken. Marieke staarde glazig voor zich uit en beefde als een riet, maar ik deed wat ik kon onder deze omstandigheden.

'Je bent hier in je eentje naartoe gekomen,' zei ik haar. 'Ik ben hier nooit geweest. Je bent naar boven gegaan en trof hem hier zo aan, en meer weet je niet. Marieke? Heb je me begrepen?'

Ze liet zich op de vloer zakken en haar hoofd viel opzij, en ik wist dan ook niet zeker of ik al dan niet tot haar was doorgedrongen. En ik had ook geen tijd om me daarvan te overtuigen. In de badkamer was een schuifraam, dat ik onmiddellijk opende, waarna ik me op het platte dak er vlak onder liet zakken. Toen draaide ik me om en reikte omhoog om het raam achter me weer dicht te schuiven, waarna ik er zo snel mogelijk vandoor ging.

6

Ik bleef de volgende ochtend lang in bed liggen en gebruikte de vroege middag om de laatste versie van mijn nieuwste roman te printen. Nadat alle pagina's waren uitgespuwd, deed ik een dik elastiekje om de stapel, bevestigde een kort, met de hand geschreven briefje aan de eerste bladzijde en stopte het pakket in een grote bruine envelop. Daarna wandelde ik met de envelop naar het hoofdpostkantoor, waar ik ruim voldoende geld aan een baliemedewerker overhandigde om te garanderen dat het de volgende dag in Londen zou worden afgeleverd. Daarna begaf ik me naar het Centraal Station, waar ik een retourtje Leiden kocht.

Ik moest hoognodig weg uit Amsterdam, al was het maar voor even, en de oude universiteitsstad Leiden leek me geen slechte bestemming. Om daar te komen hoefde ik niets inspannenders te ondergaan dan een treinritje van een half uur, en nadat ik een bekertje koffie en een pakje sigaretten voor onderweg had gekocht, liet ik mijn lijf maar al te graag in het onderste gedeelte van een dubbeldekkertrein op een stoel aan het raam zakken. Vervolgens staarde ik met niets ziende ogen door het vuile glas naar de achterkanten van bewegende huizen en kantoren, gevolgd door woningen in de buitenwijken, en daarna kilometerslange stroken asfalt van de snelweg die naar de luchthaven Schiphol leidt. De trein stopte precies op tijd op het ondergrondse station, en het overgrote deel van mijn medereizigers stapte uit, om zich, mét hun van wieltjes voorziene plastic koffers achter zich aan, in de richting van de liften te begeven, die zich helemaal aan het eind van het perron bevonden. Nadat de trein weer was vertrokken, vervolgde ik mijn reis met niets anders om me af te leiden dan het hypnotiserende gedender van de wielen op de rails.

Ik herinner me maar weinig van wat ik in Leiden heb gedaan. Ongetwijfeld door de met kinderhoofdjes geplaveide straten en langs de grachten gelopen, maar mijn gedachten vertoefden in een totaal andere wereld, ik had geen enkele aandacht voor de fysieke omgeving. Dat overkomt me wel vaker als me iets omvangrijks overkomt. Om dan mijn gedachten op een rijtje te kunnen zetten, heb ik een volkomen ander landschap om me heen nodig, hoewel de aard van dat landschap dan meestal weer weinig verschil maakt. Had ik in Afrika of op Antarctica gezeten, dan was het effect grotendeels hetzelfde geweest. Het enige wat ik nodig had was eventjes alleen zijn, het gevoel wat ruimte om me heen te hebben waarin ik alles rustig kon overdenken, en nog geen drie uur later waren de dingen voldoende op hun plaats gevallen, zodat ik weer in de trein naar Amsterdam kon stappen en naar die stad kon terugkeren.

Twee dagen later – waarin absoluut niets belangrijks gebeurde – werd ik vanuit Londen opgebeld door Victoria, mijn literair agente, die het over het manuscript wilde hebben dat ik haar had toegestuurd.

'Het is prachtig, Charlie,' begon ze, wat ik als een goed teken opvatte.

'Dat zeg je toch niet zomaar, hè?'

'Natuurlijk niet. Het is een van je beste boeken tot nu toe.'

'Want ik maakte me nogal zorgen over het einde.'

'Jij maakt je altíjd zorgen over het einde.'

'Maar deze keer wel in het bijzonder.'

'Waar maak je je dan zorgen over? Over die aktetas? Denk jij werkelijk dat er íémand is die terug gaat bladeren om dan tot de conclusie te komen dat die tas onmogelijk uit zichzelf in het appartement van Nicholson kan belanden?'

'O, verdómme,' zei ik, en ik greep naar mijn voorhoofd.

Ze wachtte twee seconden. 'Luister, zo'n groot probleem is het nou ook weer niet.'

'Je kunt me wat.'

'We vinden wel een oplossing.'

'Wíj hadden helemaal niet naar een oplossing moeten zoeken. Ik had het zélf in de gaten moeten hebben. Is er nog meer? Als ik dát over het hoofd heb gezien, zal er nog wel meer in zitten.'

'Niets belangrijks. Echt niet. Het moet alleen hier en daar nog wat geredigeerd worden.'

'Weet je het zeker? Want dit boek is een stuk gecompliceerder geworden dan ik oorspronkelijk van plan was.'

'Een gecompliceerd boek is een goede zaak.'

'Dat is het alleen maar als ik alle losse eindjes aan elkaar kan breien,' zei ik, terwijl ik mijn hand uitstak naar een balpen en een iets verderop liggende blocnote.

'Natuurlijk lukt je dat. Dat weet ik zeker. En die aktetas is het allerlaatste.'

'Dat mag ik hopen,' reageerde ik, terwijl ik de contouren van een koffer op mijn blocnote schetste, om die vervolgens door te krassen en er voor de goede orde de punt van mijn pen dwars doorheen te priemen. 'Maar waarom heb ik dan het gevoel dat elke keer dat ik een probleem oplos, er weer een ander ontstaat?'

'Dat zou best eens kunnen, maar waar zouden we zijn zonder problemen?'

'O, ik weet niet. Op de bestsellerlijsten? Bij de uitreiking van een belangrijke literaire prijs? In de weekendbijlagen?'

'Dat gaat allemaal nog een keertje gebeuren, Charlie.'

'O ja, vast. Zodra ik heb bedacht hoe een aktetas vanuit een politiebureau in een appartement kan terechtkomen zonder daarbij de identiteit van de moordenaar prijs te geven.'

'Misschien heeft die aktetas wieltjes gehad?'

Ik moest onwillekeurig glimlachen en gooide mijn pen opzij. 'Ja, misschien had ik in hoofdstuk 8 moeten uitleggen dat Nicholson rijk geworden is omdat hij een teleportatiemachine heeft uitgevonden.'

'Ik vond mijn idee beter.'

'Dat is altijd al zo geweest.'

'Trouwens,' zei Victoria, terwijl ze me trakteerde op een van haar meer theatrale verzuchtingen, 'hoe is Amsterdam?'

Ik zuchtte zelf ook maar eens diep. Het klonk prima, en ik zuchtte dus nog maar eens.

'Hollands,' zei ik haar toen ik ons beider vocale bereik had bewonderd.

'Wauw,' zei ze. 'Weet je, ik ben er eigenlijk altijd al van overtuigd geweest dat dát de reden is waarom ik je graag wilde vertegenwoordigen, die verbijsterende zeggingskracht waarmee jij iets weet te beschrijven.'

'Wil jij dan tulpen, klompen en windmolens?'

'Zijn er dan windmolens in de grote steden?'

'Ik heb er verschillende keren een gezien.'

'En dragen Nederlanders klompen?'

'Toeristen kopen klompen. Zodra ik een Nederlander zie die met klompen aan op een fiets zit, ga ik er als een haas vandoor.'

'Maar voorlopig houd je het daar nog wel even uit?'

'Nou, dat hangt ervan af,' zei ik.

En toen vertelde ik haar over mijn meest recente kwajongensstreek; over de Amerikaan en de apenbeeldjes, over de woonboot en het appartement met zijn indringer, over de fraaie blondine en het bijna-lijk waarin de Amerikaan was getransformeerd. En terwijl ik haar alles uitlegde, luisterde Victoria aandachtig, ze viel me nauwelijks in de rede, wat een van de dingen is die me zo aan haar bevallen. In feite wordt haar vermogen om naar de fijnere details te luisteren van de netelige situaties waarin ik dankzij mijn inbrekerspraktijk verzeild ben geraakt sinds we voor het laatst met elkaar hadden gesproken, slechts overtroffen door haar vermogen om van honderd pas afstand een foutje in een plot te onderkennen en haar neiging om op het juiste moment de juiste vraag te stellen, wat ze dan ook deed toen ik klaar was met mijn verhaal.

'Dus die Amerikaan is niet dood?'

'Nóg niet, kun je misschien beter zeggen,' zei ik. 'Ik heb vanochtend het ziekenhuis gebeld. Ze zeiden daar dat hij in coma lag.'

'Hebben ze je dat zómaar verteld?'

'Eerlijk gezegd, nee. Ik moest ze er eerst van overtuigen dat ik de huisarts van de heer Michael Park was.'

'En ze geloofden je?'

'Ik sprak met een verpleegkundige. Ik denk niet dat ze op de hoogte was van de procedures. En ik neem aan dat mijn accent misschien wel een beetje geholpen heeft.'

'Hmm. Wacht eens even, hoe ben je achter de naam van die Amerikaan gekomen?'

'Die stond in de reisdocumenten die ik in zijn koffer heb gevonden,' zei ik haar. 'En hij stond ook in het krantenartikel.'

'Dus je kunt nu ook al Nederlands lezen?'

'Een verslag van de gebeurtenis stond ook in de *International Herald Tribune*.'

'O. Denk je dat het een belangrijk iemand geweest kan zijn?'

'Dat weet ik niet. Misschien wel. Of er is op die dag verder nauwelijks nog iets bijzonders gebeurd en trok dit mysterieuze in elkaar slaan van een yank in een Nederlands bordeel de aandacht van de betreffende redacteur.'

'Werd er echt bij gezegd dat het om een bordeel ging?'

'Ja, hoewel het volgens mij weinig meer was dan een waardeloze zit-slaapkamer in een verder nogal kleurrijke buurt.'

'Waarbij rood de overheersende kleur was.'

'Ik heb gemerkt,' zei ik, van mijn bureau opkijkend naar de bewegende boombladeren vlak voor mijn raam, 'dat in veel bordelen gebruik wordt gemaakt van kale tl-buizen, hoewel de kleur *electric blue* ook wel populair lijkt te zijn.'

'Heb je daar onderzoek naar gedaan?'

'Ik trakteer je alleen maar op het soort beschrijving waar je zo gek op bent.'

'Geinig,' zei ze, en in gedachten zag ik haar grinnikende gezicht voor me. 'Maar om even terug te komen op die apenbeeldjes, heb je die nog steeds in je bezit?'

'De twee die ik gestolen heb wel, ja,' antwoordde ik. 'Ik heb in de koffer van de Amerikaan naar nummer drie gezocht, maar het niet gevonden.'

'Denk je dat het is meegenomen door de mannen die hem in elkaar hebben geslagen?'

'Dat lijkt een logische conclusie.'

'Om na thuiskomst te ontdekken dat hun eigen beeldjes verdwenen zijn.'

'Dat neem ik aan.'

Ze zweeg even en probeerde zo nonchalant mogelijk over te komen bij het stellen van de vraag die écht op haar tong brandde. 'Charlie, hoeveel denk je dat die beeldjes waard zijn?'

'Ik heb geen idee,' zei ik haar. 'Als ik ze tijdens een inbraak ergens zou zijn tegengekomen, zou ik ze als waardeloos hebben bestempeld en er geen moment aan hebben gedacht ze mee te nemen.'

'Maar dat zijn ze duidelijk níét.'

'Daar lijkt het op. Ik bedoel, niemand slaat zo'n knaap enkel voor de lol in elkaar, toch?'

'En daar komt nog bij dat je hebt gezegd dat je de indruk had dat hij gemarteld is.'

'Heb ik dat gezegd? O, de gebroken vingers, bedoel je. Ja, ik heb geen idee waarom ze dat hebben gedaan.'

'Nou,' merkte Victoria op, 'mensen martelen meestal alleen maar als ze informatie uit iemand los willen krijgen, toch? Tenzij het pure sadisten zijn natuurlijk, maar dat zal hier niet het geval zijn, aangezien ze het bij één hand gelaten hebben. Wat betekent dat de Amerikaan hen heeft verteld wat ze wilden weten, óf dat ze beseften dat hij absoluut niet van plan was ook maar íéts te zeggen.'

'Of ze werden op de een of andere manier bij hun werk gestoord. Of ze bleken overgevoelig. En misschien zijn er nog wel duizend andere redenen te verzinnen. Waarvan we er niet één ooit te weten zullen komen.'

'Ja,' zei ze, en ze klonk een beetje moedeloos. 'Maar als we er nu eens van uitgaan dat hij hen verteld heeft wat ze wilden weten, dan zóú hij jouw naam hebben kunnen laten vallen, toch?'

'Dat is mogelijk.'

'Méér dan mogelijk?'

'Wil je een eerlijk antwoord? Ik denk van niet. Ik bedoel, ze hadden geen enkele reden om navraag naar mij te doen. Volgens mij zaten ze achter het derde beeldje aan. Ze wisten niet dat de Amerikaan mij had ingehuurd om diezelfde avond hún beeldjes te stelen. Nadat hij ze eenmaal had verteld waar ze dat derde beeldje konden vinden, hoefden ze hem verder geen vragen meer te stellen.'

'Waarschijnlijk niet.'

'En dan hebben we het er nog niet eens over dat ze ook niet naar me op zoek zijn gegaan.'

'Klopt. Maar er is nog iets anders, Charlie. De man met het mes dat ná jou het appartement is binnengedrongen, waar past híj in dit plaatje?'

'Ik heb geen flauw idee. Maar ik moest aan één specifiek iets denken, ik heb het aanbod van de Amerikaan in eerste instantie afgewezen, hè?

Maar hij hoopte desalniettemin dat ik de opdracht toch zou uitvoeren, en wat dat betreft had hij gelijk, hoewel hij daarover geen zekerheid had. Als we er nu eens van uitgaan dat hij de volgende dag zenuwachtig werd en op korte termijn iemand anders heeft ingehuurd, iemand zonder "mijn talent", zoals hij het noemde.'

'Dat talent van jou had hij inderdaad niet. Hij heeft een zware hamer gebruikt om binnen te komen en heeft daarbij een enorme pestherrie gemaakt.'

'Goed, een houten hamer of een soortgelijk stuk gereedschap, maar je begrijpt wat ik bedoel. Plus het feit dat hij naar hetzelfde op zoek was als ik, want hij keek meteen onder het kussen.'

'En hij wist dat hij voor tienen weer weg moest zijn.'

'Precies.'

Victoria zweeg even en neuriede zachtjes terwijl ze over mijn theorie nadacht. Ik wreef over mijn oorlelletje in afwachting van de uitslag.

'Maar als je gelijk hebt,' zei ze, 'heeft die Amerikaan wel een enorm risico genomen. Stel je voor dat jullie tweeën elkaar tegen het lijf zouden zijn gelopen.'

'Het scheelde maar een haartje of dat was gebeurd! Maar vanuit zijn gezichtspunt bekeken, en afgaande op wat hem is overkomen, wilde hij zeker weten dat íémand die beeldjes voor hem te pakken zou krijgen.'

'Inderdaad. Hé, weet je wat je had kunnen doen? Je had, nadat je de Amerikaan had gevonden, naar het café terug kunnen gaan om te kijken of daar nog iemand anders op hem zat te wachten.'

'Ja, daar dacht ik pas de volgende dag aan. Maar ik weet niet zeker of ik dat wel had kunnen doen. Als de politie Marieke nou eens naar het café had teruggebracht? De kans is groot dat ze eigenaresse is van die zaak, of er op z'n minst boven woont. Stel je voor dat ze me daar ziet wachten en me vervolgens aanwijst. Het is misschien een beetje vergezocht, maar dat had gemakkelijk kunnen gebeuren.'

Victoria reageerde niet. Ze zat met haar gedachten heel ergens anders en was op zoek naar andere sporen. Ik wachtte tot haar ideeën waren uitgekristalliseerd, en toen ze sprak was dat met een zekere aarzeling, alsof haar zojuist iets vreselijks ter ore was gekomen, iets waarmee ze me eigenlijk liever niet lastigviel.

'Charlie, als die mannen de Amerikaan nou eens zo in elkaar hebben geslagen nádat hij hen alles verteld had wat ze wilden weten? Als hij toch jouw naam tegenover hen heeft laten vallen, en zij alleen maar bezig waren alle informatie op een rijtje te zetten?'

'Je begint me steeds meer te deprimeren.'

'Nou, vind je niet dat je eens zou moeten nadenken over waar je nu naartoe zou moeten gaan? Ik bedoel, je boek is af en zo te horen zijn deze mannen behoorlijk gevaarlijk.'

'Dat kun je wel zo stellen. Maar het boek is nog niet helemaal af en ik ben er nog niet klaar voor om Amsterdam de rug toe te keren. Ik vind het hier wel prettig.'

'Tja. En dan is er die vrouw nog, neem ik aan.'

'Sorry?'

'De blondine, Charlie. Denk alsjeblieft niet dat mij de uitgebreide manier waarop je haar beschreven hebt is ontgaan.'

'Marieke? O, die is inderdaad best aantrekkelijk, maar ik hoop dat ik ook weer niet zó doorzichtig ben.'

'Kom op, nóg een dame in de problemen? Jij vindt dat prachtig.'

'Dat weet ik. Luister, Vic, als je de waarheid dan beslist wilt weten, ik denk dat de Amerikaan best wel eens haar naam aan die mannen kan hebben doorgegeven. Maar daar hoef ik me verder niet veel van aan te trekken, want ik heb het gevoel dat ze precies wist waarmee ze zich inliet.'

'Maar er is nog iets anders, hè?'

'Tja, om te beginnen zijn daar mijn twintigduizend euro. Ik heb per slot van rekening de klus geklaard waarvoor ik was ingehuurd. Maar ga er nou eens van uit dat die Amerikaan het niet overleeft en dat ik naar mijn geld kan fluiten, dan heb ik in elk geval al twee van die beeldjes in mijn bezit. Misschien, als het me lukt de hand op het derde te leggen...'

'Charlie...'

'Ik zal heel voorzichtig zijn.'

'Maar waarom zou je dat risico lopen? Je hebt die zesduizend euro al die je gevonden hebt en misschien kan ik proberen een wat hoger voorschot voor dit boek los te peuteren.'

'Áls het me lukt het probleem met de aktetas op te lossen.'

'Inderdaad. En als ik nou eens een paar telefoontjes pleeg?'

'Ik dacht het niet. Voorlopig nog niet, althans. Wacht nog even tot ik de kans heb gehad er wat dieper over na te denken. En luister, Victoria? Ik moet nu gaan. Er staat iemand op mijn deur te kloppen. Wees voorzichtig, oké?'

'Alsof ík degene ben die voorzichtig zou moeten zijn,' reageerde ze, terwijl ze aanstalten maakte de hoorn op de haak te leggen. 'Ik bedoel maar, waar zou ik me zorgen over moeten maken? Dat ik me in mijn vinger snijd aan papier?'

7

De man die ik bij de deur van mijn appartement aantrof, zag eruit als het prototype van een politieman. Hij was langer dan gemiddeld (hoewel voor een Nederlander misschien weer niet) en stond kaarsrecht, waardoor hij leek op een militair die in de houding was gesprongen. Zijn kortgeknipte haar zat keurig en om zijn hoekige schouders hing een eenvoudige regenjas, waaronder een antracietkleurig kostuum schuilging. Het enige wat wellicht een beetje opviel was zijn bril, die in feite uit twee losse glazen bestond en pijnlijk modern aandeed, het soort bril dat je wellicht op de neus van een Zweedse ontwerper verwachtte.

'Meneer Howard?' vroeg hij.

'Charlie Howard, dat klopt.'

'Ik ben inspecteur Burggraaf van het politiekorps Amsterdam-Amstelland. Ik zou graag even met u willen praten.'

Wat hij zei zweefde ergens tussen een verzoek en een bevel, en het verschil was voor mij dusdanig wazig dat ik hem zonder verder tegensputteren voorging naar mijn woonkamer. Politiemensen tegen je in het harnas jagen, heb ik gemerkt, is de snelste manier om je leven tot een hel te maken. Maar toch...

'Zou u me willen vertellen hoe u het gebouw bent binnengekomen, inspecteur? Gewoonlijk drukken bezoekers eerst beneden op de zoemer.'

'Er kwam net iemand naar buiten,' zei hij zonder verder met bijzonderheden te komen.

'Ik begrijp het. En die heeft u verder zonder iets te vragen binnengelaten?'

Hij knikte.

'U hebt er toevallig níet bij gezegd dat u van de politie was?'

Hij keek me vragend aan, alsof ik op het punt stond uitgebreid op dit punt in te gaan.

'Neem me niet kwalijk,' zei ik. 'Maar dit is een appartementengebouw, en ik ben altijd geneigd geweest te denken dat de mensen die hier wonen een zekere verantwoordelijkheid hebben tegenover elkaar. Vooral waar het vreemden betreft. Mag ik uw legitimatiebewijs zien?'

Hij zuchtte en stak met een geoefend gebaar zijn hand in de binnenzak van zijn jas en haalde een leren mapje tevoorschijn dat hij vlak voor mijn ogen openklapte. Snel gleed mijn blik over zijn naam en rang.

'Uitstekend. Kan ik iets voor u inschenken?'

'Nee,' reageerde hij, en hij stopte zijn legitimatie weer in zijn zak.

'Wilt u misschien gaan zitten?'

De inspecteur bleef staan, en deed net alsof hij me niet gehoord had terwijl hij ondertussen zijn blik door mijn kamer liet dwalen, om hem vervolgens even te laten rusten op de stapels boeken op de vloer en de salontafel, mijn schrijfbureau en laptop, de kopie van mijn laatste manuscript met pal ernaast mijn telefoon en een asbak waarin een stuk of wat sigarettenpeuken lagen. Het volgende waar zijn blik langs gleed was de ingelijste eerste editie van Dashiell Hammetts *The Maltese Falcon* die aan de muur hing, en toen naar het raam dat uitzicht bood op de gracht beneden, de Binnenkant, en de woonboten die langs de waterkant lagen afgemeerd. Je raakt gewend aan de manier waarop een politieman met je huis omgaat, hoe ze alles inventariseren alsof het hun door God gegeven recht is om overal hun neus in te steken. Burggraaf vormde daar geen uitzondering op, hoewel hij misschien nog wel iets grondiger te werk ging dan de meeste anderen.

'Hebt u uw papieren bij de hand?'

'Sorry?'

'Uw inreispapieren.'

'O. Die heb ik niet,' zei ik hem. 'De Europese Unie, weet u wel.'

Achter zijn glimmend gepoetste lenzen knipperde hij heel even met zijn ogen. 'Uw paspoort dan maar.'

'Een ogenblikje,' zei ik, en ik liep naar de slaapkamer om mijn paspoort te halen. Toen ik terugkwam zag ik dat hij het omslag van de Hammett-thriller van dichtbij bestudeerde.

'Bent u een boekenliefhebber, inspecteur?'

Hij keek me alleen maar aan. 'Is dit een bekend boek?'

'Nogal, ja.'

'De meeste mensen hangen een schilderij aan de muur.'

'Nou, ik heb niet zoveel met kunst. Althans, niet in de traditionele zin van het woord.'

'U hebt wel van onze Hollandse meesters gehoord?'

'Van een paar, ja,' beaamde ik. 'Hoewel ik aan Van Gogh nooit iets gevonden heb.'

Ik overhandigde Burggraaf mijn paspoort, waarna hij dat opensloeg om me vervolgens over het randje van zijn bril heen aandachtig te bekijken, alsof hij verwachtte verschillen tussen mijn pasfoto en mijn gezicht te ontdekken. Na enkele ogenblikken haalde hij een aantekenboekje en een pen uit zijn jas tevoorschijn en begon mijn persoonlijke gegevens te noteren.

'Waar bent u hier in Amsterdam precies mee bezig, meneer Howard?'

'Ik ben zelf ook een boek aan het schrijven,' zei ik, en ik gebaarde naar het manuscript. 'Ik schrijf detectives. Misschien hebt u er wel eens eentje gelezen, ja?'

'Ik ben bang van niet,' reageerde hij en hij concentreerde zich op zijn aantekeningen. 'Misschien bent u buiten uw eigen land niet erg populair?'

'Ik verkoop heel goed in Japan.'

'Japan is Nederland niet.'

Ik wist nu precies waarom hij het tot inspecteur had gebracht.

'Is dit alleen een routinecontrole?' vroeg ik, gebarend naar mijn paspoort.

'Een paar dagen geleden heeft een man contact met u opgenomen, meneer Howard. Woensdagavond, om precies te zijn.'

Hij keek op en blikte me doordringend aan.

'Ik ben bang dat ik me dat niet herinner,' zei ik zo toonloos mogelijk.

'Hij heeft u een e-mail gestuurd.'

'Meent u dat? Daar herinner ik me niets van, maar daar moet ik onmiddellijk bij zeggen dat ik de laatste tijd erg hard gewerkt heb. U weet toevallig niet hoe die man heet, hè?'

Burggraaf keek me nog eens wat nadrukkelijker aan, op zoek naar een aanwijzing. Ik glimlachte zo vriendelijk als ik kon en hield mijn hoofd enigszins scheef.

'Hij heet Park.'

'Nee,' zei ik hoofdschuddend, terwijl ik net deed of ik diep nadacht. 'Ik ben bang dat die naam me niets zegt.'

'We zijn in het bezit van zijn laptop. Volgens de gegevens die we daarin hebben aangetroffen, hebt u zijn bericht gelezen.'

'O,' zei ik. 'Wacht eens even. Ja. Nu u het zegt, ik heb inderdaad een bericht ontvangen dat best wel eens van die man afkomstig zou kunnen zijn. Ik heb het onmiddellijk gewist, begrijpt u, omdat het een nogal vreemde boodschap was. Als ik me niet vergis vroeg hij me of ik hem wilde ontmoeten in een café. Meestal stellen mijn lezers me vragen over een van mijn boeken of vragen ze me of ik een exemplaar wil signeren. Het komt weinig voor dat een van hen plotseling met je wenst af te spreken.'

'Bent u op die uitnodiging ingegaan?'

Met grote ogen van verrassing keek ik hem aan en ik schudde toen ontkennend het hoofd.

'Natuurlijk niet. Rookt u, inspecteur?'

Ik ontweek zijn starende blik, richtte de mijne op mijn bureau en pakte het pakje sigaretten dat daar lag. Ik ging omslachtig op zoek naar een aansteker, maakte daar een hele show van, ik keek onder papieren en in de bovenste la van mijn bureau, en liet hem toen heel even alleen om naar de keuken te gaan, met de onaangestoken sigaret en met zijn ogen ter hemel geslagen aangevend waar ik naar op zoek was.

In de keuken liet ik een zucht ontsnappen waarvan ik niet eens wist dat ik hem ingehouden had en probeerde te bedenken wat mijn volgende stap moest zijn. In feite beschikte ik slechts over een paar opties. Ik had mijn koers uitgezet, en die moest ik nu blijven volgen om vervolgens maar af te wachten waar ik zou uitkomen. Liegen tegen een Nederlandse politieman over een ontmoeting met een man die halfdood was geslagen, was waarschijnlijk niet de slimste zet die ik ooit had gedaan, maar het kon nog steeds goed aflopen als ik het spel op de juiste manier speelde. Per slot van rekening had ik de indruk dat Burggraaf nog geen onderzoek naar mijn achtergrond had gedaan, en als ik hem geen reden gaf om achterdocht jegens mij te koesteren, bestond er een kans dat hij níét naar het Britse consulaat zou bellen, waar ze hem alles over mijn staat van dienst zouden vertellen wat hij graag wilde weten.

Ik pakte van de bovenkant van het fornuis de doos keukenlucifers die ik gebruikte om het gas aan te steken en ging naar de woonkamer terug. Ik stond op het punt mijn sigaret aan te steken toen Burggraaf naar de aansteker gebaarde die duidelijk zichtbaar op mijn bureaublad lag.

'Vlak voor mijn neus,' zei ik, één hand vertwijfeld omhoogstekend. 'Dat gebeurt me nou steeds.'

Burggraaf liet uit niets blijken of hij me geloofde of niet. Het deed er in feite ook niets toe, vermoedde ik. Ik pakte de aansteker en stak mijn sigaret aan, waarbij de vlam in zijn brillenglazen weerkaatste.

'Dus u hebt meneer Park niet ontmoet?' vroeg hij opnieuw.

'Dat zei ik u al.'

'Maar u hebt dit niet tegen hem gezegd?'

Ik blies een sliert sigarettenrook het vertrek in.

'U bedoelt of ik zijn e-mail heb beantwoord? Nee, dat heb ik niet gedaan. Misschien een beetje grof, maar u moet begrijpen dat je nooit zeker weet wat dit soort lieden willen of hoe, eh, normaal ze zijn. Ik ging ervan uit dat door niet te antwoorden hij wel zou begrijpen dat ik zijn boodschap niet gelezen had.'

'Maar uw computer heeft hem een boodschap gestuurd met de mededeling dat u zijn bericht wél hebt gelezen.'

'Een leesbevestiging, wordt dat geloof ik wel genoemd. Ik had er geen idee van.'

'Dus de mogelijkheid bestaat dat hij daadwerkelijk naar dat café is gegaan?'

'Café De Brug, als ik me niet vergis. Dat ken ik wel, hoor. En het kan zijn dat hij daar inderdaad naartoe is gegaan. Maar waarom bent u daar zo in geïnteresseerd, als ik vragen mag?'

Burggraaf keek me opnieuw doordringend aan, alsof hij precies wilde vaststellen wat er met mijn gezicht gebeurde, zodat hij kon inschatten hoe de woorden zouden uitwerken die hij op het punt stond uit te spreken.

'Meneer Park ligt in het ziekenhuis. Hij is ernstig mishandeld.'

'Mijn god. In het café?'

'In zijn appartement.'

'En nu wilt u weten of ik daar misschien iets vanaf weet?'

Burggraaf knikte nadrukkelijk.

'Nou, het spijt me, maar ik kan u echt niet verder helpen,' zei ik. 'Wat heeft meneer Park hier allemaal over verklaard?'

'Hij is nog buiten kennis.'

Ik fronste mijn wenkbrauwen, en probeerde net te doen alsof ik in verwarring werd gebracht door de ernstige blik op zijn gezicht en de woorden die hij zojuist had uitgesproken.

'Bedoelt u te zeggen dat hij bewusteloos is?'

'Er moet rekening worden gehouden met het feit dat hij wel eens zou kunnen overlijden.'

'God. Wat erg. Ik wou dat ik u behulpzamer kon zijn.'

Ik stak mijn hand uit naar Burggraaf, die er alleen maar met een mild soort afkeer naar keek, om vervolgens naar de deur van mijn appartement te lopen.

'Blijft u voorlopig nog in Amsterdam, meneer Howard?' riep hij over zijn schouder.

'Totdat ik klaar ben met mijn boek.'

'Mag ik nog eens langskomen om met u te praten?'

'Prima. Maar, inspecteur, mag ik mijn paspoort terug?'

Burggraaf bleef staan. Ik stak mijn hand naar hem uit en na een korte aarzeling reikte hij in zijn jas en overhandigde me vervolgens het rode mapje.

'Mijn excuses,' wist hij nog net tussen zijn opeengeklemde tanden door te sissen.

'Maakt niet uit,' antwoordde ik.

8

Nadat hij was vertrokken, zat ik een tijdje aan mijn bureau te roken en naar buiten te kijken, naar de patronen die de wind op het wateroppervlak van de gracht maakte. Ik overwoog om met mijn manuscript verder te gaan, en aan het aktetasprobleem dat Victoria had ontdekt te werken, maar ik wist dat het zinloos was. Ik was met mijn gedachten bij iets heel anders, volledig in beslag genomen door de netelige situatie waarin ik mezelf had gemanoeuvreerd. Ik vroeg me af hoe verstandig het was geweest om tegen Burggraaf te liegen, en toen moest ik aan Victoria's woorden denken. Misschien had ze gelijk en moest ik gewoon weg uit Amsterdam. In feite was er niets wat me hier vasthield: mijn bezittingen pasten in twee grote koffers, volgens het huurcontract van dit appartement kon ik de huur per week opzeggggen en ik zou aan mijn laatste staaltje op diefstalgebied een kleine zesduizend euro overhouden. Het was een leuk idee, voor zolang als het duurde, maar echt veel verder kwam ik er niet mee. Ik had Burggraaf verteld dat ik voorlopig nog wel even zou blijven, en het zou een verdachte indruk maken als ik plotseling vertrok. En bovendien had ik het gevoel dat ik wel eens een behoorlijk intrigerende kans zou kunnen laten liggen als ik daadwerkelijk de plaat poetste.

Achteroverleunend in mijn stoel trok ik het middelste bureaulaatje er helemaal uit en zette het naast me op de vloer neer. Vervolgens tastte ik in het rond op de plaats waar de lade had gezeten, tot mijn vingers stootten op datgene waarnaar ik op zoek was. Ik zette de twee apenbeeldjes recht voor me op mijn bureau, waarvan de ene zijn handen tegen zijn oren drukte en de ander een hand voor zijn mond geslagen hield, en liet zelf mijn hoofd in mijn handen rusten, terwijl ik aan het derde aapje dacht, het dier dat zijn handen voor zijn ogen had geslagen, en besefte toen dat ik ongeveer even weinig van de huidige situatie zag als hij. Hoeveel zou de complete set apenbeeldjes eigenlijk waard zijn? Wie verzamelde dit soort dingen? En konden ze zonder al te veel moeilijkheden aan iemand anders worden overgedaan?

Ik zuchtte diep, tikte de apen met een lichte aanraking van mijn vingers omver en pakte ze vervolgens in één snelle beweging van het bureaublad op. Daarna deed ik mijn overjas aan en een sjaal om en ging naar buiten, waar ik in een winterse, regenachtige bries terechtkwam.

In café De Brug was het nagenoeg vol. In dikke truien gehulde klanten met wollen mutsen op het hoofd warmden hun handen aan grote bekers koffie verkeerd, terwijl enkelen zich te goed deden aan een lekkere appelpunt, en ik voelde me niet bepaald op mijn gemak toen ik de jonge man achter de bar benaderde en met mijn Engels het achtergrondrumoer onderbrak.

'Is Marieke er?' vroeg ik hem.

De man kneep zijn ogen halfdicht en keek me aan. 'Wie bent u?'

'We zijn bevriend met elkaar.'

De man keek me nog wat langer scherp aan en ik weerstond de verleiding om hem te waarschuwen toch vooral niet via de glazen deur van het café naar buiten te gaan, voor het geval de wind zijn gelaatstrekken op die manier voor eeuwig zou doen bevriezen.

'Is ze er?' vroeg ik opnieuw.

Met duidelijke tegenzin pakte de man een telefoon, hij toetste een nummer in, en mompelde enkele woorden Nederlands toen er aan de andere kant werd opgenomen. Ik ving het woord 'Engelsman' op, maar meer ook niet. Kort na het begin van het gesprek zweeg de man een ogenblik, hij keek even mijn kant uit en begon zo te zien een omzichtig signalement van mij door te geven. Ik zei tegen hem dat ik Charlie heette, maar hij gaf er de voorkeur aan me te negeren en legde in plaats daarvan neer.

'Ze is boven,' zei hij, en hij wees naar een deur waarop het woordje 'privé' was geschilderd, die zich geheel achter in het vertrek bevond. 'Ze verwacht je.'

Ik liet de man, die nogmaals zijn ogen halfdicht had geknepen, voor wat hij was, liep langs de paar tafeltjes die daar stonden en deed de deur open. Een houten trap leidde naar een halletje op de eerste verdieping, van waaruit Marieke al op me neerkeek. Ze had een legging aan en een ruimvallend sweatshirt, haar ongewassen haar was losjes achter in haar nek bijeengebonden en ze droeg geen make-up. Maar ondanks de norse blik waarmee ze me aankeek, die nog aanzienlijk dreigender was dan die van haar vriend beneden, kon ze me nog steeds datgene wat me zo bezighield laten vergeten.

'We moeten praten,' zei ik, haar nét niet recht in de ogen kijkend.

Marieke keek me een ogenblik lang aandachtig aan, draaide zich toen om en liep het vertrek achter haar binnen. Ik volgde haar naar een lichte ruimte aan de voorzijde van het gebouw, met uitzicht op de brug over de Keizersgracht en waaraan het café zijn naam te danken had. In het midden stonden een stuk of wat gemakkelijke rotan meubels, en helemaal in de hoek bevonden zich een tweepersoonsbed en een kledingrek, terwijl rechts van me stalen planken te zien waren waarop de voorraden voor het café waren opgetast: pakken koffiebonen, zakjes pinda's, servetten, dat soort zaken. Marieke ging op de rotanbank zitten en trok haar benen onder zich op, terwijl ik een van de luie stoelen uitkoos, mijn ellebogen op mijn knieën liet rusten en in mijn handen begon te wrijven om het weer een beetje warm te krijgen.

'Ik wil weten wat er aan de hand is,' zei ik haar. 'Je móét me vertellen met wie je hebt gesproken en wat je hebt gezegd. Dus eigenlijk álles.'

'Michael leeft nog,' zei ze na een korte stilte. 'Ik denk niet dat het je interesseert, maar hij leeft in elk geval nog.'

Ik verzachtte mijn toon ietwat. 'Natuurlijk interesseert me dat. Het doet me wel degelijk iets.'

'In het ziekenhuis wordt zijn ademhaling geregeld door een machine. Hij slaapt voortdurend. Zijn vingers...' Ze huiverde.

'Ik zei dat het me wel dégelijk iets doet, Marieke.'

Ze keek me kwaad aan, balde haar vuist, om hem vervolgens weer te openen. Ik had geen flauw idee wat ze toen in me zag en wist al helemaal niet of haar dat wel beviel.

'Waarom ben je ervandoor gegaan?' vroeg ze ten slotte.

'Je weet best waarom ik dat gedaan heb.'

'Omdat je een lafaard bent,' zei ze, en ze maakte een driftige beweging met haar kin.

'Zou kunnen. Maar als ik gebleven was, had Michael daar nauwelijks iets aan gehad. Ik weet niet of ik had kunnen uitleggen wat ik daar aan het doen was. Ik had mijn inbrekersspullen bij me. Ik kende je niet, niet écht.'

'Het was verkeerd.'

'Tja, maar Michael heeft me nu eenmaal betaald om verkeerde dingen te doen. En ik heb het gevoel dat hijzelf in het verleden ook wel eens dingen heeft gedaan die niet door de beugel konden.'

'Misschien doet hij zijn ogen wel nooit meer open.'

'Dat weet ik. Ik heb met iemand van het ziekenhuis gesproken.'

'Ben je daar gewéést?' vroeg ze, en ze keek me met opeengeperste lippen onderzoekend aan.

'Ik heb gebeld. Ik vond het niet verstandig om me daar te laten zien. Ik weet trouwens ook niet of jíj moet gaan. Ik ben momenteel trouwens bijna nergens meer zeker van.'

'Misschien kun je maar beter op de loop blijven, lafaard.'

Ik zuchtte. 'Luister, de politie is vanmorgen bij me op bezoek geweest.'

Haar ogen versmalden zich. Eindelijk had ik haar volledige aandacht.

'Ze hebben bij me naar Michael geïnformeerd. Ze weten dat we contact met elkaar hebben gehad. Ze zeiden dat ze daar via zijn computer achter waren gekomen, maar ik weet niet zeker of ik ze moet geloven.'

'Hoe zouden ze het anders moeten weten?'

'Dat wilde ik net aan jou vragen.'

'Ha,' zei ze, haar handen in de lucht gooiend. 'Denk je dat ík dat heb gedaan? Denk je soms dat ik ook een lafaard ben?'

'Ik denk dat je in de war was. Misschien wist je niet wat je zei.'

'Ik heb ze niets verteld.'

'Ik zeg niet dat je het opzettelijk hebt gedaan. Het is mogelijk dat je je het niet eens bewust was. Zo werkt dat als je in shock raakt. Misschien heb je ze verteld dat ik Michael heb ontmoet. Misschien heb je ze weinig meer dan dát vertelt. Misschien hebben ze de rest zelf ingevuld.'

'Denk je dat ik zó stom ben? Ik heb ze helemaal níéts verteld!'

'Goed,' zei ik, terwijl ik een kalmerend gebaar met mijn handen maakte. 'Maar in elk geval wísten ze het. Ze wisten niet of het belangrijk was, maar ze vonden het wel de moeite waard om naar me toe te komen.'

'Wat heb je gezegd?'

'Dat we elkaar nooit hebben gezien.'

'En geloofden ze je?'

'Dat weet ik niet zeker. Heb je de politie verteld over de twee mannen met wie Michael een afspraak had?'

Ze sloeg haar blik neer. 'Uiteraard.'

'Kende je dat tweetal?'

'Nee. Ik heb de politie alleen maar hun signalement gegeven.'

'Weet de politie wie het waren?'

Ze haalde haar schouders op. 'Ik denk van niet. Ze wilden weten of Michael hen wel eens eerder had ontmoet.'

'En?'

'Ik heb gezegd dat ik dat niet wist. En dat is de waarheid,' zei ze met wijd open ogen. 'Ik heb nog nooit een van Michaels vrienden ontmoet.'

'Wat je vrienden noemt.'

'Zo heeft hij ze tegenover mij wél omschreven.'

'En hoe zit het met de apenbeeldjes?' vroeg ik. 'Heb je de politie erover verteld?'

Ze schudde langzaam het hoofd.

'Wat ís er trouwens met die beeldjes? Hoeveel zijn ze waard?'

'Ze zijn helemaal niets waard.'

'Weet je dat zeker? Want toen ik ze jou gisteravond liet zien... Je ogen.'

'Ja?'

'Je zette grote ogen op. Alsof ik een fel lichtschijnsel in mijn handen had.'

Op dat moment begon ze te glimlachen, alsof ze op het punt stond me uit te lachen, maar ze wist zich te beheersen en liet haar kin op haar handen rusten.

'Ik had ze nog nooit eerder gezien,' zei ze simpelweg. 'Het beeldje met de aap die zijn handen voor de ogen heeft geslagen wel, maar de andere niet.'

'Maar wat betekenen ze, Marieke? Voor jou? Voor Michael?'

'Heb je ze bij je?' vroeg ze, en ze keek me strak aan.

Ik schudde mijn hoofd.

'Waar zijn ze dan?'

'Ergens op een veilige plek.'

'Breng me daar dan maar naartoe.'

'Nog even niet. Ik weet nog steeds niet waarbij ik precies betrokken ben. Ze geven me een zekere bescherming.'

'Je krijgt je geld heus wel,' merkte ze kil op.

'Misschien wel. Maar momenteel wil ik alleen maar wat vragen beantwoord zien. Waarom vertel je me niet iets meer over die andere dief? Wat weet je van hem af?'

Mariekes gezicht vertrok tot één groot vraagteken, waarbij haar op elkaar geperste lippen de punt vormden, en de opgetrokken wenkbrauwen en de neus de rest van het leesteken.

'Goed, daar weet je dus verder niets van. Ik denk dat ik je geloof. Er was nog een man, Marieke. Hij drong het appartement in de Jordaan binnen op het moment dat ik daar ook was. Hij was naar precies hetzelfde op zoek als ik.'

'Ik weet helemaal niets van een andere man,' zei ze.

'Ik denk dat hij door Michael was ingehuurd. Volgens mij is hij, toen ik hem vertelde dat ik geen zin had, op zoek gegaan naar een plaatsvervanger.'

'Maar waarom zou hij zoiets doen?'

'Omdat hij met name díé avond behoefte had aan die apenbeeldjes. Hij was daar heel duidelijk over. Ik vond het op dat moment al een beetje vreemd, maar ik had aan dat feit veel meer aandacht moeten schenken.'

Marieke haalde haar benen onder zich vandaan, zette haar voeten op de vloer en liep naar het raam aan de voorzijde van het vertrek. Ze sloeg haar armen om zich heen en staarde naar haar zwakke weerspiegeling in het vensterglas. Ik keek toe hoe ze naar zichzelf keek, gevangen in de vicieuze cirkel van dit beeld. Ik zag die sproeten in haar nek weer. Nietige onvolkomenheden. Om hulp roepend.

'Hij wilde alleen jou maar,' zei ze. 'Niemand anders. Je werd hem aanbevolen. Iemand in Parijs. Een vriend.'

'Dat lijkt me onmogelijk,' zei ik. 'Ik ken een man in Parijs, maar die zou me hier ongetwijfeld over hebben ingelicht.'

'Niet als Michael er bij hem op aan heeft gedrongen dat niet te doen.'

'Toch. Zelfs dán.'

'Denk je?'

'Ja,' zei ik. 'Deze man schuift werk naar me toe. Op die manier verdient hij de kost. Maar ik moet er bij hem altijd op kunnen vertrouwen dat het werkt. En dat weet hij.'

Ze haalde haar schouders even op. 'Misschien moest Michael ook op hem kunnen vertrouwen.'

'Niet op dezelfde manier.'

'Natuurlijk wel op dezelfde manier,' zei ze terwijl ze zich naar me omdraaide, haar gezicht opener dan ik het ooit had gezien.

'Nee,' volhardde ik. 'Je begrijpt het niet. Deze man is een heler.'

'En?'

Ik keek haar verwachtingsvol aan, wachtte af tot mijn woorden eindelijk eens ergens tot haar mistige hoofd zouden doordringen. Maar dat gebeurde niet. In plaats daarvan begonnen ze in míjn brein door te dringen.

'Marieke,' zei ik, 'wat doet Michael eigenlijk voor de kost?'

'Weet je dat niet?'

Ik schudde mijn hoofd.

'Hij doet hetzelfde als jij, Charlie.'

'Hetzelfde als ik?'

'Ja. Hij is inbreker, weet je.'

9

Ik zat in mijn bureaustoel en liet mijn nek tegen de ineengestrengelde vingers van mijn twee handen rusten, en probeerde te bedenken hoe ik het probleem kon oplossen waar ik tegenaan was gelopen.

Nicholson was mijn moordenaar. Deze keer had ik dat vanaf het begin van mijn boek zeker geweten, en ook had ik precies geweten hoe ik moest bewijzen dat hij schuldig was. Het ging nu alleen nog maar om die aktetas, een tas met een afgrijselijk geheim erin: de rechterhand van zijn slachtoffer: Arthur de butler. Ik had het mijn held Faulks allemaal laten uitdokteren: hoe Nicholson Arthur wilde vermoorden omdat hij het huis van Arthurs werkgever wilde binnendringen om de foto weer in zijn bezit te krijgen waarmee hij werd gechanteerd, hoe hij een alibi had gecreëerd en zijn vrouw het idee had gegeven dat hij die avond in zijn studeerkamer had doorgebracht. Maar Nicholson had in feite een taxi naar de andere kant van de stad genomen en had zich, eenmaal bij Arthurs appartement aangekomen, naar binnen gekletst om hem vervolgens te wurgen, zijn hand af te hakken en die hand weer mee te nemen naar de andere kant van de stad, in een aktetas die hij in Arthurs appartement had aangetroffen. Daarna was hij met behulp van Arthurs sleutels de voordeur binnen gekomen, om uiteindelijk zijn ijskoude, dode vingers te gebruiken om de elektronische safe te openen, die functioneerde met behulp van een vingerafdrukscanner. Wat ik níet had opgemerkt, totdat Victoria me erop wees, was dat Faulks de aktetas uit Nicholsons studeerkamer tevoorschijn moest halen om te bewijzen dat hij schuldig was, op welk punt Nicholson instortte en bekende. Maar ik had hierbij verzuimd uit te leggen hoe de aktetas van Arthurs appartement daarheen was verhuisd, en hoe die daarna vanuit de beveiligde politieopslagplaats voor bewijsmateriaal in Nicholsons huis terecht was gekomen.

Inderdaad, het was een storend element. In het verleden had ik dit soort problemen altijd opgelost door Faulks ergens in te laten breken en het bewijsmateriaal naar eigen believen laten verplaatsen. Maar dat kon ik hier niet doen, aangezien de aktetas zich ergens in het politiebureau bevond, en hoe fantasievol mijn inbrekersboeken ook waren geworden, ik kon Faulks natuurlijk niet in een politiebureau laten inbreken, dat ging me net iets te ver. Eén manier om het op te lossen was een nieuw personage te introduceren, bijvoorbeeld een gewiekste straatagent, iemand die door Faulks overgehaald kon worden hem een handje te helpen. Zou de agent worden gearresteerd omdat hij Faulks de aktetas had uitgeleend? Het was geen slecht idee, maar ik vond het geen aantrekkelijke gedachte omdat ik dan te veel zou moeten omgooien. Als de politieman een dergelijke belangrijke rol zou spelen, moest hij al eerder in het boek acte de présence hebben gegeven en moest ik een stuk of wat scènes ontwikkelen waarin Faulks met hem in gesprek zou raken en zijn vertrouwen zou winnen, en dat was allemaal veel te veel werk. Bovendien, als de zaken op die manier zouden lopen, hoe verrast moesten de lezers dan nog zijn als Faulks de kast in Nicholsons appartement opende en de aktetas tevoorschijn haalde?

Net op het moment dat ik met die gedachten worstelde ging mijn telefoon en nam ik op. Het was Pierre, die me terugbelde. Nu ben ik er redelijk zeker van dat hij niet echt Pierre heet, maar als je met iemand een zakelijk gesprek voert móét je een naam gebruiken, en aangezien hij een Fransman was en in Parijs woonde, had ik Pierre altijd een toepasselijke keuze gevonden. En het interesseerde Pierre geen barst hoe ik hem noemde, zolang hij van elke klus die hij mijn kant uit schoof zijn aandeel maar ontving, en uiteraard zijn deel van de opbrengst van de gestolen goederen die hij voor me heelde.

'Charlie, heb jij iets voor me te doen in Amsterdam?' begon hij.

'Zou kunnen,' zei ik, achteroverleunend in mijn stoel terwijl ik mijn voeten op mijn bureaublad legde en mijn enkels over elkaar sloeg. 'Hoewel het in feite van jou afhangt, Pierre. In hoeverre ik je kan vertrouwen, om precies te zijn.'

'Charlie, alsjeblieft,' reageerde hij. 'We zijn vrienden. Zo praten we niet met elkaar.'

'Nee, normaal gesproken niet,' zei ik, terwijl ik een blik naar rechts wierp en de lijst met mijn Hammett-detective recht hing. 'Maar ik heb gehoord dat bepaalde dingen zijn veranderd. Ik heb begrepen dat jij mijn naam doorgeeft aan iedereen die hem maar wil horen.'

Even was het stil aan de andere kant van de lijn. Ik plukte een stofje van het glas van de lijst weg.

'Amerikanen, Pierre,' ging ik verder. 'Bewonderaars van mijn werk. Zegt je dat iets?'

'Charlie...'

'Neem rustig de tijd. Je kunt maar beter met iets geloofwaardigs over de brug komen.'

'Hij is ook een vriend van me,' antwoordde Pierre behoedzaam. 'Een oude vriend. Hij wilde in Nederland de beste die er te krijgen was. En jij bent mijn beste man daar, Charlie.'

'Dat is een hele geruststelling. Heeft hij je verteld waar hij achteraan zat?'

'Hij wilde alleen je naam. Ik zei dat ik contact met je zou opnemen, zoals we ooit met elkaar hebben afgesproken, maar hij voelde daar niets voor.'

'Waarom niet?'

'Dat heeft hij niet gezegd.'

'Wist je dat hij ook een dief was?'

'Natuurlijk. Daarom ken ik hem ook,' zei hij met een verraste ondertoon.

'En het feit dat hij iemand anders wilde inhuren veroorzaakte bij jou geen enkele achterdocht?'

'Een beetje wel, *oui*. Maar heel wat mannen hebben de moed verloren.'

'Jij ging ervan uit dat dát het was?'

'Twaalf jaar, dat is een hele tijd, niet?'

Ik schoot overeind en drukte de hoorn wat steviger tegen mijn oor. 'Twaalf jaar? Wat bedoel je daarmee, Pierre?'

'Weet je dat dan niet?'

'Wát moet ik weten? Heeft hij vastgezeten?'

'Heeft hij je dat dan niet verteld?'

'Nee, dat heeft hij níét gedaan,' zei ik, en ik pakte mijn pen en probeerde de inkt uit op de bovenste bladzijde van mijn manuscript. 'Wáár heeft hij voor gezeten?'

'Nou, hij heeft iemand om het leven gebracht.'

'Vermoord?'

'*Non.* De betreffende man wilde de held uithangen, en probeerde te voorkomen dat Michael met diamanten aan de haal ging.'

'Dus hij was een juwelendief?' vroeg ik, terwijl ik ondertussen het silhouet van een op zijn buik liggende persoon schetste en er vervolgens middenin een vraagteken plaatste.

'Diamanten, Charlie. Dat was zijn stiel. Uitsluitend diamanten.'

'En iemand probeerde hem tegen te houden?'

'Een bewaker, oui.'

'En die heeft hij daarbij gedood?'

'Daar lijkt het op.'

Ik dacht daar even over na. Over de man die in een slecht verlicht café recht tegenover me had gezeten. Over het feit dat hij er zo normaal als je je maar kon voorstellen uit had gezien. Bepaald geen veroordeelde misdadiger, dacht ik zo. Geen moordenaar.

'Waar heeft zich dat afgespeeld?' vroeg ik, terwijl ik een diamant tekende die ruwweg even groot was als het eerder op het papier gekrabbelde lijk.

'In Amsterdam.'

'En heeft hij in een gevangenis in Nederland vastgezeten?'

'Oui.'

'Hebben ze hem niet uitgezet?'

'Wat is uitzetten?'

'Het land uitgegooid. Naar de Verenigde Staten teruggestuurd. Ik dacht dat dát met hem was gebeurd.'

'Dat weet ik niet.'

Ik liet mijn pen weer langs de kromming van het vraagteken lopen, en bouwde net zolang inktlagen op tot de lijn onduidelijk begon te worden. Daarna beschreef ik met de pen een stuk of wat rondjes rond de punt.

'Pierre, heeft hij je wellicht iets over de klus verteld? Wilde hij dat je iets aan me doorvertelde?'

'Non. *Mais,* waren het dan geen diamanten?'

'Nee. Het ging om apen.'

'Apen?'

'Beeldjes,' zei ik, terwijl ik de pen opzijlegde en in mijn oog wreef. 'Goedkoop uitziend spul. Een setje van drie. De een heeft zijn handen voor zijn ogen geslagen, de tweede houdt ze voor zijn oren en nummer drie houdt ze voor zijn mond. Ken je ze?'

'Ja natuurlijk.'

'Heb je enig idee wat ze waard zouden kunnen zijn?'

'Dat weet ik niet. Dat hangt van een heleboel zaken af.'

'Zijn ze het waard er een moord voor te plegen?'

'Heeft hij dan een moord gepleegd?'

'Deze keer niet,' antwoordde ik en ik zuchtte diep. 'Het gaat erom dat hij momenteel in het ziekenhuis ligt, Pierre. En voor zover ik weet maakt hij momenteel bepaald geen gezonde indruk. Ik heb geen flauw idee waar ik door jou bij betrokken ben geraakt.'

'Dat wist ik niet,' zei hij met een treurige stem. 'Dat is triest om te horen. Hij was iemand die altijd te vertrouwen was. Net als jij.'

'Ik heb nog nooit iemand gedood.'

'Non. Maar wat kan ik nu voor je doen?'

'Je kunt meer over die apenbeeldjes aan de weet zien te komen. Proberen erachter te komen of er een markt voor is.'

'Maar natuurlijk. Dat moet niet al te moeilijk zijn. Ik ga er onmiddellijk mee aan de gang.'

'En, Pierre, jij geeft aan niemand meer mijn naam door. En al helemaal niet aan lieden die voor moord hebben gezeten.'

Ik legde neer, trommelde met mijn vingers op het manuscript in een poging mijn gedachten te ordenen. Drie apenbeeldjes, drie inbrekers, drie mannen in het café. Alles in groepjes van drie, als een combinatieslot waarvan ik de volgorde niet kende. En hoeveel doden tot nu toe? Bijna twee, voor zover ik wist. En nu maar hopen dat er geen derde dode zou vallen.

10

Even later belde ik Victoria en ik kwam onmiddellijk ter zake.

'Luister, ik heb nagedacht,' zei ik. 'Als er nou eens twee aktetassen zijn?'

'Ga door.'

'Nou, stel je eens voor dat Faulks de hand weet te leggen op een andere aktetas, en dat hij díé in Nicholsons studeerkamer neerzet.'

'Een identieke aktetas.'

'Precies. Je moet niet vergeten dat Faulks net bezig is de kluis open te krijgen als hij Nicholson hoort binnenkomen, zodat hij zich in de kast moet verbergen. Maar laten we nou eens zeggen dat hij deze keer de deur op een kier laat staan, zodat hij precies kan zien wat voor soort aktetas het is.'

'En hij ziet dan ook wie de moordenaar is. Waardoor jouw boek op bladzijde 10 al afgelopen blijkt te zijn.'

'Dat is stom van me. Laten we dan dít eens proberen. Faulks hoort van iemand op het politiebureau hoe de aktetas eruitziet, misschien wel van een van de vrouwelijke agenten, in ruil voor een dineetje in een steakhouse. Het is een vrij algemeen voorkomend model, dus gaat hij eropuit en koopt er eentje.'

'Behalve dat de échte aktetas bij de politie staat, en als iedereen dat weet, inclusief Nicholson, dan weet ook iedereen dat die tas daar opzettelijk is neergezet.'

'Verdomme.'

'En die aktetas maakt er slechts deel van uit, Charlie. Je hebt ook de hand nodig. Je moet die aktetas openklikken en die bloederige hand dient recht in het gezicht van Nicholson gehouden te worden. En ook in het gezicht van de lezer. Dát is jouw climax.'

'Dus probeer ik ergens een andere hand vandaan te halen.'

'Een andere hand? Hoe had je gedacht dát voor elkaar te krijgen? Arthurs linkerhand ook afhakken?'

'Nee, natuurlijk niet. Wat dacht je van Arthurs nichtje, de actrice? Als ze nou eens geen actrice blijkt te zijn maar een ontwerper van special effects?'

'Jij wilt een kunsthand?'

'Het gaat er niet zozeer om wat ik wil,' zei ik. 'Ik dacht alleen maar even dat het misschien zou kunnen werken.'

'Maar dan heb je nog steeds je andere aktetas niet, of een manier om geloofwaardig aan een bijpassend exemplaar te komen.'

'Als je zegt dat deze oplossing nog enigszins moet worden verfijnd heb je helemaal gelijk.'

'Dat wou ik ook zeggen.'

Ik ademde zwaar in de hoorn. 'Weet je, dit waren niet bepaald de bemoedigende woorden waarnaar ik op zoek was.'

'Nou, raad eens, jij hebt mij ook niet bepaald de afdoende oplossing aangereikt waarnaar ík op zoek was. Dus zo te zien zijn we allebei teleurgesteld.'

'Hmm.'

'Hoewel ik het prettig vind iets van je te horen. Ik heb me zorgen over je gemaakt.'

'Dat is lief van je.'

'Ik meen het. Nou, vertel eens, hoe gaat alles daar?'

'Je bedoelt diefstaltechnisch?'

'Wat zou ik anders moeten bedoelen?'

'Nou, dat verloopt best interessant, geloof ik. Of gecompliceerd, afhankelijk vanuit welk gezichtspunt je het bekijkt.'

'Je moet wat specifieker zijn.'

En dat was ik. Ik vertelde Victoria over het bezoek dat inspecteur Burggraaf van de Amsterdamse politie aan mij had gebracht, over mijn gesprekken met Marieke en Pierre, en wat ik over de Amerikaan te weten was gekomen. In feite vloog ik er in het kort doorheen alsof het al vertrouwde hoogtepunten waren voor een nieuwe roman die ik van plan was te schrijven, en toen ik ermee klaar was zei ze: 'Dus hij is ook een inbreker. Vreemd dat hij dan jóú inhuurt.'

'Ja, hè?'

'Denk je echt dat hij het zelf niet durfde te doen?'

'Daar ben ik niet helemaal zeker van,' zei ik. 'Wat denk jij?'

'Nou, dat is natuurlijk erg moeilijk te zeggen; ik heb die man nog nooit ontmoet.'

'Dat is zo.'

'Maar het lijkt vreemd dat hij voldoende lef had om een diefstal te plannen, maar niet voldoende om die diefstal vervolgens ook daadwerkelijk uit te voeren.'

'Zo denk ik er ook over. En hij heeft iemand vermoord, Victoria. Als hij in de gevangenis bekeerd is of zo, zou ik het nog kunnen geloven, als een misdadiger voor het rechte pad heeft gekozen, gaat hij niet direct nadat hij uit de gevangenis is ontslagen weer een klus plannen.'

'Het feit dat hij iemand heeft gedood bevalt me absoluut niet. En samen met dat pistool dat je in het appartement hebt gevonden, heb je, nou, dan heb je een handvol mensen die in staat zijn om iemand echt iets aan te doen.'

'Het breken van vingers en het inslaan van hersenen, bedoel je?'

'Precies. En dan hebben we de blondíne nog,' zei ze, waarbij ze het woord uitsprak met alle minachting die ze in zich had. 'Wat heeft zíj te zeggen?'

'Ze heet Marieke, zoals je heel goed weet. En eerlijk gezegd denk ik niet dat ze me alles heeft verteld wat ze weet.'

'Dat doen ze nooit.'

'Blondines?'

'Femmes fatales, Charlie.'

'Zo zou ik haar niet bepaald willen betitelen!'

'Zij is degene die het dichtst bij deze zaak staat. Je gaat je onwillekeurig afvragen wat Faulks zou doen in jouw situatie, vind je niet?'

'Faulks zou niet in mijn situatie terechtkomen. In dit geval zou ik de eerste hoofdstukken herschrijven, zodat hij over wat meer aanwijzingen beschikt. Zet het allemaal eens op een rijtje: de man die alles weet ligt in coma, de femme fatale, zoals jij haar noemt, houdt duidelijk informatie voor me achter.'

'Op elke denkbare manier.'

'Vreemd. Wat nog meer? O ja, Pierre, die er in feite voor verantwoordelijk is dat ik in dit wespennest ben terechtgekomen, weet ongeveer evenveel als ik, misschien wel minder. En dan hebben we nog die solitair optredende inbreker, over wie ik geen enkele hoop koester hem ooit nog eens op te sporen.'

'Plus de dikke en de dunne man. Die, tussen haakjes, elke minuut meer op Laurel en Hardy gaan lijken.'

'En dan tot slot nog de aapjes.'

'Waarmee je nu behoorlijk voor aap staat.'

'Ba-de-boom.'

'Dat was een van de beste tekstregels die ooit door de dunne zijn uitgesproken.'

'Gedaan tijdens hun succesvolle seizoen in Blackpool?'

'Ongetwijfeld.' Ze zuchtte. 'Dus wat ga je nu doen?'

'Sorry?'

'Wat is de volgende stap die je gaat nemen om alles op te lossen?'

'Wie had het over iets oplossen?'

'Niemand. Ik dacht alleen dat je misschien zin had om uit te vissen wat er is gebeurd. Een soort erezaak onder dieven onderling, wellicht.'

'Tja. Alleen moet ik in dit opzicht ook aan mezelf denken, Vic. En volgens mij kan ik momenteel er maar het beste voor zorgen dat mijn naam niet in verband met deze zaak wordt gebracht. Dus ga ik eerst mijn boek afmaken en daarna ga ik eens bekijken waar ik straks naartoe zal gaan, en verder niks.'

'Wil je ergens anders naartoe gaan?'

'Zodra het boek af is, ja.'

'Nou, heb je wel eens aan Londen gedacht? We zouden dan eindelijk eens een persoonlijk gesprek kunnen voeren.'

'En het mysterieuze air dat om me heen hangt laten verdwijnen? Zodat je eindelijk eens een gezicht aan mijn naam kunt plakken?'

'Charlie,' zei Victoria, op een toon alsof ze met een traag denkend jongetje te maken had. 'Ik heb honderden keren jouw foto op de flap zien staan, weet je nog?'

'O ja,' zei ik. 'Dat was ik vergeten.'

II

Nadat ik klaar was met mijn gesprek met Victoria, speelde ik nog een tijdje met wat ideeën voor een plot, maar ik wist niets te verzinnen waarmee ik mijn probleem met de aktetas kon oplossen, althans, niets wat ook maar enigszins logisch overkwam. De waarheid was dat ik de zaak forceerde; ik probeerde een boek af te ronden dat er nog niet aan toe was afgerond te worden. Ergens, diep in mijn onderbewustzijn, speelde mijn brein met een puzzel die ik had uitgebroed, maar waarvoor uiteindelijk – hoewel ik nog geen flauw idee had wanneer – me een briljante oplossing te binnen zou schieten, als een kind dat aan komt rennen om zijn ouders de legpuzzel te laten zien die het zojuist heeft voltooid.

Dus legde ik mijn pen neer en zette mijn laptop aan, zocht verbinding met internet en gaf me aan mijn nieuwsgierigheid over. Nadat ik eenmaal online was ging ik onmiddellijk naar Wikipedia en tikte de woorden 'Drie wijze apen' in. Ik klikte op 'search' en vond al snel de tekst waarnaar ik op zoek was:

'De drie wijze apen vormen een aanschouwelijk gemaakte spreuk. Samen belichamen ze het spreekwoordelijke principe "horen, zien en zwijgen". De drie apen zijn Mizaru, die zijn ogen bedekt houdt, en geen kwaad ziet; Kikazaru, die zijn oren bedekt houdt, en geen kwaad hoort; en Iwazaru, die zijn mond bedekt houdt en geen kwaad spreekt.

Deze aanschouwelijk gemaakte spreuk is populair geworden door een houtreliëf uit de zeventiende eeuw boven de deur van het beroemde Toshugu heiligdom in Nikko, Japan. De spreuk is waarschijnlijk echter oorspronkelijk via een Tendai-boeddhistische legende in Japan neergestreken, mogelijk in de achtste eeuw (de Yamato-periode), via China vanuit India. Hoewel de leerstelling zeer waarschijnlijk niets met de apen te maken had, kwam het concept van de drie apen voort uit een woordspeling omdat het Japanse "zaru", dat de negatieve vorm van een werkwoord aanduidt, dezelfde klank heeft als "saru", dat aap betekent.

Het idee achter de spreuk was een onderdeel van de leerstelling van de god Vadjra, dat als we geen kwaad horen, zien of spreken, ons alle kwaad bespaard zal blijven. Dit is vergelijkbaar met de uitdrukking "Als men van de duivel spreekt, trapt men op zijn staart".'

Dit alles bij elkaar lijkt, enigszins geparafraseerd, erop te wijzen dat de boodschap die de apen blijkbaar hadden moeten overbrengen bestond uit het advies je zo min mogelijk met andermans zaken te bemoeien. En wie kon daar iets tegen inbrengen? Ik in elk geval niet. Dus schakelde ik mijn laptop uit, trok mijn jas aan en verliet mijn appartement om een wandeling door de buurt te maken en daarna in een bruin buurtcafé een paar biertjes te drinken, wat te eten en wellicht in gesprek te raken met wat mensen.

Het was een prima plan, een grandioos plan zelfs, maar het viel in duigen op het moment dat ik de voordeur van mijn gebouw opendeed, waar ik inspecteur Burggraaf op de stoep aantrof. Naast hem stond een geüniformeerde collega, en vlak achter hen stond een politiewagen geparkeerd.

'Meneer Howard, u staat onder arrest,' zei hij tegen mij.

'Maar, inspecteur,' zei ik. 'Ik heb uw naam niet eens geflúísterd.'

Terwijl ik met handboeien om op de achterbank van een politieauto zat die met hoge snelheid door de achterafstraatjes van Amsterdam scheurde, ondertussen aangegaapt door volkomen vreemden, vroeg ik me af of ik Burggraaf moest corrigeren. Ik stond helemaal niet onder arrest. Dat kon helemaal niet; hij moest me eerst arresteren. Maar toen ik er nog eens wat beter over nadacht kwam ik tot de conclusie dat het nu niet het juiste tijdstip was om over taalkundige gevoeligheden te kibbelen met een man die blijkbaar ernstige bedenkingen jegens mij koesterde en duidelijk een hekel aan me had. Nu was het het juiste moment om alleen met mezelf te overleggen.

Het was maar goed ook dat ik voor mezelf de boel eens goed op een rijtje zette, want Burggraaf deed alles wat in zijn vermogen lag om te voorkomen dat ik contact met een advocaat zou opnemen, en toen er uiteindelijk een verscheen op het politiebureau waarnaar ik was overgebracht, was zijn Engels bijna even slecht als mijn Nederlands. Om te beginnen namen we met z'n drieën plaats rond een verhoortafel in een spaarzaam gemeubileerd vertrek, en werd er aanvankelijk in het Nederlands gedebatteerd en vervolgens in min of meer gebroken Engels, over of ik al dan niet toestemming zou krijgen om aan mijn eerste pauze te beginnen, zodat ik een verfrissing tot mij zou kunnen nemen. Nadat deze onzin een minuut of tien had geduurd, dwong ik mezelf Burggraaf recht aan te kijken en zei ik op afgemeten toon dat ik voorlopig de beslissing had genomen om me te laten verhoren zónder dat daarbij een advocaat aanwezig zou zijn. Direct daarna werd het gesprek opgeschort in afwachting van iets te drinken.

Toen we verdergingen had Burggraaf weer dezelfde geüniformeerde agent bij zich die bij mijn arrestatie aanwezig was geweest. De man had een paperback in zijn hand. Burggraaf gooide het boek op het tafelblad voor me. Ik pakte het op en bladerde het door, alsof ik probeerde te beslissen of ik de volgende twee uur van mijn leven zou gaan wijden aan het lezen ervan. Ik wist al wat er was gebeurd, want het was mijn eerste detective, *De dief en de vijf vingers*, geschreven door Charles E. Howard en verkrijgbaar in elke betere boekwinkel.

'Aan wie moet het worden opgedragen?' vroeg ik, terwijl ik Burggraafs collega aangaf dat ik zijn pen even wilde lenen. 'Aan mijn favoriete Nederlander, wellicht?'

Burggraaf griste de pen uit de uitgestoken hand van zijn collega en keek hem woedend aan. Toen ging hij op het plastic stoeltje tegenover me aan de verhoortafel zitten.

'De foto op de achterflap,' zei Burggraaf terwijl hij het boek ergens achterin opensloeg. 'Dat bent u niet.'

'Daar hebt u gelijk in.'

'Waarom is dat?'

'Vrouwelijke lezers zien graag een knappe auteur,' zei ik schouderophalend. 'Als ik me niet vergis is dit iemand van een modellenbureau.'

'Maar u gebruikt wél uw echte naam.'

'Het is inderdaad een beetje paradoxaal.'

'U schrijft boeken over criminelen.'

'Over een inbreker, ja.'

Hij trok een wenkbrauw op. 'En u bent een crimineel.'

'Ach, tja,' zei ik, terwijl ik op mijn hoofd krabde. 'Ik kan alleen maar aannemen dat u refereert aan een jeugdzonde.'

'U bent veroordeeld wegens diefstal.'

'In feite omdat ik iets weggegeven heb, hoewel ik moet toegeven dat daar een beetje stelen aan vooraf is gegaan. Ik ben veroordeeld tot een paar uur dienstverlening. Maar wat is daarmee?'

Burggraaf beet op zijn lip en leunde achterover op zijn stoel. 'Ik vind het interessant dat u zelf crimineel bent, dat u boeken schrijft met een crimineel als hoofdpersoon en dat u liegt over het feit dat u een crimineel bent.'

'Ach,' zei ik, 'ik beschouw mezelf niet als een crimineel. En wat dat liegen betreft ben ik bang dat ik niet weet waar u het over hebt.'

Burggraaf schudde nadrukkelijk zijn hoofd, alsof hij verbijsterd was door mijn antwoord, en zette toen zijn glimmende bril af om die volkomen overbodig met zijn zakdoek te gaan schoonpoetsen. Toen hij daarmee klaar was, zette hij zijn bril weer op en keek me met knipperende ogen aan, alsof hij me voor het eerst in zijn leven zag, alsof zijn bril hem plotseling een vreemd soort supervermogen had gegeven, zodat hij in staat was om dwars door mijn leugens heen te kijken.

'U hebt me verteld dat u geen ontmoeting met meneer Park hebt gehad.'

'Is dat zo? Ik moet erkennen dat ik me de fijnere details van ons gesprek niet meer herinner.'

'U hebt gezegd dat u hem niet hebt ontmoet. Maar ik beschik over getuigen. Drie mannen hebben u woensdagavond in café De Brug gezien.'

'Hoe is dat in godsnaam mogelijk?' vroeg ik. 'Ik hoop niet dat u ze de foto op de achterflap van mijn boek hebt laten zien. Dat zou wel eens behoorlijk misleidend kunnen zijn.'

'Ze hebben uw signalement gegeven.'

'Dan moeten ze wel over een rijke fantasie beschikken.'

'Als u wilt kan ik een confrontatie organiseren.'

Daar dacht ik even over na. Het leek weinig zinvol om hem nog verder tegen de haren in te strijken.

'Ik denk niet dat dat nodig zal zijn,' zei ik.

'Dus u geeft toe dat u daar bent geweest en dat u tegen mij gelogen hebt?'

'Ik heb inderdaad een ontmoeting gehad met meneer Park, ja. Maar zoals ik al zei, ik ben bang dat ik me niet meer precies kan herinneren wat ik in ons eerdere gesprek heb gezegd. Ik weet alleen dat ik toen nog niet gewaarschuwd was dat alles wat ik zei tegen me gebruikt kon worden.'

Burggraaf maakte een grommend geluid dat diep vanuit zijn keel leek te komen.

'Waarom hadden jullie met elkaar afgesproken?' beet hij me toe.

'Dat zeg ik liever niet.'

'U staat nu onder arrest,' zei hij, en hij priemde met zijn vinger mijn kant uit. 'U moet antwoord geven op mijn vragen. De man in kwestie ligt in het ziekenhuis.'

'Daar ben ík niet verantwoordelijk voor.'

'Bewijs dat maar eens.'

'Hoe?'

'Door antwoord te geven op mijn vragen!'

'Ik weet niet zeker of u mij zult geloven. Ik denk dat u er niet echt voor openstaat, inspecteur.' Ik richtte me tot zijn metgezel, die tot dan toe nog niets gezegd had. 'Is hij altijd zo?' vroeg ik.

De agent keek me zwijgend aan, en schudde toen verlegen zijn hoofd. Hij maakte met zijn balpen aantekeningen op een geel schrijfblok. Ik kon niet lezen wat hij opschreef, want het was allemaal in het Nederlands. Misschien was het wel een leesverslag van mijn boek.

'Vertel me waarom jullie met elkaar hadden afgesproken,' wilde Burggraaf weten.

'Oké,' zei ik. 'Dat zal ik doen. Hij wilde dat ik een boek voor hem schreef.'

'Een boek?'

'Zijn memoires. Hij had het erover dat hij in de gevangenis had gezeten, voor diefstal, als ik me niet vergis. Ik heb begrepen dat hij zelfs een man heeft gedood. Hij had het idee dat ik zijn verhaal voor hem kon opschrijven, omdat ik ook al boeken over diefstallen schreef. Ik vertelde hem dat dat onmogelijk was. Dat ik een fictieschrijver was en geen biograaf.'

'En u denkt dat ik dit geloof?'

'U mag geloven wat u wilt,' zei ik hem. 'Het is de waarheid. En ik heb u het niet eerder verteld omdat wat mij betreft iemands verleden volkomen privé is. Wat voor verschil zou het maken?'

Burggraaf schudde geïrriteerd zijn hoofd en gebaarde toen naar zijn collega dat hij moest noteren wat er werd gezegd. 'Hoe laat bent u daar weggegaan?'

'Om een uur of negen, denk ik.'

'Hebt u hem de volgende avond weer ontmoet?'

'Nee.'

'Waar was u toen hij werd aangevallen?'

'Ik heb geen idee wanneer dat gebeurd is.'

'Donderdagavond.'

'Toen was ik aan het schrijven,' zei ik. 'Druk bezig met het voltooien van mijn nieuwste boek.'

'En u bent niet uit uw appartement weggeweest?'

Iets in zijn toon zorgde ervoor dat ik op mijn hoede was.

'Eens kijken, misschien ben ik weggeweest voor een korte wandeling. Ja, ik denk dat ik het me weer herinner. Kort na tienen, als ik me niet vergis.'

'Waarheen?'

'Een rondje door de buurt. Meer niet.'

'Naar de St. Jacobsstraat?'

'Zou kunnen. Ik herinner me het niet meer zo duidelijk.'

'Probeer het eens, meneer Howard. Ik denk dat u beter uw uiterste best kunt doen het u te herinneren.'

Hij ging staan en zei iets in het Nederlands tegen zijn collega.

'Hij brengt u naar uw cel,' zei hij tegen mij. 'Daar krijgt u iets te eten.'

'U laat me niet gaan?'

'U staat onder arrest. Vergeet dat niet.'

Hoe kón ik dat vergeten? Je moet het de Nederlanders nageven, ze weten wel hoe ze een politiecel moeten bouwen. De muren waartussen ik gevangen werd gehouden waren in twee tinten beige geschilderd: de onderkant donker en de bovenkant wat lichter. Tegen een van de wanden stond een hard bed van kunststof met daarop een dunne, vol vlekken zittende matras, terwijl langs de wand ertegenover zich een metalen toilet en wastafeltje bevonden. Er was geen raam waardoor ik rechtstreeks naar buiten kon kijken, het enige licht in het vertrek was afkomstig van een verlichte strook in een van de plafondpanelen, vlak naast een verwarmingsrooster. De deur van mijn cel was van speciaal versterkt staal gemaakt, met daarin een sleuf die iets groter was dan een brievenbus, en door deze opening was een dienblad met mijn eten naar binnen geschoven, terwijl elk uur een bewaarder erdoorheen naar binnen gluurde om te controleren of ik niet bezig was met mijn plastic bestek een ontsnappingstunnel door de betonnen vloer te graven. Ze hadden ook iets slims met de wanden gedaan, want van mijn medegevangenen was niets te horen. Ervan uitgaand dat er sowieso medegevangenen wáren, want uiteindelijk bestond natuurlijk nog steeds de piepkleine mogelijkheid dat ik de enige persoon was die op verdenking van het plegen van een misdaad in Amsterdam werd vastgehouden.

Het was een gigantisch verschil met de andere politiecel waarin ik ooit had gezeten, in mijn eigen Engeland, toen ik voor het eerst wegens diefstal was gearresteerd. Dat was in het centrum van Bristol geweest, op een zaterdag, laat in de middag, en dat oord had me een levenslange les geleerd hoe deprimerend een kleine ruimte aan kan voelen. En het hielp ook al niet erg dat de cel vol zat met dronken voetbalhooligans, die vloekten en tierden, en om de zoveel tijd Rovers- en Bristol City-spreekkoren aanhieven, ondertussen tegen de tralies en het weinige metalen meubilair slaand, elkaar beschimpend en bespuwend, en elkaar uitdagend voor een laatste knokpartij. Ik had me toentertijd erg jong en kwetsbaar gevoeld, wat alles bij elkaar bepaald niet verrassend was, want ik was nog maar net zestien. En ik was een nogal kakkineuze jongeman, had me in veel te diep water gewaagd, en eerlijk gezegd deed ik het bijna in mijn broek van angst.

Het is niet bepaald chic om te moeten bekennen dat ik al op kostschool met stelen ben begonnen. U moet begrijpen dat ik tijdens de weekeinden, wanneer de meeste andere kinderen naar huis gingen, op bezoek bij hun ouders, ik in m'n eentje door de lege gangen van de school zwierf en af en toe keek of een deur al dan niet op slot zat. De meeste klaslokalen zaten dicht, maar af en toe trof ik er een die nog open was, en dan ging ik naar binnen, liep een paar keer op en neer door het lokaal en ging zitten om naar de stilte te luisteren, of naar de vervormde geluiden van kinderen die op de sportvelden in de weer waren. Om te beginnen was het voor mij genoeg ergens te zijn waar dat niet mocht, zonder dat iemand ervanaf wist. Het was mijn ding, in een wereld zonder privacy.

Al snel was de kick om zonder medeweten van anderen in een vertrek aanwezig te zijn niet meer genoeg, en ging ik op zoek naar zaken die ik kon meenemen. Ik was nooit op zoek naar iets specifieks, maar elke bureaulade en elke voorraadkast bevatte geheimen en ik was het soort kind dat die geheimen wilde onthullen, zelfs als ze zo alledaags bleken als pennen en papier. Het ging bijna altijd om pennen en papier. En een deel van mij vond dat teleurstellend.

Dus begon ik in de jongensslaapzalen rond te struinen. Ik wachtte dan tot ze geheel verlaten waren, wat niet al te moeilijk was, en liep vervolgens naar een bed en trok dan een la of twee er vlak naast open om te zien wat ik tegen zou komen. Ik vond brieven van ouders, medicijnen, boeken, walkmans, contant geld. Heel af en toe nam ik dan iets onopvallends weg, iets wat de jongen niet zou missen, een stukje gom misschien, of een verjaardagskaart, om die dan het volgende weekend steevast weer terug te leggen. Ooit vond ik een keertje een condoom.

Het condoom was een kostbaar iets en ik legde hem in de afgesloten lade naast mijn eigen bed. We hadden naast ons bed allemaal een lade die op slot kon. Toen drong het tot me door dat iedereen zijn meest gekoesterde bezittingen in die laden bewaarde. Sommige van die laden zaten nooit op slot en de inhoud ervan was over het algemeen weinig belangwekkend. Het waren dan ook de laden die wél op slot zaten die me intrigeerden, en ik vroeg me steeds vaker af hoe ik ze open kon krijgen.

Het antwoord op die vraag was, uiteraard, dat de betreffende sloten dan geforceerd moesten worden. Het feit dat ik geen idee had hoe ik een slot moest forceren, was toentertijd niet het soort obstakel waardoor ik me liet afschrikken. Korte tijd later stak ik een kleine schroevendraaier bij me die ik uit het technieklokaal had ontvreemd, plus een metalen hulpmiddel met een lange, scherpe punt, iets wat ik in het scheikundelaboratorium had gevonden, mijn eigen pick. En ik sloeg aan het oefenen. Urenlang. In feite moet ik nagenoeg elk uurtje dat ik overhad hebben gespendeerd aan het oefenen op het open krijgen van het slot van mijn eigen lade, druk bezig de pennen omhoog te dwingen en te proberen de cilinder zover te krijgen dat hij draaide. Dit experimenteren kostte me weken, misschien wel een half semester. En toen sprong het ding op een dag gewoon open, zo simpel was het. Ik deed de lade weer op slot met mijn sleutel en probeerde het opnieuw, en weer lukte het. Ik werd sneller, meer ervaren. Dagen later probeerde ik de lade open te krijgen van de jongen die in het bed naast mij sliep. Die ging net zo gemakkelijk open. Als bij ingeving gebruikte ik mijn eigen sleutel en ik ontdekte dat die ook op zijn slot paste! Uiteindelijk bleek dat mijn sleutel ruwweg op een van elke acht lades paste. Gebruikmaken van mijn eigen sleutel werkte sneller dan het betreffende slot forceren, dus ging ik bij het rondsnuffelen op die manier aan het werk. Maar ik herinnerde me wel degelijk wat ik had geleerd.

En toen brak de paasvakantie aan en zat ik weer thuis in Clifton. Thuis bij mijn ouders, met voor het overgrote deel van de dag het hele huis voor mezelf en tijd in overvloed. Op een ochtend, toen ik me dood verveelde, voelde ik die bekende kriebels weer in mijn vingers. Ik haalde mijn schoolkoffertje onder mijn bed vandaan en rommelde erin tot ik mijn schroevendraaier en pick had gevonden. Vervolgens ging ik naar beneden en zette de aanval in op het yaleslot van de voordeur van mijn ouders. Tot mijn verrassing werkte het yaleslot volgens min of meer dezelfde principes als de sloten op de laden op school, en het kostte slechts iets meer moeite om hem open te krijgen. Ik deed de deur een paar keer achter elkaar op slot en weer ván het slot, en besloot toen het één niveau hogerop te zoeken.

Onze buren, de familie Bailey, zaten in hun vakantievilla in Spanje. Ik was een paar keer eerder in hun huis geweest, maar nog nooit in mijn eentje en ik besloot daar verandering in te brengen. Na de omgeving vluchtig verkend te hebben duwde ik met een plastic klantenkaart van mijn ouders eerst de dagschoot van de achterdeur naar binnen en bracht het volgende uur door met het bestuderen van hun nachtslot. Uiteindelijk klikte ook dat open, zoals ik steeds al had gedacht dat dat een keer moest gebeuren, en daarna hoefde ik alleen nog maar de deurklink naar beneden te duwen, en stapte ik naar binnen.

En kwam terecht in een ruimte waarin ik het gevoel had vijftig meter lang te zijn, een ruimte waarin ik mijn eigen regels bepaalde. Ik ging uiteraard eerst naar hun slaapkamer, aangezien ik op een leeftijd was waar slaapkamerkasten over het algemeen nog wel voor enige opwindende prikkelingen konden zorgen. En de kasten hier stelden me wat dat betreft niet teleur. Helemaal achter in een van de kasten vond ik een grote rubberen dildo, samen met een tube met een of ander smeermiddel. Ik bekeek de dildo een tijdje aandachtig, legde hem toen terug en deed vervolgens de ronde door de rest van het huis: de avocadokleurige dubbele badkamer, de met sits gestoffeerde logeerkamers, de studeerkamer van meneer Bailey, de fitnessruimte van mevrouw Bailey, en daarna weer naar beneden, naar de eetkeuken, de zitkamer en de garderobe. Al snel kreeg ik trek en liep terug naar de keuken om te zien of er iets te snoepen was. Ik stak mijn hand in de koekjestrommel en ontdekte daar bijna vijftig pond in contanten. Ik stopte het geld terug, eigende me uit een wandkast even verderop een zakje chips toe en vertrok toen weer, waarbij ik het knipslot achter me dichttrok.

In de pakweg twee weken hierna brak ik bij een aantal van onze buren in, altijd via de achterdeur, waar in de meeste gevallen alleen een eenvoudig knipslot was dat ik vaak binnen enkele seconden open had. In maar weinig huizen vond ik iets waarvoor ik meer dan normale aandacht had, de kick bestond voor mij uit het forceren van het slot en het feit dat je zomaar naar binnen kon. Maar ik ontwikkelde wel de gewoonte om altijd iets eetbaars mee te nemen, ook al had ik helemaal geen trek. En een paar keer, wanneer ik op straat geluid hoorde en zenuwachtig afwachtte tot dat voorbij was, of als een koelkast nog even natrilde, of een waterleidingbuis een tikkend geluid maakte, merkte ik dat ik plotseling de behoefte voelde me ergens te verstoppen, en één keer moest ik plotseling naar de wc.

's Nachts liet ik in gedachten al mijn avonturen nog eens de revue passeren, en maakte ik een inventaris op van alle vertrekken en bezittingen die ik had gezien, van de sloten die ik had geopend tot de privéplekken waartoe ik me toegang had verschaft. Het duurde niet lang of ik moest weer denken aan die vijftig pond die in de koekjestrommel van de familie Bailey zat. Dat geld lag daar maar, zonder dat iemand er iets aan had, totdat de Baileys uit Spanje zouden terugkeren, en als dat geld tegen de tijd dat ze weer thuis waren verdwenen was, zouden ze het misschien niet eens merken, zouden ze misschien denken dat ze het al vóór hun vertrek hadden uitgegeven. Ik raakte er steeds meer van overtuigd dat dat het geval zou zijn, en korte tijd later, op een zaterdagochtend, klikte ik opnieuw het slot van hun achterdeur open, pakte wederom een zakje chips en haalde het geld uit de koekjestrommel. Deze keer zette ik beide sloten op scherp toen ik vertrok, omdat ik niet meer van plan was terug te komen. Maar in plaats van naar huis te gaan, liep ik een stuk of wat straten door in de richting van de dichtstbijzijnde wijk met huurwoningen. Het duurde even voor ik de smalle, vol afval liggende achterafstraatjes door was en het soort huis vond waarnaar ik op zoek was, en toen ik het zag wist ik precies wat ik wilde. Het was een smalle rijtjeswoning met rottende kozijnen waarin enkel glas zat, terwijl er in de modderige achtertuin allerlei kinderspeelgoed lag. Ik liet me zelf via de achterpoort binnen en tuurde door het vuile raam van de terrasdeur. Er brandden geen lampen binnen en er was geen teken van leven te bekennen. Ik haalde mijn inbrekersspullen uit mijn zak en ging het zo langzamerhand eenvoudig geworden cilinderslot te lijf. Binnen de kortste keren sprong het open en stapte ik naar binnen.

De verkenningstocht door het huis nam nauwelijks tijd in beslag. Boven bevonden zich slechts twee slaapkamers, een kast voor het linnengoed en een uiterst kleine badkamer. Beneden was een woonkamer waar je via de voordeur rechtstreeks in terechtkwam, en een open keuken. In die keuken vond ik een paar Wagon Wheels-chocoladekoekjes en ik liep terug naar de woonkamer om daar naar een geschikte plaats te zoeken om het geld achter te laten. Ik overwoog ook nog even om een briefje achter te laten, toen ik besefte dat dat een stom idee was. Het was beter om maar direct te verdwijnen. En dat was precies wat ik van plan was te doen toen de achterdeur openvloog en twee politieagenten naar binnen schoten, die me razendsnel tackelden en tegen de grond werkten. Het bleken twee wijkagenten te zijn en ik was zo stom geweest om in een nogal voor de hand liggend doelwit te trappen van een buurtpreventieproject waar buitengewoon veel werd ingebroken. Uiteraard had de politie geen enkele belangstelling voor mijn Robin Hood-achtige ideeën, en nadat ze me in de handboeien hadden geslagen en me achter in een wachtende patrouillewagen hadden gegooid, werd ik naar het politiebureau in het centrum gereden, waar ik de langste middag en avond uit mijn bestaan doormaakte voordat mijn vader arriveerde om mijn borgtocht te betalen en me bedroefd aan te kijken op een manier die ik daarna gelukkig nooit meer heb hoeven meemaken.

Nu ik het er toch over heb, misschien dat degenen onder jullie die mijn tweede Faulks-detective hebben gelezen, *De dief in het theater*, veel van dit alles herkennen, omdat ik het als achtergrondverhaal heb gebruikt om te verklaren waarom Faulks sowieso een dief is geworden. Hoewel er natuurlijk wel verschillen aan te wijzen zijn. Om te beginnen is er in mijn detectiveroman geen sprake van een kostschool, aangezien Faulks een doorsneeknaap is met wie mijn lezers zich moeiteloos kunnen identificeren. En Faulks nam meer mee dan alleen het geld, want hij probeerde ook nog wat nieuw speelgoed voor het jongetje in de gemeentelijke huurwoning achter te laten. En uiteraard stond Faulks tegenover de agent die hem arresteerde níét te snotteren als een klein kind. Maar één ding ging zowel voor mij als voor Faulks op: vanaf dat moment nam ik me voor om voortaan alles wat ik stal voor mezelf te houden.

De klok boven mijn celdeur wees tien uur aan en ik besefte dat ik die nacht niet in mijn eigen bed zou doorbrengen. Ik was moe en voelde me ellendig, en plotseling wilde ik alleen nog maar mijn ogen dichtdoen, zodat ik die beige muren even niet zou zien. Dus deed ik mijn schoenen uit, ging op de met plastic overtrokken matras liggen, trok een van de ruwe dekens over mijn hoofd en probeerde aan niets anders te denken dan aan hoe langzaam ik zou kunnen ademhalen. Ik vroeg niet of het licht in mijn cel kon worden uitgedraaid, want ik besefte maar al te goed dat de kans dat ik in slaap zou vallen bijzonder klein was.

12

Ik was de volgende morgen net bezig een soort roerei-speciaal over mijn bord te schuiven, toen de sloten van mijn celdeur werden opengedraaid, de deur naar binnen toe openzwaaide en Burggraaf op de drempel zichtbaar werd met de wachtcommandant aan zijn zij.

'De Amerikaan is dood,' kondigde hij aan.

'Dan kunt u maar beter snel een advocaat voor me laten komen,' reageerde ik. 'En dan het liefst eentje die perfect Engels spreekt.'

Toen hij eenmaal arriveerde bleek mijn raadsman zelfs een volbloed Engelsman te zijn. Hij vertelde me dat hij Henry Rutherford heette en dat hij door het Britse consulaat was gestuurd. Rutherford was vrij klein, met een ronde buik die wel iets weg had van een strandbal en een eekhoorngezicht, een en al bolle wangen en onderkinnen. Op zijn al wat kalende hoofd waren nog enkele plukken blond haar waarneembaar, en de boord van zijn overhemd, dat minstens een maat te klein leek, sneed diep in de losse huidrollen van zijn nek. Hij stak me een klamme hand toe, die ik heel even schudde, en nadat ik hem een korte samenvatting van mijn arrestatie had gegeven en een aangepaste versie van de aanleiding daarvoor, stelde hij me een belangrijke vraag.

'Waar heb je op school gezeten, beste jongen?'

'Kings',' zei ik hem, en vervolgens ontwikkelde zich de in zo'n geval gebruikelijke conversatie. Toen zette hij zich aan de taak waarvoor hij gekomen was en vroeg me of ik sinds mijn arrestatie al enige juridische bijstand had gehad.

'Ze kwamen eerst met een Nederlandse advocaat aanzetten,' zei ik hem. 'Iemand die nauwelijks Engels sprak.'

'Goed,' zei hij, en toen ik hem aankeek voor uitleg, voegde hij eraan toe: 'Dat zou kunnen helpen. Ze zijn nogal onredelijk hier in Nederland, begrijp je. Zeg, hoeveel geld heb je?'

'Bij me? Ik had zesduizend euro op zak toen ik werd gearresteerd.'

'Zesduizend! Tjonge, dat is vreselijk veel geld om op zak te hebben. Maar ik heb het over borgtocht, beste jongen.'

'O, waarschijnlijk wel genoeg, hoor. Hoewel het enige tijd kan duren voor ik het bij elkaar heb.'

'Dat is mooi. Ik denk dat we het dan nu maar eens over onze tactiek moeten hebben. Hoeveel heb je ze verteld?'

'Alleen wat ik jou net heb verteld. Maar daar hebben ze nauwelijks naar geluisterd.'

'Verdomd vervelend,' zei hij, en hij drukte een geruite zakdoek tegen zijn glimmende voorhoofd. 'Is er nog meer te vertellen?'

Ik keek hem alleen maar aan.

'Heel goed, je hoeft het me niet te vertellen. Je ziet er niet bepaald als een moordenaar uit, en zo praat je ook niet, dat ziet zelfs elke randdebiel onmiddellijk. Maar als je hun vragen niet beantwoordt, zou je wel eens in de problemen kunnen komen.'

'Kan ik me niet beroepen op het Vijfde Amendement of iets dergelijks?'

'Natuurlijk kan dat. Maar dan moet je jezelf wel afvragen of dat gunstig is voor onze zaak. Jij wilt ze er uiteraard van overtuigen dat je die Amerikaan níét hebt vermoord.'

'Maar als ze niets hebben om een zaak tegen me te beginnen...'

'Ja, ja, maar waarom zouden we ze tegen de haren in strijken?' vroeg hij, en hij maakte een sussend handgebaar. 'Die Burggraaf is een echte carrièrejager. Juist op dit soort zaken is zijn reputatie gebouwd, weet je.'

'Je wilt zeggen dat hij niet van plan is om los te laten.'

'Ik zeg alleen maar dat je goed moet nadenken over wat je wel en niet zegt. En met name over wat je hem tot dusverre nog níét hebt verteld.'

'Ik moet me opnieuw door hem laten verhoren, bedoel je?'

'O, dat zal sowieso gaan gebeuren, jongeman. Sterker nog, daar zal hij op staan. Het enige waar het om gaat is wat je bereid bent te zeggen.'

Dat was niet veel, bleek uiteindelijk. In mijn ervaring is een van de prettigste aspecten van juridisch advies dat je je er niets van hoeft aan te trekken. Dus na enkele uren zat Rutherford nogal stijfjes naast me in de verhoorruimte, maakte met een buitengewoon fraaie turkooizen vulpen aantekeningen op zijn blocnote, en dat alles terwijl Burggraaf zijn hele trukendoos uit de kast haalde om mij aan het praten te krijgen. Dreigementen, leugens, beloften, ze werden allemaal op mij afgevuurd. En bij elke vraag die ik negeerde of elk oppervlakkig antwoord dat ik hem gaf, keek hij steeds woedender en verschenen er nog meer rimpels in zijn voorhoofd. Af en toe onderbrak Rutherford een serie vragen met een terloopse opmerking en balde Burggraaf zijn rechterhand tot een vuist, begroef zijn nagels in het vlees van zijn handpalm, telde dan tot tien en gooide het over een andere boeg. Maar niet een van zijn pogingen bracht hem ook maar iets verder, en het effect dat dit alles op hem had zal ik nooit vergeten.

'Vertel me de waarheid,' eiste hij op een gegeven moment, en hij ramde met zijn vuist op het blad van de verhoortafel. 'Geef antwoord!'

'Ik weet niet precies welke waarheid u wilt horen,' antwoordde ik.

Hij keek me woedend aan en ik keek boos terug. Toen stelde Rutherford voor dat het tijd werd om even te pauzeren. Burggraaf wachtte net lang genoeg totdat op zijn gezicht nog slechts een uitdrukking van milde weerzin te lezen was, stond toen met een ruk op en verliet het vertrek zonder ook maar één keer om te kijken. Ik ging ook staan, strekte mijn armen en rolde met mijn schouders en mijn nek totdat ik die hoorde kraken. Ik rook niet bepaald lekker. Ik was omgeven door de zweterige mufheid die je krijgt als je een hele nacht niet uit de kleren bent geweest. Ik draaide me om teneinde Rutherford aan te kijken en zag dat hij achterovergeleund in zijn stoel zat en met het uiteinde van zijn vulpen over zijn voorhoofd krabde.

'Hoelang gaat dit nog duren, denk je?' vroeg ik.

'O, nog een tijdje. Híj is wel een volhoudertje, hè?'

'Dat mag je wel zeggen.'

'Weet je zeker dat je hem niet het héle verhaal wilt vertellen? We zouden een verklaring kunnen laten opstellen, dan zijn we hier binnen een uurtje weg.'

'Heb je een lunchafspraak, of zo?'

'Ik denk alleen maar aan jou, beste jongen.'

'Dat zal best. Hoe kom ik bij het herentoilet?'

Het bleek dat ik vergezeld moest worden door de agent van dienst. De man stond vlak bij me, niet bepaald op zijn gemak en voortdurend zijn gewicht van het ene been naar zijn andere verplaatsend, luisterde naar het gespetter van mijn urine en terwijl ik in een van de smoezelige wastafels mijn gezicht en onderarmen waste, oefende hij het in de verte staren zoals dat veelvuldig in liften in praktijk wordt gebracht. Toen ik in de verhoorruimte terugkwam was Burggraaf daar ook weer gearriveerd, en hij wierp over de rand van een plastic koffiebekertje woedende blikken in de richting van Rutherford.

'Ik hoop dat u in het mijne geen suiker hebt gedaan,' zei ik, en ik mocht ook een boze blik incasseren.

De koffie was, alles in beschouwing genomen, niet slecht. Ik koesterde mijn bekertje terwijl Burggraaf dezelfde vragen op mij afvuurde die hij tijdens de vorige sessie ook al had gesteld. Wat was de echte reden van mijn afspraak met Michael Park? Waar hadden we het over gehad? Waar was ik precies geweest op de avond dat hij vermoord was?

Ik had zin om hem toe te schreeuwen dat hij eindelijk eens moest ophouden zich zo stom te gedragen. Marieke had hem zelf verteld over de dunne en de dikke man, dus waarom ging hij niet achter hén aan? Mijn minieme strafblad en het onbetekenende detail dat ik gelogen had over het feit dat ik de Amerikaan gesproken had, waren toch niet voldoende om hem af te leiden van de kille, harde waarheid dat de laatste twee mensen die in het gezelschap van de Amerikaan waren gezien hem nagenoeg onder dwang naar zijn appartement hadden afgemarcheerd? Hij wist niets van de apenbeeldjes, dat was zo, maar hij leek zijn ogen opzettelijk voor het voor de hand liggende te sluiten

Ik dacht aan een manier om dit ter sprake te brengen, maar zag niet hoe ik dat kon doen zonder duidelijk te maken dat ik meer wist dan ik toe wilde geven. Ik zag de serie vragen die ik los zou maken en de lastige antwoorden daarop al duidelijk voor me: hoe wist ik van het bestaan van de twee mannen? *Omdat Marieke me dat verteld heeft.* Waarom heb je met Marieke gesproken en waarover hebben jullie het gehad? *Het leven in de eenentwintigste eeuw.* Waarom hebt u die twee mannen niet eerder ter sprake gebracht? *Het schoot me nu pas te binnen.* Welke relatie bestaat er tussen die twee mannen en Michael Park? *Ik zou het niet weten.*

Even later tastte de futiliteit van datgene wat Burggraaf aan het doen was mijn concentratie aan en ik kwam in een fase terecht waarin ik simpelweg alles negeerde wat de man zei. Mijn gedachten dwaalden af naar andere zaken, en ik begon me af te vragen wat ik zou gaan doen zodra ik vrijkwam. Waarschijnlijk zou ik niet onmiddellijk uit Amsterdam kunnen vertrekken, dacht ik zo, maar waar zou ik naartoe gaan als ik wél weg mocht? Italië, bedacht ik nu. Weg van die voortdurende motregen en die kille, bijtende wind, op naar die briljante winterse zonneschijn en de grootse pleinen en caféterrassen waar je van die heerlijke, donkere espresso's kon krijgen. Rome leek me wel wat. Ik zag me 's middags al om het Colosseum wandelen en vroeg in de avond iets eten in de buurt van de Trevifontein. Florence was zonder meer een concurrent, en dat gold ook voor Venetië. Wat betreft de kanalen, daar was ik nog niet helemaal zeker van, voorlopig zou ik wel eens schoon genoeg kunnen hebben van grachten, in feite toch ook een soort kanalen. En Florence had zoveel kunst en cultuur, er waren zoveel schilderijen en kunstvoorwerpen te vinden, dat ik wel eens terug zou kunnen komen met mijn zakken vol lires. Hoewel, ook daar hadden ze tegenwoordig al euro's. Maar misschien was Italië het antwoord niet eens. Misschien moest ik mijn geest openstellen voor andere mogelijkheden. Misschien...

De deur van de ondervragingsruimte ging open, waardoor ik onmiddellijk uit mijn dagdromerij weggerukt werd, en een vrouw in een marineblauw kostuum stapte naar binnen. Haar haar vertoonde hier en daar al wat grijs en was geknipt in een praktisch bobkapsel, terwijl haar gezicht een en al vastbeslotenheid uitstraalde. Ze knikte Rutherford kort toe en fluisterde Burggraaf uiterst zakelijk iets in het oor. Toen ze daarmee bezig was, veranderde Burggraafs afkeurende gelaatsuitdrukking via een heel spectrum andere emoties langzaam maar zeker in gekwetste berusting, waarna hij opstond en achter de vrouw aan de gang op liep.

'Begrijp jij wat ze tegen hem heeft gezegd?' vroeg ik Rutherford.

'Ik ben bang dat ik er geen woord van heb verstaan.'

'Ze maakte niet bepaald een blije indruk. Misschien hebben ze de echte moordenaar te pakken gekregen.'

'Je weet maar nooit.'

'Het zou leuk zijn als hij eindelijk eens ophield met het stellen van steeds dezelfde vragen.'

'Ik kan me niet herinneren dat je tot nu toe érgens antwoord op hebt gegeven.'

'Nou, ik dacht er net over na dat wél te doen. Al was het alleen maar om hem zover te krijgen dat hij zijn mond houdt.'

'Ik denk niet dat dat het gewenste effect zal hebben.'

'Waarschijnlijk niet.' Ik wierp een blik op Rutherfords aantekenblok. 'Heb je veel aantekeningen gemaakt?'

Rutherford tilde zijn vulpen op en liet me het bovenste vel van het schrijfblok zien. Dat stond vol poppetjes, ingewikkelde krullen en dubbele arceringen.

'Hoeveel betaal ik je ook alweer?'

'Dit word je allemaal kosteloos aangeboden door Harer Majesteits regering,' antwoordde hij.

We zwegen een tijdje en ik keek toe hoe Rutherford steeds weer figuren aan zijn krabbels toevoegde. Ik had zelf ook wel een stuk papier en een pen willen hebben. Vooral zo'n mooie pen als Rutherford had. Dan kon ik ook wat tekeningetjes maken, en dan kon Burggraaf bij terugkomst misschien zeggen wie de mooiste krabbels had gemaakt. En misschien dat de winnende kunstenaar dan als eerste prijs een vruchtenlolly kreeg, én de kans om naar huis te gaan.

Ik stond op van tafel en strekte mijn armen en benen uit, waarna ik de vier wanden van het vertrek door middel van passen begon af te meten. De ruimte bleek vierkant. Elke wand was twaalf passen lang. Ik was net van plan om het nóg eens over te doen door de ene voet voor de andere te zetten, voor de zekerheid, maar voor ik dat kon doen ging de deur open en stapten Burggraaf en de vrouw weer naar binnen.

'Meneer Howard,' begon de vrouw, die haar handen in haar zij had gezet, 'ik ben inspecteur Riemer van de recherche. Mevrouw Van Kleef heeft zojuist een schriftelijke verklaring ondertekend. Ze heeft daarin onder ede verklaard dat ze donderdagavond met u in café De Brug heeft gezeten. Ze zegt dat u de hele avond in haar gezelschap bent geweest. Klopt dat?'

Burggraaf wilde iets gaan zeggen, maar inspecteur Riemer snoerde hem met een kort handgebaar de mond. Ze draaide zich naar me om en wachtte op mijn antwoord. Ik dacht er enkele ogenblikken over na en knikte toen nadrukkelijk.

'Dan kunt u gaan,' zei ze. 'Het politiekorps Amsterdam-Amstelland dankt u voor uw meewerking.'

Buiten, op de parkeerplaats, schudden Rutherford en ik elkaar de hand en namen we afscheid van elkaar.

'Alleen voor de duidelijkheid,' vroeg Rutherford, terwijl hij zijn jasje en stropdas rechttrok, 'wie is die mevrouw Van Kleef?'

'Dat zou ik ook wel eens willen weten.'

'Maar...'

'Maak je er maar geen zorgen over,' zei ik hem en ik klopte hem op de schouder, waarbij ik daar tegelijkertijd een los draadje verwijderde. 'Je hebt daarbinnen enorm goed werk voor me verricht, Rutherford. Daar mag je hele beroepsgroep een voorbeeld aan nemen.'

'Ik ben blij dat je er zo over denkt.'

'Zeker weten. En als klein gebaar van mijn waardering zou ik je iets willen geven.'

Ik stak mijn hand in mijn jaszak en haalde de bruine envelop tevoorschijn die ik van de wachtcommandant had teruggekregen.

'Ach, dat is echt niet nodig,' zei hij, terwijl hij begerig naar het geld keek. 'Je weet best dat ik nauwelijks iets gedaan heb.'

'Onzin,' zei ik, en ik sloot zijn hand rond de envelop. 'Je hebt meer dan voldoende gedaan. Maar voor het geval je er een vervelend gevoel bij mocht hebben, kunnen we het natuurlijk ook een voorschot noemen, toch? Ik heb zo het gevoel dat ik in de toekomst misschien nog wel eens gebruik van je diensten zal moeten maken.'

Rutherford likte met zijn tong langs zijn vlezige lippen. 'Nou, ik kan altijd wel wat geld gebruiken, beste jongen. Maar je móét beloven dat je me belt als je me nodig mocht hebben, oké? Heb je mijn telefoonnummer?'

'Dat heb ik. Nog een heel plezierige dag, Rutherford.'

'Jij ook, beste jongen. Jij ook.'

13

Omdat ik de hele vorige nacht niet had geslapen, was het eerste wat ik deed nadat ik afscheid van Rutherford had genomen, op zoek gaan naar de dichtstbijzijnde winkel waar ook tabakswaren te koop waren en daar kocht ik een pakje sigaretten. Ik stak er onmiddellijk een op, rookte die helemaal op en nam er direct nog een, die ik ook helemaal tot aan de filter oprookte. Daarna liep ik de tijdschriftenwinkel weer binnen en kocht een strippenkaart voor de tram. Vlak voor de winkel was een tramhalte en ik hoefde maar een paar minuten te wachten voordat de tram kwam. Ik stapte in, stempelde twee strippen af en reed het korte stukje naar het Leidseplein. Vanaf het Leidseplein liep ik in oostelijke richting, langs de drukke toeristencafés en restaurants, en het aan de Singelgracht staande casino, en ging het Vondelpark in.

Ondanks het feit dat het een doordeweekse, winterse middag was, was het toch druk in het park. Mensen op skeelers en verroeste fietsen schoten langs me heen, stelletjes wandelden arm in arm, groepjes jonge toeristen zaten boven op hun rugzak zoetgeurende joints te roken, terwijl er af en toe een freakshow langsliep: een meisje had haar gezicht laten piercen met talloze schroeven en moeren, terwijl de man die haar vergezelde niets anders aanhad om zich tegen de kou te beschermen dan een stel visnetkousen en een leren string.

Ik sleepte mijn vermoeide lijf tot aan het Blauwe Theehuis, waar ik buiten aan een tafeltje op een stoeltje met rubberzitting ging zitten en een koffie verkeerd bestelde. Ik stak opnieuw een sigaret op en nipte van mijn koffie, waarbij de cafeïne, de nicotine en de ijzige wind slag leverden tegen mijn vermoeidheid en mijn pijnlijke ogen. Daarna bestelde ik nog een kopje koffie, ik dronk dat op en rookte weer een sigaret totdat de kou en de nicotine uiteindelijk te veel voor me werden. Ik stopte mijn handen diep in mijn zakken en hervatte mijn wandeling.

Ik volgde het buitenste pad, dat min of meer de grens van het park vormde, en had daar bijna een uur voor nodig. Tegen die tijd begonnen mijn tenen ook last van de kou te krijgen, terwijl mijn neus gevoelloos was geworden. Maar mijn hoofd was een stuk helderder en ik voelde me wakkerder dan ik ooit was geweest. Dus liep ik naar een zijuitgang van het park, ik wandelde naar de dichtstbijzijnde tramhalte, stempelde in de tram twee strippen af en liet me naar de halte rijden die zich het dichtst bij café De Brug bevond.

Marieke leek niet verrast toen ze me zag. Zonder ook maar één woord te zeggen liet ze de bar over aan een vrouw van middelbare leeftijd met wie ze aan het werk was en ging me voor naar haar appartement boven de zaak. Daar eenmaal aangekomen ging ze op haar rotanbank zitten en stak een shaggie op. Dat shaggie bleek een joint te zijn. Ze bood mij ook een trekje aan, en toen ik gebaarde dat ik er geen behoefte aan had, blies ze een lange straal marihuanarook in mijn gezicht. Met mijn ogen knipperend boog ik iets opzij, hoewel ik er nog net iets van binnen kreeg.

Ze droeg een heupspijkerbroek zonder riem en een felroze sweater. Haar gebruinde buik was duidelijk zichtbaar en aan de sweater die rond haar lieftallige contouren van haar borsten viel, kon ik duidelijk zien dat ze geen beha droeg. Ik wachtte tot ze opnieuw een lange trek van de joint had genomen en kwam ter zake op het moment dat ze haar mond vol rook had.

'Je hebt wel een enorm risico genomen met die verklaring van je,' zei ik. 'Als ik hen nou eens de waarheid had verteld?'

'Ik ging ervan uit dat je hen helemaal níéts hebt verteld,' zei ze, en tegelijk met haar woorden kwamen blauwe rookhalo's uit haar mond tevoorschijn. 'Dat heb je tegen me gezegd toen we Michael vonden, weet je nog?'

'Dat was anders. Dan roep je dingen in een opwelling.'

Marieke keek me een ogenblik lang aan, en zelfs in die korte tijd leken haar pupillen zich te verwijden en begonnen haar gelaatstrekken zich enigszins te verzachten.

'Nou en, wat dan nog als het een risico was?' vroeg ze zacht. 'Jij hebt Michael niet gedood. Dat weet ik.'

'Het spijt me dat hij is overleden.'

Ze knikte en nam nog eens een trekje van haar joint. 'Hij mocht jou wel,' wist ze uit te brengen, haar stem klonk gepijnigd.

'We hebben maar één keer met elkaar gesproken.'

'Toch mocht hij jou,' vervolgde ze met een enigszins krakende stem. 'Hij vertelde me dat je buitengewoon intelligent was.'

'Niet intelligent genoeg om te voorkomen dat ik gearresteerd zou worden.'

'Maar je hebt ze niet verteld over datgene wat Michael jou gevraagd heeft te doen? De inbraak?'

Ik schudde mijn hoofd. 'Ik heb ze verteld dat Michael me gevraagd heeft een boek over hem te schrijven. Meer niet.'

'En geloofden ze je?'

'Nee. Maar toen kwam jij met je verklaring en moesten ze me laten gaan. Burggraaf vond het helemaal niets.'

Ze nam nog een trekje. Ze leek ervan te genieten. Haar gezicht ontspande zich weer een beetje meer en haar ogen leken in de verte te staren, dromerig bijna. Ik vroeg me af hoeveel ze sinds het overlijden van Michael van dat spul had gerookt. Ik vroeg me ook af in hoeverre ze aanspreekbaar was geweest toen ze die verklaring aflegde.

'Wat heb je ze verteld, dat we samen wiet hebben gerookt?'

'Ik heb ze verteld dat we minnaars waren,' zei ze bijna zakelijk, en ze klopte wat as van haar sigaret in een beker die op de salontafel stond.

'Maar ze wisten dat je een relatie met Michael had.'

'Ja, maar het is niet bepaald onaannemelijk dat ik ook met jou naar bed ben geweest,' zei ze, en ze rechtte haar rug. 'En dat jij dat liever niet aan de politie wilde vertellen.'

Ik maakte mijn blik los van haar borsten en keek haar aan.

'Ik had hen dat als hij eenmaal dood was ook kunnen vertellen.'

Ze keek me fronsend aan. 'Maar ik heb het ze gisteren verteld.'

'Gisteren? Hoe laat?'

'Het was al vrij laat, misschien tegen elven,' zei ze, en ze tuitte haar lippen. 'Ik kwam op het politiebureau en werd aangesproken door die vrouw, hoe heet ze ook alweer, Riemer, toch?'

'Maar Burggraaf heeft me tot vanmiddag vastgehouden,' zei ik, voornamelijk tot mezelf. 'Geen wonder dat ze woedend op hem was.'

'Dat wist ik niet.'

'Nee,' zei ik, me weer tot haar richtend, 'daar vertrouwde hij juist op. Ik krijg de indruk dat hij ons geen van beiden vertrouwt.'

Marieke liet de joint zakken en keek me onderzoekend aan; haar bewegingen hadden iets looms gekregen. 'Maar we hebben het nu allemaal achter de rug, hè?'

'Ik weet het niet,' zei ik schouderophalend. 'Misschien wel. De twee mannen met wie Michael heeft gesproken, weten die van jouw bestaan af?'

'Nee. We zijn erg voorzichtig geweest.'

'En je weet echt niet hoe die lui heten?'

Ze schudde haar hoofd en keek toen met een ruk op. 'Maar jij weet waar ze wonen. Jij bent er toch geweest?'

'En?'

'We kunnen de politie bellen!'

'Ik zou niet weten hoe,' zei ik haar. 'Dan is het voor hen onmiddellijk duidelijk dat we gelogen hebben.'

Marieke nam peinzend nog een trek. Toen knikte ze, als een soort bevestiging van het idee dat zich in haar hoofd had gevormd.

'Dan zeggen we dat we papieren hebben gevonden, dat Michael hun namen had genoteerd en had achtergelaten op een plaats waar ik ze zou vinden.'

'Maar we hebben hun namen niet.'

'Hun adres dan.'

'Dat zou kunnen werken, hoewel ik er nog steeds niet zeker van ben. Wil je dat ze gepakt worden?'

'Uiteraard.'

'Maar we weten niet zeker of zíj hem hebben vermoord.'

'Wie zouden het anders gedaan kunnen hebben?'

'Nou,' zei ik, 'dát is nou net de vraag.'

Ik leunde achterover in mijn stoel en stak mijn handen in de lucht, alsof ik openstond voor elke suggestie. Marieke keek me ernstig aan. Ik ontweek haar blik niet. Ik keek alleen maar terug, zo simpel lag het. Vanuit het niets begon ze plotseling te giechelen. Het overviel haar blijkbaar, alsof ze geen flauw idee had dat het eraan zat te komen, en tegelijkertijd ontsnapte er een sliert hasjrook aan haar mond. Met wijd open ogen probeerde ze de lach te onderdrukken, maar ze klapte voorover, waarbij haar lichaam zacht heen en weer schudde. Even later kwam ze weer overeind, ze haalde diep adem, hield die adem een tijdje in en moest behoorlijk wat moeite doen om haar zelfbeheersing te herwinnen. Ze kromde haar rug en ademde door haar neus, en haar borsten zwollen onder de roze sweater zo erg op dat ik ze niet langer kon negeren. Ik liet mijn blik omhoogglijden naar aan haar gezicht, waar nu een ietwat benevelde glimlach rond haar mondhoeken speelde, en ze wendde zich van me af om naar een hoek van het plafond te kijken. Ze worstelde in een poging weer ernstig te kijken, en opnieuw glipte er een glimlach door het net. Toen wuifde ze het weg, veegde het met beide handen van haar gezicht, slaakte een zucht en nam toen de langste haal van haar joint tot dan toe. Ze drukte hem uit in een asbak op het lage tafeltje tussen ons in, stond op en was in enkele stappen bij me. Even bleef ze voor me staan, en ging toen, alsof ze eindelijk een beslissing had genomen, boven op me zitten, bracht haar gezicht tot vlak boven het mijne en drukte haar lippen op die van mij. Ze dwong met haar tong mijn mond open, ademde heel behoedzaam uit en we kusten elkaar, terwijl de marihuanarook langs onze hoofden omhoog kringelde, in haar zoet ruikende haar bleef hangen en langs de achterkant van mijn keel gleed.

Daarna lagen we op Mariekes bed, waar ze weer een joint opstak die we samen oprookten. Ik keek toe hoe de rook vanuit mijn mond opsteeg en in de lucht boven me bleef hangen, terwijl ik tegelijkertijd zachtjes een streng van haar haar tussen mijn vingers draaide. Ze legde haar hand op mijn borst en een been over mijn middel. Toen, terwijl ik de laatste resten van de joint opzoog, stelde ze me eindelijk de vraag die al de hele tijd op haar tong had gebrand.

'Charlie, krijg ik die twee aapjes van je?'

'Maar jij hebt de derde niet,' zei ik, langzaam de rook uitblazend.

Ze schudde haar hoofd, dat ze op mijn borst had gelegd.

'Dus wat voor zin heeft dat?'

'Doe het voor mij. Alsjeblíéft. Ik zou die twee die je hebt gestolen graag willen hebben.'

Ik deed net of ik er diep over nadacht.

'Heb jij die twintigduizend?'

'Michael heeft nadrukkelijk gevraagd of ik die hier wilde bewaren.'

'Dan kunnen we beter naar mijn appartement gaan.'

14

Eerlijk gezegd wist ik op het moment dat we bij mijn appartement kwamen meteen dat er iemand binnen was geweest. Noem het dieveninstinct. Noem het de kleine dingen die ik tijdens mijn inbrekersjaren heb geleerd. Noem het het feit dat mijn voordeur finaal uit zijn scharnieren was geslagen en nu plat op de vloer van mijn woonkamer lag.

Zodra ik die deur zag, zei ik tegen Marieke dat ze even in het halletje moest wachten en ik stapte zelf behoedzaam naar binnen. Ik verwachtte niet dat ik iemand bij zijn werkzaamheden zou storen, maar ik had ook geen zin om onnodig risico te lopen. Het nalopen van mijn woning was zo gebeurd. Ik hoefde alleen de woonkamer, de keuken, de badkamer en mijn slaapkamer maar te doorzoeken. Nadat ik had vastgesteld dat er niemand binnen was, liep ik terug naar de voordeur en zei Marieke dat ze verder kon komen.

'Met excuses voor de rotzooi,' zei ik haar.

'Maar dit is belachelijk,' zei ze. 'Charlie, dit is vreselijk.'

Het was behoorlijk vreselijk, zelfs voor een onverholen inbreker. Al mijn bezittingen lagen over de vloer verspreid: boeken, manuscripten, aantekeningen, cd's, foto's, zelfs mijn laptop. De weinige zachte zittingen in de woonkamer waren opengesneden, zodat de inhoud ervan open en bloot was komen te liggen. Hetzelfde was in de slaapkamer gebeurd met mijn kleding, mijn dekens en matras. In de badkamer was het plankje naast het bed losgeschroefd en waren mijn inbrekersinstrumenten uit hun geheime bergplaats erachter weggehaald en in het bad gegooid. In de keuken stonden alle kastdeurtjes open en al het verpakte voedsel en andere huishoudelijke ingrediënten die in die kastjes opgeborgen hadden gezeten, waren in één grote, kleverige hoop midden op de vloer uitgegoten. Ook de deur van de koelkast stond open, waardoor er langs de onderkant een hele plas water was ontstaan, die de rand van de hoop voedsel al bereikt had en een stinkende, giftige hoop was gaan vormen.

Ik leidde Marieke uit de keuken naar de woonkamer terug, waar ik eerst naar mijn bureau liep, terwijl ik onderweg een kapotte lade van de vloer oppakte. Ik zette de lade opzij, ging op mijn knieën zitten en tastte rond in de ruimte waar de la had gezeten. Mijn vingers gleden langs de gehele holte, maar hoe ik ook zocht, de beeldjes waren er niet meer. Ik liet mijn schouders zakken, draaide me naar Marieke om en schudde mijn hoofd.

'Ze zijn verdwenen.'

'Nee,' zei ze met opeengeklemde kaken, als een tiener die het voor de hand liggende probeerde te ontkennen.

'Het spijt me,' zei ik haar. 'Ik dacht dat ze hier veilig waren. Ik heb uitstekende sloten op de voordeur laten zetten. En ik dacht niet dat iemand wist dat ik hierbij betrokken ben.'

'Wie kan dat nou weten?'

'Misschien heeft er iets in de krant over mijn arrestatie gestaan. Op die manier kan ik met Michael in verband worden gebracht, en het moet niet al te moeilijk zijn om te weten te komen waar ik woon. Maar in feite ligt het voor de hand, hè? De andere indringer, de man die in het appartement in de Jordaan inbrak op het moment dat ik daar was, híj moet dit gedaan hebben.'

Marieke keek me fronsend aan. 'Waarom ligt dat voor de hand?' vroeg ze.

'Omdat ik heb gezien wat hij met dat andere appartement heeft gedaan, weet je nog? Hij heeft hier precies hetzelfde gedaan. Al dat kapotscheuren en -snijden. De manier waarop hij de deur heeft geforceerd om binnen te komen. De puinhoop die hij achterlaat. En het was niet zomaar een toevallige inbraak. Als dat het geval was, zou mijn laptop ook verdwenen zijn.'

'Maar wie is deze man dan?'

'Zeg jij het maar.'

'Ik weet het niet. Hoe zou ik het moeten weten?'

'Omdat ik denk dat Michael hem heeft ingehuurd. En omdat ik denk dat hij jou erover heeft verteld.'

'Ik heb je al gezegd dat hij dat niet heeft gedaan,' zei ze, terwijl ze een hand opstak en naar me wees. 'Je moet dat soort dingen niet zeggen. Die zijn niet waar.'

Marieke stampte met haar voet op de vloer en begon toen te gillen en te krijsen. Ik had haar kunnen zeggen dat ze moest kalmeren, dat ze de buren wel eens zou kunnen alarmeren, maar toen besefte ik dat het lawaai waarmee mijn voordeur was ingeslagen en het interieur van mijn appartement aan flarden was gescheurd hen ook niet had gealarmeerd, dus liet ik haar haar gang maar gaan. Ze deed het zo goed dat een deel van mij bijna zin kreeg om met haar mee te doen. Maar uiteindelijk hield ze op met krijsen en keek ze me woedend aan, alsof ik de enige reden was van de huidige ellende in haar leven.

'Je zei tegen me dat ze veilig waren,' zei ze, en ze priemde opnieuw met een vinger mijn kant uit. 'Jij bent een idioot. Je hebt ze in je bureaulade bewaard. Dat is stom. Dat is de eerste plaats waar ik zou gaan zoeken.'

'Nou, het is niet bepaald de eerste plaats waar híj heeft gekeken, anders had hij niet de moeite hoeven nemen om een volmaakt respectabele bank open te snijden. Daar gáát mijn borgsom.'

'Probeer je grappig te zijn? Dacht je soms dat je me aan het lachen kunt maken? Als je maar weet dat ik niet van plan ben om hierom te lachen. Jij bent een stommeling. De apen zijn verdwenen. Grote stommeling die je bent. En dan te bedenken dat ik met je naar... naar... ben geweest,' beet ze me toe. 'En waarvoor? Híérvoor?'

'Wil je zeggen dat je hebt gedaan alsof?' vroeg ik, met mijn ogen knipperend.

'Klootzak!' krijste ze, terwijl ze met haar handen door de lucht klapwiekte. 'Stommeling!'

Ze schopte woedend tegen de kapotte bank, en trapte er toen nog een paar keer tegenaan. Toen ze met het meubilair klaar was, begon ze opnieuw te stampvoeten. Vervolgens begon ze opnieuw te krijsen, ze wierp me blikken toe die vernietigender waren dan me lief was, en stormde ten slotte het appartement uit.

Nadat ze was vertrokken ging ik op de grond zitten en keek om me heen, hunkerend naar het ordelijke vertrek dat het ooit was geweest en dat me zo vertrouwd was geworden. Als ik mijn best deed, zag ik het in gedachten weer voor me, maar ik gaf mijn pogingen al snel op omdat de kloof tussen het beeld in mijn hoofd en dat waarmee ik nu werd geconfronteerd, me mateloos deprimeerde. Ik geef het toe, stelen mag dan een behoorlijk zwakke plek in mijn karakter zijn, maar dít zou ik iemand anders nooit aan kunnen doen. Het zou uren duren voor ik de boel had opgeruimd, en nog eens vele uren meer om de makelaardij uit te leggen wat er gebeurd was en hen er tegelijkertijd van te overtuigen dat er geen enkele reden was om aangifte bij de politie te doen. En ik zou voor een nieuwe voordeur, de bank en het beddengoed moeten betalen, én voor de toevallige schade die ik tijdens het opruimen nog zou ontdekken. Alles bij elkaar werd het een verdomd duur dagje voor me, vooral als je de zesduizend euro die ik aan Rutherford had gegeven mee rekende, en niet te vergeten de twintigduizend die ik nu niet van Marieke had gekregen.

Een half uur later zat ik nog steeds onderuitgezakt op de vloer, probeerde ik moed te verzamelen om aan de opruimwerkzaamheden te beginnen, en vocht ik tegelijkertijd tegen de vermoeidheid die me opnieuw dreigde te overmannen, toen van ergens onder een stapel boeken vlak naast me op de grond mijn telefoon overging. Ik ging op zoek en vond na enige tijd de plastic hoorn, die ik tegen mijn oor drukte.

'Charlie,' begon Pierre op warme toon, alsof hij me na een onderbreking van jaren eindelijk weer eens sprak, 'waar heb je gezeten? Ik probeer je al sinds gisteren te pakken te krijgen, maar je nam maar niet op. Ik kreeg haast de indruk dat je al uit Amsterdam was vertrokken.'

'Ik begin langzaam maar zeker tot het besef te komen dat ik dat misschien beter had kunnen doen, Pierre. Maar vertel eens, wat heb je ontdekt?'

'Ik ben bang dat ik over die aapjes niet echt goed nieuws te melden heb. Als ze heel erg oud zijn, van ivoor zijn gemaakt misschien, zijn ze wellicht nog wat waard. Verder, non.'

'Ik denk dat ze van modern materiaal zijn gemaakt. Gips misschien wel.'

'Dan zijn ze waardeloos.'

'Ik was al bang dat je dat zou gaan zeggen. Bestaat er helemaal geen markt voor?'

'Er zijn een paar verzamelaars. Ik heb er met een uit Zwitserland gesproken. Maar wat de prijs betreft kun je het schudden. Soms verzamelt hij metalen aapjes, zeg maar van goud, maar die komen meestal uit Japan. Hij leek niet erg geïnteresseerd in jouw beeldjes. Het spijt me, Charlie.'

'Nee, niets aan de hand. Ik verwachtte zoiets al. En, tja, ik moet je iets vertellen, Pierre. Ik ben bang dat ik slecht nieuws heb.'

En vervolgens deed ik mijn best uit te leggen dat Michael overleden was, zonder het nieuws er op een ongevoelige manier uit te flappen of te veel zinloos gehum ten gehore te brengen. Ik vertelde hem wat er was gebeurd, bracht hem mijn condoleances over en hield vervolgens mijn mond, om Pierres reactie af te wachten, welke dan ook. Hij zweeg enkele ogenblikken, om me uiteindelijk met een holle stem te bedanken voor het feit dat ik hem op de hoogte had gebracht en mompelde toen een kort afscheidswoord.

'Wil je dat ik probeer erachter te komen of er nog een dienst voor hem wordt gehouden?' vroeg ik.

'Nee, dank je.'

'Hij kwam op me over als een goed mens,' zei ik.

'Oui. En een uitstekende dief.'

'Vast en zeker.' Ik zweeg even en schraapte toen mijn keel. 'Pierre, ik wil niet grof zijn, maar er is iets wat ik je wil vragen. Toen Michael met jou sprak over datgene waarnaar hij op zoek was, heb je toen nog iemand anders bij hem aanbevolen?'

'In Amsterdam? Non. Alleen jou, Charlie.'

'Waar kan hij dan naartoe zijn gegaan als hij nog een inbreker had willen inhuren?'

'Dat weet ik niet. Waarom zou hij dat hebben willen doen?'

'Die vraag stel ik mezelf ook al de hele tijd,' zei ik. 'Maar maak je geen zorgen. Jij bent altijd een enorme hulp geweest.'

'Jij zegt het, Charlie. Maar wees alsjeblief voorzichtig, oui? Amsterdam lijkt me voor inbrekers momenteel niet bepaald een veilig oord.'

Ik had het niet méér met hem eens kunnen zijn. Ik hing op, wreef in mijn ogen en kreunde nogal omstandig, waarna ik van de vloer opstond en naar de keuken terugliep. Die zag er nog net zo uit als ik hem had achtergelaten, een treurige bende midden op de vloer. Ik stapte over een plas smeltwater uit de koelkast en schoof een doos cornflakes en een prop keukenpapier opzij zodat ik mijn voeten ergens kon neerzetten.

Daarna doorzocht ik de plakkerige, doorweekte massa tot ik de doos met wasmiddel vond waarnaar ik op zoek was. Ik droogde mijn handen af aan mijn broek, stak mijn hand in de doos in het poeder met citroengeur en tastte rond totdat ik vond wat ik zocht. Ik keek om me heen naar eventuele spiedende blikken vanuit het andere vertrek, en haalde de twee apenbeeldjes tevoorschijn die ik onder in de doos had verborgen. Ik veegde de korrels wasmiddel ervan af, tilde ze op tot ooghoogte en vroeg me voor wel de honderdste keer af wat er zo speciaal aan deze beeldjes kon zijn.

15

De volgende morgen was ik al vroeg op, verbazingwekkend, gezien het gebrek aan slaap dat ik tijdens de nacht in politiebewaring had opgelopen, ware het niet dat mijn matras een stuk minder comfortabel was geworden nadat die opengesneden en vervolgens kapotgescheurd was. Maar mijn vroege opstaan was op een bepaalde manier misschien wel een zegen, want het betekende dat ik met het overgrote deel van mijn schoonmaak- en opruimwerkzaamheden klaar was voordat die klus te veel van mijn dag in beslag zou nemen. Om een uur of negen kon ik een timmerman laten komen om een nieuwe voordeur in mijn appartement te plaatsen, waarna we samen mijn oude sloten op de nieuwe deur overzetten. Ik had natuurlijk ook nieuwe sloten kunnen aanbrengen, maar dat was een dure grap geworden terwijl het nauwelijks zin had, omdat ze nog steeds functioneerden. Ik had nergens reservesleutels laten rondslingeren, en bovendien, degene die bij mij had ingebroken trok zich sowieso niets van een stel prima sloten aan.

Nadat ik met de timmerman had afgerekend en hem uitgeleide had gedaan, belde ik Henry Rutherford en vroeg hem of hij zin had ergens op mijn kosten te ontbijten. Dat vond hij een uitstekend idee en we spraken af in een café-restaurant op de Westermarkt, schuin tegenover de Westerkerk en vlak bij het Anne Frankhuis. Ik arriveerde daar eerder dan hij en wist een tafeltje aan het raam te bemachtigen, en toen hij de zaak binnen stapte praatten we eerst wat over koetjes en kalfjes, maar nadat de gebakken eieren met ham en bekers sterke zwarte koffie voor ons waren neergezet, vroeg ik hem of hij misschien een uurtje over had om met me naar de openbare bibliotheek te gaan. Rutherford had daar wel zin in, zoals de meeste mannen die gek zijn op contant geld, en dus liepen we samen naar de Prinsengracht. Een aangenaam ochtendzonnetje weerkaatste op het water en zette de kleurrijke woonboten en deftige, uit bruine baksteen opgetrokken herenhuizen langs de gracht in een fraaie gloed. Eenmaal bij de Openbare Bibliotheek aangekomen deed Rutherford het woord en luisterde ik hoe hij in vloeiend Nederlands met het meisje achter de balie regelde dat we gebruik konden maken van een microficheapparaat en een serie microfilms waarop de oude nummers van *De Telegraaf* en het *NRC Handelsblad* van pakweg de afgelopen twaalf jaar te vinden zouden zijn. Het meisje, dat de microfiches droeg, bracht ons naar een apart kamertje waar Rutherford zijn jasje over de rugleuning van een stoel hing en zijn mouwen opstroopte, terwijl ik er een stoel naast trok, zodat ik hem eventueel de helpende hand kon bieden.

Met z'n tweeën voor het antiek uitziend apparaat zittend brachten we wat wel eens de drie allersaaiste uren van mijn leven geweest zouden kunnen zijn door, waarbij we ons in hoog tempo door een gigantische hoeveelheid Nederlandse krantenkoppen heen werkten, koppen die zo goed als nooit ook maar het zwakste belletje bij me deden rinkelen. Je kunt van Rutherford zeggen wat je wilt, maar hij klaagde geen moment, en hoewel ik me meer dan eens verontschuldigde voor de klus waarmee ik hem had opgezadeld, bleek hij een toonbeeld van nauwgezette toewijding te zijn. Terwijl de uren voorbij tikten, kwam het onderzoek in een fase waarin ik mijn ogen dicht kon doen terwijl ik het sepiakleurige krantenarchief nog steeds aan de achterkant van mijn oogleden kon zien ronddraaien, en als we uiteindelijk niet een beetje geluk hadden gehad, had het niet lang meer geduurd of ik had de onderneming afgeblazen en was de kans groot geweest dat ik tegen Rutherford had gezegd dat hij kon ophouden. Maar op dat moment ontsnapte hem een voldane, opgetogen verzuchting, en liet hij me precies de voorpagina van een *Telegraaf* uit oktober 1995 zien waarnaar we op zoek waren.

Rutherford maakte snel wat aantekeningen en even later verkasten we naar een bruin café een eindje verderop aan de gracht. Daar bestelde ik een paar tosti's en twee Heineken, en nadat we daarmee onze maag hadden gevuld vouwde Rutherford het vel papier open waarop hij zijn notities had gemaakt en vertelde me wat ik wilde weten.

'Volgens zeggen was het een uit de hand gelopen overval,' begon hij nadat hij zijn vettige lippen met een papieren servetje had afgedept.

'Dit artikel is het rechtbankverslag van de zaak tegen jouw Amerikaanse vriend. Het lijkt erop dat hij heeft geprobeerd een van de grootste diamantroven uit de geschiedenis van Amsterdam te plegen.'

'Meen je dat?'

'Zeker weten. Er bestond toen nog een vrij grote diamanthandel die Van Zandt heette. Heb je daar wel eens van gehoord?'

'Komt me niet bekend voor.'

'Daar is ook geen enkele reden voor, uiteraard.' Hij nam nog een slok van zijn bier, terwijl hij intussen met zijn andere hand cirkelvormige bewegingen maakte ten teken dat hij op het punt stond zijn verhaal te vervolgen. 'Het is nu zo'n vijf, zes jaar geleden dat ze werden uitgekocht,' zei hij, heel even naar adem happend. 'Door een Zuid-Afrikaanse multinational, als ik me niet vergis. Maar toentertijd waren ze in Nederland een grote onderneming. Iedere Nederlander heeft wel eens van ze gehoord.'

'En ze verhandelden diamanten?'

Hij zette het bierglas naast zich op tafel neer en knikte. 'Kostbare juwelen, zou je kunnen zeggen, hoewel het grootste deel ervan uit diamanten bestond. Zoals wel meer Nederlandse diamantairs importeerden ze ruwe stenen uit hun voormalige koloniën, die dan hier in Amsterdam werden gespleten. Hun bedrijf lag aan het Oosterdok, met nogal wat pakhuizen erbij, als ik het me goed herinner.' Hij richtte zijn ogen op het plafond, alsof het antwoord op het neteldoek boven ons geschreven stond. 'Ja, dat klopt, aan een kant van de gebouwen was in reliëf hun naam aangebracht.'

'Dus je kon niet om hen heen?'

'Dat mag je wel zeggen. Ze handelden per slot van rekening in diamanten. De beste edelstenen ter wereld, daar bestaat geen twijfel over.'

'En Michael heeft daar een stuk of wat van gestolen?'

'Nou, ja, hoewel men het over het aantal nog steeds niet eens is. Daar is het artikel niet echt duidelijk over. Blijkbaar zijn er enkele juwelen in zijn huis teruggevonden, daarvoor is hij in staat van beschuldiging gesteld, maar er doen geruchten de ronde dat hij er veel meer heeft gestolen. Maar Van Zandt ontkende dat krachtig.'

'Wilden ze de zaak in de doofpot stoppen?'

'Dat lijkt te worden gesuggereerd. Het zal ongetwijfeld niet in hun belang zijn geweest aan de grote klok te hangen dat hun beveiliging niet bepaald waterdicht was.'

Ik knikte en negeerde het feit dat Rutherford zijn oog op mijn laatste tosti had laten vallen. 'Dus Michael werd geconfronteerd met een proces wegens diefstal?'

'Diefstal met braak, én doodslag. Dat hebben ze hem uiteindelijk ten laste gelegd.'

'Ja, hij heeft een bewaker gedood.'

'Een nachtwaker die voor het bedrijf werkte,' merkte Rutherford op nadat hij zijn aantekeningen had geraadpleegd. 'Een zekere Robert Wolkers, leeftijd vierenveertig jaar. Het ziet ernaar uit dat de heer Wolkers de Amerikaan bij zijn werkzaamheden stoorde toen die in de belangrijkste diamantopslagruimte probeerde in te breken. De Amerikaan heeft hem toen neergeschoten.'

'Had hij dan een vuurwapen bij zich?' vroeg ik, en direct daarna stopte ik het laatste stukje ham en toast in mijn mond.

'Daar lijkt het wel op,' reageerde Rutherford met samengeknepen lippen.

'Ik heb nog nooit eerder gehoord van een inbreker die een vuurwapen bij zich heeft.'

Rutherford haalde zijn schouders op, bepaald geen kleinigheid voor iemand van zijn postuur. 'Nou, jouw Amerikaan had er eentje bij zich. De theorie van de openbaar aanklager was dat hij de bewaker heeft neergeschoten en daardoor zó van slag raakte dat hij de opslagplaats is ontvlucht vóór hij bij de diamanten kon komen waarnaar hij op zoek was. De stenen die hij wél meenam waren nauwelijks iets waard, begrijp je?'

'Volgens Van Zandt.'

'Ja, volgens het bedrijf. Maar de Amerikaan heeft geen van beide ooit willen bevestigen.'

'Hij is een tijdje later gearresteerd, neem ik aan?'

'Eén dag later,' zei Rutherford en hij stak een wijsvinger omhoog.

'Dan moet hij tijd hebben gehad om de écht waardevolle stenen te verbergen, als hij die inderdaad heeft gehad.'

'Dat zou kunnen.'

Ik spoelde de laatste stukjes tosti weg met mijn bier, dat ik nog even in mijn mond liet rondspoelen om alle kruimels toast van mijn tanden af te krijgen. 'Wat is er tijdens het proces gebeurd?' vroeg ik terwijl ik met mijn tong over mijn kiezen gleed. 'Heeft Michael schuld bekend?'

'Hij heeft toegegeven dat hij bezig was in te breken. Er was voldoende indirect bewijs om dat hard te maken, waarvan de bij hem thuis gevonden diamanten niet net de minst belangrijke waren. Maar hij ontkende dat hij iemand had gedood.'

'Interessant. Wat voerde hij aan?'

'Hij zei dat hij niet eens een nachtwaker had gezien.'

'Had op dat tijdstip daar maar één bewaker dienst?'

'Nee, het geval wil dat dat níét zo was,' zei Rutherford terwijl hij in zijn papieren keek. 'Er waren er twee, hoewel de andere bewaker zich in een heel ander deel van het gebouw bevond toen de inbraak plaatsvond. Die heeft blijkbaar niets gehoord, hoewel híj degene was die het lijk heeft gevonden. Ik heb zijn naam ergens opgeschreven. Is het belangrijk?'

'Ik weet het niet,' zei ik hem. 'Waarschijnlijk niet.'

'Nou, ik moet het hier ergens hebben genoteerd. Aha, hier staat het, Louis Rijker.'

Ik zweeg even en dacht een ogenblik na over wat Rutherford me had verteld. Omdat ik zelf inbreker was, was er om te beginnen al aardig wat dat ik weigerde te geloven, maar ook al was ik dat niet geweest, dan waren er toch een paar feiten die absoluut niet klopten.

'Waarom is hij dan op de vlucht geslagen?'

'Sorry?'

'Als hij nooit een bewaker heeft gezien, zoals hij beweerde, waarom is hij dan zonder de diamanten vertrokken?'

'Ach, dát is het punt, hè?' zei Rutherford, die achterover in zijn stoel leunde en in een wijds gebaar zijn armen spreidde, alsof hij bereid was om het hele café te omhelzen. 'Je neemt aan dat als de Amerikaan nooit een bewaker heeft gezien, hij met de hele voorraad juwelen aan de haal had kunnen gaan.'

'Ja, je zou zeggen van wel. Maar ik neem aan dat de rechtbank het anders zag.'

'Tja. Hij heeft per slot van rekening bekend dat hij er aanwezig is geweest, hij had een motief en hij had geen geloofwaardig alibi.'

Ik zuchtte en liet mijn hoofd op mijn handen rusten. 'Het is allemaal behoorlijk verwarrend, Rutherford.'

'Ja, maar het ging dan ook om slechts één enkel krantenartikel. We zouden terug kunnen gaan en naar meer informatie kunnen zoeken. Alleen,' zei hij, en hij huiverde even, 'moet ik vanmiddag wel op tijd terug zijn op kantoor.'

'Dat is geen probleem,' zei ik, terwijl ik tussen mijn gespreide vingers door gluurde. 'Ik heb geen flauw idee of we daar veel aan zouden hebben. Ik denk dat de meeste informatie wel in dat rechtbankverslag zal hebben gestaan.'

'Waarschijnlijk heb je gelijk. Maar er is nog één ding dat ik je niet heb verteld.'

Ik liet mijn handen zakken. 'O?'

'Raad eens wie de politieman was die de Amerikaan heeft gearresteerd?'

'Burggraaf?'

Rutherford knikte, terwijl een speelse grijns zich over zijn gezicht verspreidde. 'Jazeker,' zei hij, en hij kwam uit zijn stoel overeind. 'Je favoriete Hollander.'

16

'Wat betekent dat?' vroeg Victoria toen ik haar wat later belde. 'Dat Burggraaf de politieman is geweest die hem heeft gearresteerd?'

'Ik weet het niet,' zei ik. 'Misschien is het alleen maar toeval.'

'Jij gelooft dat niet.'

'O nee?'

'Nee. De hoofdpersoon gelooft dat nooit. Hij zegt tegen iedereen dat het slechts toeval is, maar in feite is hij van mening dat het wel degelijk iets te betekenen heeft. En op die manier lost hij de zaak op.'

'Nou, deze keer niet,' zei ik glimlachend. 'Die Burggraaf is een uitstekend politieman. Misschien mag ik de man niet erg graag, maar hij weet waar hij mee bezig is. En het is niet ongewoon dat hij Michael toentertijd heeft gearresteerd. Iémand moest het doen.'

'En dat is dan iemand die toevallig ook de moord op deze persoon onderzoekt?'

'Nou, probeer het eens zo te bekijken: hij zou dit onderzoek juist op zich hebben kunnen nemen vanwége zijn betrokkenheid bij Michael in het verleden. Of misschien werd hij juist daaróm op deze zaak gezet. Dat is allemaal heel goed mogelijk. Ik denk dat zijn superieuren wel van die connectie op de hoogte zullen zijn.'

'Dat zou kunnen. Maar toch.'

'Maar toch.' Ik wierp een blik door het raam naar buiten, naar een punt boven de bovenste takken van de boom die voor mijn appartementengebouw stond, naar de grijze wolken die zich daar waren gaan vormen en zwaar van de regen waren. 'Weet je,' zei ik bijna terloops. 'Volgens mij lees jij te veel detectives.'

'Tja, ach, dat is mijn vak.'

'Soms denk ik wel eens dat het iets meer is dan dat.' Ik draaide mijn hoofd iets verder om en keek naar het westen, waar de blauwe lucht steeds bewolkter werd. 'Vertel me eens, wanneer heb jij voor het laatst een afspraakje gehad?'

'Je bedoelt een echte? Niet een denkbeeldige?'

'Wees nou eens serieus.'

'Gisteravond, toevallig.'

Met een ruk draaide ik mijn hoofd terug. 'O.'

'Maar je hoeft je geen zorgen te maken, hoor. Het was een absolute ramp. Het is de broer van een van mijn vriendinnen.'

'Compromitterend?' vroeg ik, terwijl ik me in mijn bureaustoel liet vallen.

'In potentie wel. Maar dat was het probleem niet. Hij had een vals gebit.'

'Meen je dat? Hoe oud is die knaap?'

'Tweeëndertig,' antwoordde ze stijfjes. 'Net als ik.'

'En hij had een vals gebit?'

'Bijna een volledige prothese. Hij heeft die zelfs uit zijn mond gehaald om het me te laten zien.'

'Heb ik iets gemist misschien? Ik heb nooit geweten dat een slecht gebit tegenwoordig zo'n krachtig afrodisiacum is.'

'Haha. Ik had eigenlijk enorm met hem te doen. Het kwam door een ongeluk, vertelde de arme donder. Hij werkt achter het toneel bij een van de theatergezelschappen, begrijp je, en een katrol waarmee hij net bezig was geweest was niet fatsoenlijk vastgezet, en, nou ja, je begrijpt het wel, dat ding schoot naar beneden en trof hem vol in het gezicht.'

'Oef.'

'Ja, oef.'

'En toen verergerde jij de situatie nog eens door er helemaal opgewonden van te raken,' zei ik lachend.

'En ze waren ook nog eens géél! Niet kanariegeel, maar toch, je zag het duidelijk. En ik moest er onophoudelijk naar kijken. Dus haalde hij het eruit, om me enigszins gerust te stellen.'

'Maar dat werkte niet.'

'Nee, dat werkte absoluut niet. Want nadat hij dat gebit uit zijn mond had gehaald, bleef hij rustig doorkletsen. En ik keek toevallig van zijn tanden naar zijn tandvlees. En dat zag er... afschuwelijk uit, Charlie.'

'Misschien is het best een aardige jongen.'

'Het wás een aardige jongen. Maar stel je eens voor om elke ochtend naast al dat tandvlees wakker te worden. Bah. Het was net iets te veel voor mij. Maar begrijp me goed, ik leid wel degelijk een echt leven. Alleen gaat het daarin vaak wat gezapiger toe dan in de boeken die ik beroepshalve lees.'

'Dat zal best.'

'Maar zelfs in dit geval was het niets vergeleken met datgene waarin jij nu verstrikt bent geraakt. Opwindend, vind je niet?'

Ik slaakte een zucht. 'Het is verontrustender dan alles wat ik tot nu toe heb meegemaakt. Die lui zijn nu bij mij binnen geweest. En ik heb in een politiecel gezeten. Ik vraag me af wat er nog meer kan gebeuren.'

'Misschien heb je iets bij de blondine opgelopen.'

'Vic!'

'Niets is onmogelijk.'

'Wees nou eens serieus, dit is één grote poel van ellende.'

'Je weet het vast wel uit te vogelen, dat weet ik zeker.'

'Denk je? Ik weet niet eens zeker of ik dat wel wil.'

'Aha, maar heb je wel een keus? De gebeurtenissen lijken tegen je samen te spannen.'

'Jezus.'

'Het is echt zo. Echt, Charlie, als jij een beetje tot rust wilt komen, zul je dit toch echt moeten oplossen.'

'Ja, van jóú moet ik het oplossen. Maar luister, als ik deze hele zaak nou eens aan Burggraaf overlaat?'

'Het genie dat jou heeft gearresteerd?'

'Dat was niet noodzakelijkerwijs een slechte zet. Per slot van rekening heb ik tegen hem gelogen.'

'Maar jij bent niet de moordenaar.'

'Nee.'

'Wie is dat dan wel?'

'Wist ik dat maar.' Ik hoorde een zacht tikken tegen mijn raam, keek op en zag hoe er wat regendruppels tegen het glas sloegen. De druppeltjes water voegden zich samen en gleden langs het glasoppervlak naar beneden. 'En eerlijk gezegd,' vervolgde ik, 'ik ben nog steeds meer geïnteresseerd in die aapjes. Volgens Pierre zijn ze nauwelijks iets waard, maar kijk eens naar alle problemen die ze veroorzaken. Alle moeite die mensen doen om ze in handen te krijgen.'

'Die blondine is daar een duidelijk voorbeeld van.'

'Hartelijk dank.'

'Dus die aapjes vormen de sleutel?'

'Ik vermoed van wel,' zei ik, terwijl de wolken zich nu écht openden en het hard begon te regenen, de takken van de boom voor mijn venster bogen onder het natuurgeweld door.

'Of zij of die andere indringer,' zei Victoria.

'Over wie heb je het?'

'Je zei dat hij degene was die in jouw appartement heeft ingebroken.'

'Ja,' antwoordde ik, mijn aandacht weer op de telefoon richtend terwijl de regen vlak voor mijn neus tegen de ruit sloeg. 'Dat heb ik inderdaad gezegd, hè?'

'Maar nu ben je daar niet meer zo zeker van.'

'Om je de waarheid te zeggen, ik ben daar nooit zeker van geweest.' Ik draaide me om in mijn stoel en liet mijn blik door mijn kamer gaan, alsof ik mijn geheugen nog eens wilde opfrissen. 'De inbraak bij mij was min of meer identiek aan die in het appartement van de dikke man, dat geef ik onmiddellijk toe. Maar er zaten ook verschillen in. Als je alle troep, het kapotscheuren en -snijden nu eens even laat voor wat het is. Waar ik steeds aan moet denken is mijn deur.'

'De deur die je liggend op je vloer aantrof.'

'Precies. Degene die mijn appartement is binnengedrongen heeft de scharnieren doorboord en heeft vervolgens de deur ingetrapt. Maar de andere inbreker heeft bij het appartement in de Jordaan een korte, stevige hamer gebruikt om binnen te komen. Het gaf een hoop troep, maar het werkte wel.'

'Is dat werkelijk zo'n groot verschil?'

'Ik denk van wel. Het doorboren van de scharnieren gaf minder rotzooi, maar het moet ook iets langer hebben geduurd. En waarom zou de andere indringer iets anders proberen als het met een slaghamer al eerder zo goed is gelukt?'

'Misschien was jouw deur wat steviger.'

'Ik geloof van niet. Mijn deur zou een aanval met een slaghamer ook niet hebben weerstaan.'

'Dus,' zei Victoria langzaam, alsof ze haar gedachten op een rijtje probeerde te zetten. 'Als het de andere indringer niet is geweest, wie was het verdomme dan wél?'

'Nou, stel jezelf eens een vraag: waar zaten ze achteraan?'

'De apenbeeldjes.'

'Ja. En waarom zouden ze die willen hebben?'

'Dat weten we niet. We lopen in een kringetje rond.'

'Niet als we van een veronderstelling uitgaan.'

'Welke veronderstelling?'

'Dat degene die in mijn appartement heeft ingebroken al in het bezit is van het derde beeldje.'

Ik wachtte af. Het duurde niet lang voor het kwartje bij Victoria viel.

'Aha. En ze willen het complete setje.'

'Uiteraard.'

'Dus het waren de dikke en de dunne man?'

'Dat vermoed ik. We kunnen die andere indringer uitsluiten, de inbraak paste absoluut niet bij zijn werkwijze, en zelfs als dat wél het geval was, heb ik geen enkel idee hoe ik achter zijn identiteit zou moeten komen.'

'Inderdaad. Ik heb hem uit mijn hoofd gebannen. Wat nu?'

'Ik ga proberen erachter te komen wat er zo verdomd interessant is aan deze beeldjes.'

'En hoe was je van plan dat te doen?'

'Ik heb een paar ideetjes.'

'O nee. Zo zit je niet in elkaar. Vertel op.'

'Nog even niet. Misschien dat het op niets uit loopt.'

'Dat is niet eerlijk, Charlie. Weet je, ik heb zo'n flauw vermoeden dat je te veel detectives hebt geschreven.'

'Ha,' zei ik terwijl ik somber naar mijn bureau keek. 'Daar bestaat momenteel geen gevaar voor. Ik heb nog steeds het probleem met de aktetas niet opgelost.'

'Dat vroeg ik me net af. Ik wist niet zeker of ik je ernaar moest vragen.'

'Ik heb het de laatste tijd druk gehad met andere zaken, weet je.'

'Weet ik. Ik dacht alleen maar dat je, met al die tijd die je in je politiecel hebt doorgebracht, dat...'

'Het is niet gebeurd. Ik heb het geprobeerd, maar ik heb niets kunnen bedenken. En hoe zit het met jou?'

'Jij bent de schrijver, Charlie.'

'O, dat was ik vergeten, daarom betalen ze me ook zoveel, hè?'

17

Hij stond buiten voor mijn appartementengebouw op me te wachten. Ik was de stenen treden van de voordeur naar de straat af gelopen, treden die na de afgelopen regenbui nog enigszins glibberig waren, had de dopjes van mijn walkman net onder de rand van mijn pet in mijn oren gestopt en liep in westelijke richting. Ik merkte nauwelijks het gegrom van een draaiende automotor op, of was me niet bewust van een auto die schuin achter me over de klinkerbestrating met me op reed. Pas toen de auto me had ingehaald en ik een glimp van de man opving toen die zich over de grote passagiersstoel in de oude Mercedes naar rechts boog, besefte ik dat hij naar me wenkte. Ik deed mijn oordopjes uit en bracht mijn hoofd naar het geopende portierraampje.

'Inspecteur Burggraaf,' zei ik zo opgewekt mogelijk. 'Toevallig in de buurt?'

Hij keek me nors aan en was blijkbaar niet in de stemming voor mijn spelletjes.

'Stap in,' zei hij met een bijna toonloze, mechanische stem.

Ik hield mijn hoofd een beetje scheef en keek hem aandachtig aan. Zijn gezicht zat vol stoppels en zijn kleren waren gekreukt. Zijn ogen achter de rechthoekige brillenglazen waren roodomrand en in zijn mondhoeken zag ik opgedroogd speeksel zitten. Hij zag eruit alsof hij de hele nacht in touw was geweest, maar ik kon me niet voorstellen dat hij de hele nacht in zijn auto had gezeten, wachtend tot ik naar buiten zou komen. Een man als Burggraaf zou gewoon bij mijn appartement hebben aangebeld.

'Stap in,' zei hij opnieuw.

'Sta ik onder arrest?'

'Stap nou maar in.'

'Dus dit is een beleefdheidsbezoekje. Ik ben bang dat ik voor vanochtend andere plannen heb. Zullen we dit een andere keer doen?'

Zijn hand omklemde het stuur nog wat krampachtiger en zijn knokkels werden steeds witter. Hij haalde diep adem, slaagde erin zijn vingers van het stuur los te maken en gebaarde naar de wereld aan de andere kant van zijn door de regen geteisterde voorruit.

'Laten we een stukje gaan rijden.'

'Nee, vandaag niet,' zei ik, en ik vervolgde mijn weg.

Burggraaf schakelde en bleef langzaam naast me rijden, waarbij de wielen van zijn auto door de regenplassen spetterden. Hij hield een tijdje zijn mond en ik kreeg het gevoel dat hij zijn gedachten probeerde te ordenen. Dat, óf hij probeerde zijn woede in toom te houden.

'U hebt die Amerikaan niet gedood,' zei hij uiteindelijk, alsof hij iets aan een kind probeerde uit te leggen. 'Dat weten we nu. Maar u bent wél die avond in de St. Jacobsstraat bij hem geweest.'

Ik kruiste zijn blik. Hij maakte in elk geval de indruk van dat feit overtuigd te zijn.

'Weet inspecteur Riemer dat u hier bent?' vroeg ik.

Ergens diep vanuit Burggraafs keel kwam een laag grommend geluid.

'U bent in de St. Jacobsstraat geweest,' herhaalde hij terwijl hij zijn uiterste best deed zich te beheersen.

'En u bent op de hoogte van het bestaan van de dikke en de dunne man,' reageerde ik. 'De twee mannen die Michael hebben gedwongen naar zijn appartement terug te gaan? Marieke heeft u over hen verteld.'

Hij wachtte tot ik verder zou gaan en keek me achterdochtig aan.

'Maar in plaats van onderzoek te doen naar hén, hebt u mij gearresteerd. En ik heb me vervolgens alleen maar afgevraagd waarom.'

'U hebt tegen me gelogen.'

'Mensen liegen elke dag tegen de politie. En meestal draaien ze daarvoor niet een hele nacht de bak in.'

Heel even dreigde er een flauwe glimlach op zijn gezicht door te breken. Hij genoot van het idee dat hij het me moeilijk had gemaakt, en dat zat me nog meer dwars. Ik bleef staan en hij bracht de Mercedes naast me tot stilstand.

'Ik heb geen flauw idee wat u van me wilt,' zei ik.

Hij zei niets. We keken elkaar alleen maar aan, probeerden in elkaars ogen iets ondefinieerbaars te peilen, terwijl de zware motor van zijn auto stationair bleef draaien. Er wás daar iets te zien, hoewel ik niet kon zeggen wát.

'Moet u misschien iets aan me kwijt, inspecteur? Want ik ben zonder meer bereid alles aan te horen. Alles wat u te zeggen hebt, om precies te zijn. Ik heb meer vragen dan antwoorden, begrijpt u?'

Hij dacht erover na. Ik zag aan de manier waarop zijn gelaatsuitdrukking verzachtte dat hij overwoog het risico met me te nemen. Maar toen, het volgende moment, betrok zijn gezicht weer, verstrakte zijn kaak en greep hij het stuurwiel steviger vast. Hij schudde zijn hoofd, alsof hij tot een nieuwe aanpak had besloten, en toen, terwijl hij zijn gezicht van me afwendde, drukte hij het gaspedaal in en schoot de auto met een ruk naar voren, om even later de drijfnatte straat uit te rijden.

Aanvankelijk vroeg ik me af of ik had moeten doen wat hij me gevraagd had en bij hem in de auto had moeten stappen. Wellicht zou hij me dan de dingen hebben verteld die hij me bijna had gezegd. Misschien had hij dat inderdaad gedaan, als we een tijdje uit Amsterdam weg waren, maar ik was er lang niet van overtuigd dat hij dat ook daadwerkelijk zou doen. Hij vertrouwde me niet, en daar had hij alle reden voor, dus waarom zou hij me meer vertellen dan ik hoefde te weten? En wat wilde hij dat ik hem daarvoor in ruil zou vertellen?

Op de een of andere manier bevredigde de manier waarop het gesprek zich had ontwikkeld me absoluut niet. Ik had de knagende gewaarwording dat ik een gelegenheid door mijn vingers had laten glippen, hoewel ik geen idee had wat die gelegenheid was. En misschien had ik mezelf uiteindelijk voor iets heel vervelends behoed. Misschien was Burggraaf van plan me vogelvrij te verklaren. Misschien was hij van plan geweest me naar een afgelegen plek te rijden om vervolgens net zolang op me in te slaan tot ik zou vertellen waar de apenbeeldjes waren. Te veel 'misschiens', te veel onbeantwoorde vragen, die stuk voor stuk mijn brein vertroebelden en het me onmogelijk maakten helder na te denken.

Ik liep het korte stuk van mijn straat naar de Oosterdokskadebrug, aan de westkant van het Oosterdok. Links van mij bevond zich de indrukwekkende rode bakstenen façade van het Centraal Station, een van de belangrijkste knooppunten van het Nederlandse spoorwegnet en dat onderdak bood aan in lompen gehulde zwervers, glazig uit hun ogen kijkende drugsgebruikers, hoeren die zich geen plaatsje achter een roodverlicht raam op de Wallen konden veroorloven en westerse studenten die gebukt gingen onder het gewicht van hun overvolle rugzakken. Rechts van me lag het uitgestrekte Oostelijk Havengebied, terwijl de regendruppels nog steeds van de brugleuning waartegen ik leunde in het water vielen. Het donkere, met olie vermengde water stond nagenoeg stil en het drijvende afval klotste onophoudelijk tegen de betonnen beschoeiing van het havenbekken.

Het havengebied was een uitgestrekt, open terrein en de bijtende wind die op de stortregen was gevolgd, joeg ongehinderd over het wateroppervlak en leek dwars door de stof van mijn overjas en wollen muts en handschoenen te gaan. Ik blies warme lucht in mijn handen en wreef ze onder het lopen tegen elkaar, terwijl ik mijn kin zo ver mogelijk tegen mijn borst drukte om te voorkomen dat de wind bij mijn blootliggende nek kon komen, en ik moest het nog een aardig tijdje tegen de kou opnemen voor ik de gebouwen vond waarnaar ik op zoek was.

Het uit baksteen opgetrokken opslagcomplex lag langs het ietwat rondlopende gebied vlak bij de monding van de haven, waar het dok in het IJ uitmondde, het brede wateroppervlak dat het centrum van Amsterdam scheidde van het noordelijk gelegen stadsdeel. Bij elkaar ging het om drie opslagplaatsen die met elkaar verbonden waren door middel van loopbruggen ter hoogte van de vierde etage, terwijl het complex zelf zes verdiepingen telde. Alle pakhuizen stonden leeg en zagen eruit alsof dat al enige jaren het geval was. Aan de voorkant van het gebouw, dat op het water uitkeek, waren bijna alle ruiten ingegooid of kapotgewaaid, en bij nadere inspectie bestond de benedenverdieping van elk gebouw uit weinig meer dan een uitgestrekt betonnen karkas, terwijl op de binnenplaatsen ertussenin alleen maar onkruid, afgedankte metalen kooien en de uitgebrande resten van een Renault 19 te zien waren. Langs de voorgevel van het middelste opslaggebouw was in gestileerde, verbleekte witte letters de woorden *Van Zandt* te lezen, precies zoals Rutherford had gezegd.

Ik wist niet zeker wat ik hier hoopte aan te treffen. Misschien de een of andere grijs geworden oude werknemer van Van Zandt. Een arbeider die hier twaalf jaar geleden had gewerkt en vervolgens een kommervol bestaan had moeten leiden en nu hier zijn handen warmde aan een houtvuur dat hij in een olievat had aangestoken, iemand die stond te trappelen om met me te praten en kostbare informatie voor me had, even kostbaar als de sieraden die de Amerikaan al dan niet had gestolen. Maar dat mocht niet zo zijn. De waarheid was dat hier alleen maar doodse lucht en lege ruimtes te vinden waren; het omhulsel van een herinnering aan een oord dat ooit had bestaan.

18

Nadat ik weer in mijn appartement was teruggekeerd, zette ik voor mezelf een beker hete thee en smeerde ik wat toast, toen ging ik in mijn portefeuille op zoek naar Henry Rutherfords visitekaartje. Ik toetste op mijn vaste toestel zijn nummer in en werd onmiddellijk doorverbonden met een antwoordapparaat. Een metaalachtig klinkende Rutherford nodigde me uit een boodschap achter te laten en ik voldeed daaraan, maar wel zo kort mogelijk.

Nadat ik de hoorn op het toestel had teruggelegd, leunde ik achterover in mijn stoel, legde mijn benen op het bureaublad en vormde mijn vingers tot een piramide, waarop ik mijn kin liet rusten. Zo bleef ik een tijdje zitten, en ik moet er, zo stel ik me voor, hebben uitgezien als iemand die aan een heel scala vreselijk gecompliceerde dingen zat te denken. Eerlijk gezegd dacht ik nauwelijks ergens aan. Soms is het gewoon verkwikkend om zo een tijdje te blijven zitten, met je kin op je vingertoppen, je volle gewicht op de achterpoten van je stoel en volkomen doelloos naar de andere kant van het vertrek te staren. Binnen de kortste keren ging ik helemaal op in een soort spelletje met mezelf, waarbij ik de stoel weer een fractie verder naar achteren liet balanceren, mezelf pijnigend met de mogelijkheid achterover te vallen, om met mijn voeten dan snel weer evenwicht te zoeken voor ik om zou tuimelen. Ik had zo uren bezig kunnen zijn, of op z'n minst tot het vertrek om me heen geheel in duisternis zou zijn gehuld, maar voor de schemering echt aanstalten maakte in te treden, rinkelde de telefoon. Ik nam op, om vervolgens te worden geconfronteerd met veel gehijg en gepuf.

'Charlie,' bracht Rutherford moeizaam uit. 'Je hebt me gebeld met de mededeling je terug te bellen.'

'Dat klopt,' zei ik. 'Is alles in orde met je? Je klinkt niet erg fit.'

'Ik ben net de vier trappen naar mijn kantoor op geklauterd. Die verdomde lift deed het weer eens niet. Ik ben ervan overtuigd dat ze het allemaal opzettelijk doen om ons in beweging te houden.'

'Heb je er wel eens bij stilgestaan dat zoiets contraproductief kan zijn?'

'O, met mij is niets aan de hand,' zei hij onzeker. 'Geef me alleen even de tijd, dan heeft mijn rikketik weer het normale tempo te pakken. Vertel maar wat ik voor je kan doen. Hoe ik je van dienst kan zijn?'

'Dat bedrijf, dat Van Zandt waar je het over had,' zei ik, 'het bedrijf waar Michael een overval heeft gepleegd. Als ik me niet vergis, had je het erover dat het een familiebedrijf was.'

'Dat klopt.'

'Wonen er nog leden van de familie Van Zandt in de buurt, naar je weet?'

'Er is er nog eentje,' antwoordde Rutherford. 'Die woont in de Museumbuurt, als ik me niet vergis. Maar hij leeft in volkomen afzondering.'

'Heb jij zijn adres?'

'Daar kan ik wel voor zorgen. Maar ik betwijfel of je er veel aan hebt.'

'Ik zou het graag willen proberen,' zei ik. 'Eens kijken of hij op z'n minst bereid is me te woord te staan. Dat kan toch geen kwaad, lijkt me zo?'

'Het enige risico dat je loopt is een vergeefse trip ernaartoe. Moet ik met je mee? Ik ken een goed restaurant daar in de buurt en...'

'Nee hoor, het is goed zo,' onderbrak ik hem. 'Dan moet je die trappen nóg een keertje op en af, en dat is nergens voor nodig. Maar ik zou het wel zeer waarderen als je nu even achter dat adres aangaat.'

'Ik zal mijn secretaresse het laten opzoeken. Ze belt je zo snel mogelijk terug.'

Hij hield woord en ik werd nog geen tien minuten later teruggebeld door een efficiënt klinkende Hollandse vrouw die me het adres doorgaf van een zekere Niels van Zandt, en dat zonder ook maar één moment te informeren met wie ze het genoegen had. Ik had haar graag willen bedanken voor alle moeite die ze had gedaan, maar daar kreeg ik de kans niet voor. Apart, de Nederlanders zullen je vertellen dat ze direct zijn, maar nooit grof. Waarom zou je datgene wat je te zeggen hebt verfraaien met beleefdheden? Zeg nou maar gewoon wat je te zeggen hebt.

Maar het vreemde is dat terwijl het rationele deel van mij het steevast met deze benadering eens is, mijn emotionele kant elke keer weer dat ik ermee geconfronteerd word daar grote problemen mee heeft. Deze keer was dat niet anders en ik schudde terwijl ik de hoorn teruglegde dan ook verbaasd mijn hoofd. In feite zat het me nog steeds dwars toen ik mijn jas pakte en in de richting van het Centraal Station liep om daar een tram naar het Museumplein te nemen.

Tegen de tijd dat ik het kasteelachtige Rijksmuseum had bereikt, was het al bijna donker, en toen ik door de tunnel liep die dwars door het midden van het gebouw loopt, werd mijn pad verlicht door een groot aantal rijkelijk versierde lampen. Toen ik helemaal onder het museum door was gelopen, kwam ik uit bij een ondiepe vijver die geheel in mist was gehuld. Vlak in de buurt bevond zich een café. Dat was geopend en verspreidde een hoop neonlicht en muziek over de mistroostige omgeving, maar ik wendde me ervan af en liep in zuidelijke richting, op zoek naar het woonadres van Van Zandt.

Het huis was niet écht imposant te noemen, maar naar Amsterdamse maatstaven was het wel degelijk indrukwekkend, en dat kwam voornamelijk door het feit dat het een vrijstaand huis was met een groot gazon aan de voorzijde. Dat gazon zag er keurig onderhouden uit en verkeerde zo te zien in een uitstekende conditie, als je rekening hield met de enorme hoeveelheid regen die er de laatste maanden was gevallen. Het sappige gras aan de voorzijde van het terrein werd verlicht door twee bewakingslampen, terwijl er uit de vensters van de kamers op de begane grond een sfeerrijke gloed naar buiten scheen. Recht voor me leidde een grindpad, omzoomd door twee rijen conisch gevormde heesters, naar een reusachtige dubbele voordeur. Ik had graag rechtstreeks naar de rijkelijk bewerkte koperen klopper willen lopen, ware het niet dat twee goudkleurig geschilderde hekken mij de doorgang versperden. Vlak bij mijn elleboog bevond zich een intercom. Ik drukte op de spreekknop en boog me iets voorover naar het speakertje.

Ik hoorde gezoem en vervolgens wat geroezemoes op de achtergrond, en ten slotte reageerde een vrouwenstem met een simpel: 'Ja?'

'Hallo,' begon ik. 'Is meneer Van Zandt thuis?'

'Met wie spreek ik?'

'Ik ben Charlie Howard. Ik zou graag meneer Van Zandt willen spreken.'

'U hebt geen afspraak?'

'Nee,' bekende ik. 'Maar ik zou het zeer op prijs stellen als hij vijf minuten van zijn tijd voor me vrij zou willen maken.'

'Dat is zonder afspraak helaas niet mogelijk.'

'Kan ik dan nu misschien een afspraak met hem maken?'

'Dat kan alleen 's ochtends, en uitsluitend telefonisch.'

'Kan ik nu niet even...'

'Daar is het nu te laat voor.'

En met die woorden verbrak ze de intercomverbinding. Nog meer directheid, en deze keer reageerde ik daar ongeveer net zo op als eerder het geval was geweest. Het kind in me stond te popelen om aan een potje belletje trekken te beginnen, maar het saaie, volwassen deel won het al snel. Ik stak mijn hoofd zo ver mogelijk door het hek en keek verlangend naar het huis. Een deel van mij kwam in verleiding over de omheining te klimmen en via een van de ramen naar binnen te glippen, enkel en alleen om te kijken of Van Zandt met me wilde praten zodra ik kans zou zien degene die de intercom had beantwoord te omzeilen. Maar de kans was groot dat hij de politie zou bellen. En gezien de recente gebeurtenissen was dat niet bepaald een goed plan.

Met grote tegenzin begon ik de straat door te lopen. Er stonden nog een stuk of wat in deze stijl opgetrokken huizen, maar slechts weinig daarvan hadden van zo'n hoge omheining. Er sprongen een paar voordeurlampen aan toen ik passeerde, maar ik kreeg de indruk dat die alleen maar bedoeld waren om bezoekers behulpzaam te zijn, en niet om eventuele inbrekers af te schrikken. Op een andere avond zou dit alles er wel eens toe geleid kunnen hebben dat ik me was gaan afvragen of deze buurt niet vol gemakkelijke doelwitten zat, maar ik had heel andere dingen aan mijn hoofd en met Burggraaf die zich met mijn zaak bezighield, was het niet het juiste moment om een terloopse inbraak te overwegen.

Ik bereikte het einde van de straat, sloeg toen links af en ging opnieuw naar links, en even later stond ik tegenover de ingang van het Van Gogh-museum. Het liep tegen sluitingstijd en de laatste bezoekers daalden de betonnen treden aan de voorzijde af, van wie er heel wat kartonnen kokers bij zich droegen. In die kokers zaten ongetwijfeld weer heel wat van die posters met die verdomde zonnebloemen. Die leken je vanuit elke souvenirwinkel in de stad aan te staren. De afbeelding is verkrijgbaar als ansichtkaart, op T-shirts, op theedoeken en op koffiebekers. Je kunt hem ook kopen als muismat, honkbalpet of als legpuzzel. Ik vraag me af of de gemiddelde museumbezoeker wel weet dat Van Gogh ook nog heel andere schilderijen heeft gemaakt.

De tramhalte waarnaar ik op weg was bevond zich een eindje verderop in de straat, vlak voor het Van Gogh-museum, en toen ik die bereikte merkte ik dat ik schuin tegenover het Costers Diamond House stond. Nu ben ik normaal gesproken niet iemand die in symbolen geloof, of in het noodlot of kosmisch evenwicht en dat soort zaken, maar eerlijk gezegd vond ik dit wel heel toevallig. Maar afgezien van het toeval had ik misschien alleen maar een excuus nodig om mijn geluk nog één keer te beproeven op de woning van Van Zandt. Er zomaar voor weglopen zat me niet lekker, en in mijn ervaring leidde vasthoudendheid over het algemeen tot de een of andere uitkomst, en dat kon een welkome of een onwelkome zijn. En als ik nooit de kans zou krijgen om met Van Zandt zelf te praten, vond ik dat ik maar beter direct kon proberen daar snel achter te komen, dan morgenochtend mijn tijd te verdoen met het plegen van een telefoontje.

Dus nadat ik mijn beslissing had genomen, stak ik snel de in het asfalt verzonken tramrails weer over en liep om het blok heen in de richting van de Jan Luijkenstraat. En, je kunt het geloven of niet, net toen ik het eind van de straat naderde zag ik datzelfde hek opengaan en stapte er een elegant geklede vrouw naar buiten. De vrouw had een beige regenjas aan, met daaronder zwarte nylons en schoenen met hoge hakken, terwijl ze een kleine tas bij zich droeg. Haar haar was tot een strakke knot samengebonden en er lag een kordate, zakelijke uitdrukking op haar gezicht. Ik wachtte tot ze het hek achter zich op slot had gedaan en de straat uit was gelopen, en was er onmiddellijk van overtuigd dat dit de vrouw moest zijn met wie ik via de intercom had gesproken. Blijkbaar zat haar taak er voor die dag op. Zodra ze de hoek om was geslagen, liep ik terug naar de intercom en drukte voor de tweede keer op het knopje.

Deze keer kwam er níét direct antwoord. Ik keek naar de verlichte vensters op de begane grond of daar misschien iets bewoog, maar ik kon niets ontdekken. De vrouw met wie ik had gesproken had niet bevestigd dat Van Zandt thuis was, maar ik had wel degelijk de indruk gekregen dat hij aanwezig was. Uit Rutherfords woorden had ik opgemaakt dat hij zelden het huis uit kwam, en hoewel de gemiddelde huiseigenaar wel vaker het licht in huis aan liet om eventuele inbrekers af te schrikken, mocht iemand die zóveel lampen liet branden toch op z'n minst een zeer uitzonderlijk type worden genoemd.

Ik stond op het punt om opnieuw op de knop van de intercom te drukken, toen mijn geduld werd beloond. Deze keer kwam er geen stemgeluid uit het speakertje, maar klonk er een kort gezoem en sprong het slot van het hek open. Ik moet toegeven dat ik daardoor verrast werd, maar omdat ik niet iemand ben die met een grote boog om meevallertjes heen loop, duwde ik het hek behoedzaam open en stapte naar binnen, deed het achter me dicht en liep over het korte pad naar de voordeur, waarbij het grind onder mijn schoenen knisperde als duizend kleine insecten. Toen ik de deur bereikte, probeerde ik zelfs iets heel nieuws: ik tilde de koperen klopper op en liet die een paar keer snel achter elkaar op het hout van de deur neerkomen.

Stilte.

Ik wachtte enkele ogenblikken en klopte opnieuw. Deze keer hoorde ik iemand schreeuwen. Nu mocht mijn kennis van het Nederlands op z'n best uiterst rudimentair worden genoemd, maar desalniettemin had ik duidelijk het idee dat ik werd uitgevloekt. Wat was hier in godsnaam aan de hand? Wilde die knaap soms dat ik mijn picks tevoorschijn haalde en op eigen kracht naar binnen kwam?

Ik klopte voor de derde keer en het geschreeuw klonk nu dichterbij. Hoe dichter het me naderde, hoe feller het klonk, alsof de persoon die me uitkafferde heel langzaam dichterbij kwam en zijn irritatie met elke stap groter werd. Korte tijd later bereikte het stemgeluid me vanaf de andere kant van de deur en uiteindelijk hoorde ik het nachtslot opendraaien, waarna er een gezicht in de opening tussen de deur en het kozijn verscheen met een uitdrukking alsof hij me een ferme oplawaai wilde verkopen.

Ik moet er bij zeggen, nu ik zonder omhaal helemaal tot hier was gekomen, dat ik in mijn romans soms karakters ten tonele voer die gebaseerd zijn op mensen die ik in de echte wereld ben tegengekomen. Ik herinner me minstens twee gevallen waarbij ik complete fysieke beschrijvingen en persoonlijkheden heb overgenomen van lieden die ik ooit eens tegen het lijf ben gelopen. Maar vaker nog zijn mijn karakters een mengeling van twee of meer personen. Een al wat ouder familielid, vermengd met een vleugje treinconducteur van de vorige dag, afgemaakt met een deeltje nieuwslezer op televisie. Bij andere gelegenheden baseerde ik de fysieke omschrijvingen op mensen die ik in een tijdschrift ben tegengekomen, en injecteerde die met de karaktereigenschappen van een historisch figuur over wie ik had gelezen, of zadelde ik ze op met een ziekte waarnaar ik onderzoek had gedaan. Maar nog nooit eerder in mijn leven was ik geconfronteerd met zo'n levensechte incarnatie van een karakter dat in het verleden uitsluitend in de wereld van mijn fantasie kon hebben bestaan. Maar hoe ongelooflijk het ook leek, vlak voor me stond het evenbeeld van Arthur de butler, en de gelijkenis was zó treffend, dat ik niets beters weet te doen dan hem hier te beschrijven, en dat doe ik door de eerste alinea te herhalen die ik in mijn boek aan hem heb gewijd.

De oude man had een huid waaraan duidelijk te zien was dat hij hard had moeten werken voor de kost. Die was verschrompeld en gerimpeld, en geplooid in fijne lijntjes die zijn hele voorhoofd bedekten en ook bij zijn ooghoeken te zien waren. Waar de huid strak stond, bij de brug van zijn neus bijvoorbeeld, zag ze er ragfijn uit, terwijl de huid zich in zijn nek leek te hebben samengevlochten tot gerafelde uiteinden oud touw. Het haar op zijn hoofd werd al wat dunner, en was even wit en donzig als de veertjes in een kussen, en links en rechts van zijn hoofd staken uit veel te grote oren twee plukken wit haar, als de wattenkussentjes die vroeger wel werden gebruikt om flesjes met pillen op te vullen. Zijn ogen waren grijs en waterig, als kiezelstenen op het strand, en hij leek op een dusdanige manier dwars door me heen te kijken dat je heel even het idee had dat hij blind was. Hij had afhangende schouders en een kromme rug, en hij liep met een donkere, houten wandelstok. Rond zijn benige lichaam hing een zwart butlerkostuum, en het witte overhemd dat hij onder het jasje droeg was bij de boord vergeeld, terwijl zijn smalle stropdas waarschijnlijk ten tijde van de ondergang van de Titanic *voor het laatst was geknoopt.*

Goed, de man tegenover me was niet als butler gekleed, maar verder was de overeenkomst met het karakter uit mijn boek van dien aard dat ik van schrik een sprongetje maakte. Vreemd genoeg deed hij precies hetzelfde, en hij drukte daarna de hand waarmee hij de wandelstok vasthield nogal krampachtig tegen zijn hart. Hij wist zijn evenwicht te bewaren door het deurkozijn vast te grijpen, waarbij zijn mond woordeloos open- en dichtging, als bij een vis die op het droge is beland. Toen keek hij naar me op en schudde treurig zijn hoofd, de tanden opeengeklemd en ogen die me kwaad aankeken. Vrijwel onmiddellijk begon hij in confronterend Nederlands tegen me aan te mekkeren.

'Een ogenblikje,' zei ik terwijl ik mijn hand opstak. 'Ik ben Engelsman, weet u. En ik wilde u absoluut niet laten schrikken.'

Hij onderbrak zijn tirade en schakelde over op woorden die ik begreep.

'Wie bent u?' wilde hij weten, en zijn ogen vernauwden zich.

'Ik ben Charlie Howard. Bent u meneer Van Zandt? Als dat het geval is, zou ik graag even met u willen praten.'

'U hebt geen afspraak?'

'Nee.'

'Dan dient u onmiddellijk te gaan. Dit is een vergissing. Ik dacht dat u mijn huishoudster was. Ik dacht dat ze haar sleutels was vergeten.'

'Maar ze is nog maar net vertrokken.'

'Dan kunt u maar beter haar voorbeeld volgen.'

Hij maakte aanstalten om de deur dicht te duwen. Voor ik goed en wel iets kon verzinnen stak ik mijn voet tussen de deur en duwde hem met mijn handpalm verder open. In zijn ogen vlamde doodsangst op. Zijn wangen trilden. Een ogenblik was ik ervan overtuigd dat hij dacht dat ik hem te lijf zou gaan.

'Ik wil alleen maar praten,' zei ik. 'Alstublieft. Het is belangrijk.'

Hij schudde halsstarrig zijn hoofd en duwde uit volle kracht tegen de deur. Hij was best sterk, de oude bok, en als ik mijn voet niet tussen de deur en de drempel had gestoken, was het hem wellicht gelukt mij naar buiten te werken. Maar de deur stuitte op mijn schoen.

'Haal uw voet weg,' zei hij tegen me. Ik zag zijn schouders trillen.

'Een paar minuten maar.'

'Ik bel de politie.'

'Luister, het gaat over Michael Park.'

Het noemen van die naam maakte indruk. Plotseling viel de druk die hij op de deur uitoefende weg en zwaaide die weer wat verder open. Hij keek met een zekere behoedzaamheid naar me op en ik wist op dat moment precies wat ik moest zeggen.

'Hij is dood, meneer Van Zandt. Ik vond dat ik u dat moest komen vertellen.'

19

Niels van Zandt ging me voor naar een vertrek dat zo te zien zijn bibliotheek moest zijn. Langs alle wanden bevonden zich vanaf de vloer tot aan het plafond planken met boeken, waarvan een groot deel in leer gebonden was, die er dan ook bijna onecht uitzagen, en enigszins leken op die stomme hoezen uit de jaren tachtig waarin je je videobanden kon opbergen. Het kon natuurlijk ook heel goed dat hij de hele verzameling alleen maar had gekocht om de planken te vullen en een intellectuele indruk wilde maken, maar ik geloof niet dat dat het geval was. Ik kreeg de indruk dat dit een vertrek was waar hij een groot deel van de dag in doorbracht. De grote leestafel bij het raam aan de voorzijde lag bijvoorbeeld bedolven onder hoge stapels boeken uit de boekenkasten, en ik ontdekte er ook nog een of stuk wat notitieblocnotes en een schrijfmachine tussen. Als wat Rutherford over Van Zandt had gezegd – dat hij een huismus was – waar was, dan was dit blijkbaar de manier waarop hij zijn dagen doorbracht.

En het hielp natuurlijk dat hij hier ook over een drankenkabinet beschikte, en nadat hij me in een met stof beklede gemakkelijk stoel had laten plaatsnemen, vlak bij de indrukwekkende open haard, schonk hij voor ons beiden een glas bourbon in. Hij vroeg me niet eens of ik wel bourbon dronk en of ik er wel zin in had, daar ging hij gewoon van uit, net zoals hij erop vertrouwde dat mijn mededeling dat Michael dood was daadwerkelijk klopte. Dat nieuws deed hem wel degelijk iets, en ik was er redelijk zeker van dat het hevige trillen van zijn hand terwijl hij met de ijstang in de weer was niet alleen veroorzaakt werd door zijn leeftijd.

'Hoe is hij gestorven?' vroeg hij, terwijl hij me havikachtig aankeek en twee ijsblokjes boven een van de glazen hield.

'Hij is vermoord,' zei ik. 'Doodgeslagen.'

Van Zandts wenkbrauwen schoten omhoog, maar niet omdat hij verrast was. Het leek er meer op dat hij liet merken dat opnieuw een van zijn vermoedens bevestigd werd.

'Is het in de gevangenis gebeurd?'

'Nee,' zei ik. 'In Amsterdam. 'Hij was nog maar net een week op vrije voeten.'

Van Zandt liet de ijsblokjes in het glas vallen en tuitte zijn lippen.

'Mij was dat nog niet verteld.'

'Door de politie? Dat verbaast me niets. Die lijkt me een stuk minder alert dan zou moeten.'

'Het overgrote deel van die lui zijn dwazen. Hebben ze zijn moordenaar al te pakken?'

'Nog niet.'

'Weten ze wie het is?'

'U vraagt dat aan de verkeerde persoon.'

Van Zandt strompelde met behulp van zijn stok mijn kant uit en overhandigde me het glas. Ik hield het een tijdje in beide handen maar wilde nog geen slokje nemen voor het geval het spul erger in mijn keel zou branden dan ik aankon. Sterkedrank was niet bepaald mijn forte. Bier, ja. En wijn bij de juiste gelegenheden. Maar whisky? Bourbon? Ik heb er nooit een voorkeur voor ontwikkeld. Tuurlijk, ik kan het spul wel aan, maar ik moet nog steeds leren ervan te genieten.

Heel voorzichtig liet Van Zandt zich in een stoel tegenover de mijne zakken, hij reikte vervolgens opzij en pakte een stuk hout om dat op het vuur te leggen. Het aansteekkooltje op het haardrooster vlamde onder de klap heel even op en een paar gloeiende deeltjes as stegen kronkelend omhoog richting schoorsteen. Hij leunde achterover in zijn stoel en nipte van zijn glas.

'U vraagt u waarschijnlijk af waarom ik hier ben,' zei ik.

Hij keek me uitdrukkingsloos aan, terwijl de vlammen in de open haard in zijn whiskyglas weerkaatsten.

'De waarheid is dat ik schrijver ben,' vervolgde ik. 'Michael Park wilde van mijn diensten gebruikmaken.'

'Van uw diensten gebruikmaken?'

'Ik moest zijn memoires op papier zetten. Voor dat soort boeken bestaat tegenwoordig best een markt. Waargebeurde misdaadverhalen verkopen bijzonder goed, zowel in Europa als in de Verenigde Staten. Hij wilde dat ik zijn verhaal zou vertellen.'

Van Zandt bracht zijn glas op schoothoogte en hield zijn hoofd een tikkeltje scheef, terwijl hij zijn gevoelloze ogen samenkneep.

'Is het uw gewoonte om voor moordenaars boeken te schrijven?'

'Tja, daar gaat het nou net om,' merkte ik op. 'Hij beweert namelijk dat hij onschuldig is.'

Van Zandt lachte, maar het was een onecht lachje. Het was een opzichtige lach, misschien eerder een kort geblaf. Hij wilde me laten weten hoe pervers hetgeen was wat ik net gezegd had, alsof ik zojuist een van de oudste en bekendste leugens in het universum had uitgesproken.

'Onschuldig,' zei hij, en hij sprak het woord minachtend uit. 'Hij was een moordenaar.'

'Met alle respect, meneer Van Zandt, maar die indruk had ik niet.'

'Maar natuurlijk wel,' zei hij, en hij maakte met zijn vrije hand een wuivend gebaar. 'Hij was een dief, ja? Een leugenaar. Hij heeft een van onze bewakers doodgeschoten. En waarvoor? Een paar goedkope diamanten. Het drankje dat u in uw hand hebt is meer waard.'

Ik nam een slok van de bourbon. Zo te horen was het goed spul, en als ik toch mijn smaakpapillen ooit nog eens wilde ontwikkelen, kon ik maar beter met het hogere segment beginnen. Het spul stak als honderd speldenprikken op mijn tong. Ik slikte het behoedzaam door en wist nog net een kuch te onderdrukken.

'Het gerucht deed de ronde,' zei ik met schorre stem, 'dat hij méér heeft meegenomen dan een paar goedkope juwelen.'

'Dat is niet zo,' zei Van Zandt, wiens schouders leken te verstijven. 'Als hij u dat heeft verteld, is dat alleen maar de zoveelste leugen.'

'Eerlijk gezegd heb ik het in de krant gelezen. Nadat hij is aangevallen is zijn geval me gaan intrigeren, begrijpt u.'

'Journalisten,' zei Van Zandt, terwijl opnieuw de walging van zijn gezicht af te lezen viel.

'Het heeft in een aantal kranten gestaan.'

'En?'

'En ik dacht dat als die speculatie nergens op slaat, ú me misschien de waarheid kunt vertellen.'

'Bent u nog steeds van plan om dat boek te schrijven?' vroeg hij met opgetrokken wenkbrauwen.

'Ik zit er wel aan te denken,' zei ik hem. 'En eerlijk gezegd zou ik het op twee manieren kunnen aanpakken. Ik kan het schrijven terwijl ik over alle feiten beschik, of ik kan me baseren op wat ik nu weet. Misschien dat de inhoud dan wat minder nauwkeurig is, maar ik kan alleen maar uitgaan van wat ik heb.'

In Van Zandts ogen flikkerde even iets op. Er speelde een glimlachje rond zijn lippen.

'U doet een beroep op mijn dorst naar de waarheid?'

'Aan uw liefde voor het boek,' zei ik terwijl ik om me heen gebaarde. 'Aan het geschreven woord.'

'Aha. Maar ik neem aan dat dit boek niet bepaald een Shakespeare-epos wordt.'

Ik haalde mijn schouders op. 'Dat ben ik met u eens; het moet voor de moderne lezer iets toegankelijker zijn.'

'Het wordt rotzooi.'

'Dat zou kunnen. Zonder uw hulp.'

Van Zandt nam nog een slokje van zijn bourbon, en zijn verschrompelde keel had overwerk om het geheel door te slikken. Nadat hij zijn blik weer op me had gericht, zag ik iets nieuws in zijn ogen. Het zag eruit als vrolijkheid, alsof ik hem uitermate amuseerde. Hij had de uitstraling van een roofdier dat speelde met de een of andere ongelukkige prooi.

'Het is niet het beleid van de firma Van Zandt om over veiligheidszaken te praten. Ik weet dat maar al te goed, want ik ben de directeur geweest die ook de beveiliging in zijn portefeuille had.'

'Er bestaat geen firma Van Zandt meer. Laat staan dat er nog beleid is.'

Hij moest daar even over nadenken, en overlegde met zichzelf welke kant hij het gesprek moest laten uitgaan. Het gekke was dat ik heel goed besefte dat hij er maar al te graag over wilde praten. Dat is het probleem met zaken waarover het best kan worden gezwegen, het is altijd zo verleidelijk erover te beginnen.

'Als u de diamanten nou eens even vergeet,' stelde ik voor. 'Als we dat nou eens even buiten beschouwing laten. Waar ik in geïnteresseerd ben is wat er is gebeurd op de avond dat Robert Wolkers om het leven kwam. Dát willen mijn lezers weten. Hoe de inbraak precies verlopen is.'

'En hoe de moord zich heeft voltrokken?'

'Ook wel. Maar waarom beginnen we niet met wat eenvoudige informatie. Dat kan toch geen kwaad? Nu ik u heb ontmoet, ben ik ervan overtuigd dat u leiding hebt gegeven aan een uiterst modern beveiligingssysteem. Zou u dat voor mij kunnen beschrijven?'

Ik reikte naar mijn binnenzak en haalde een notitieblokje met spiraalbinding en een balpen tevoorschijn. Van Zandt nam mijn hulpmiddelen argwanend op en zoog zijn wangen naar binnen.

'We beschikten over het beste beveiligingssysteem dat er in Amsterdam te vinden was.'

'Ongetwijfeld.'

'Dat was voor mij een principezaak. Ik heb ervoor gezorgd dat er stevig in werd geïnvesteerd. Daarom hebben we ook zo weinig... incidenten gehad.'

'Ik begrijp het. Maar hoe werkte het? Beschikte u over een brandkast of iets dergelijks?'

Van Zandt gaf me een neutraal knikje, alsof ik wel op het juiste spoor zat, maar er nog niet was.

'Een grote kluis?'

Hij glimlachte en liet het ijs rinkelend in zijn glas ronddraaien.

'Ik heb zelf opdracht gegeven tot de bouw ervan,' zei hij. 'De beste kwaliteit staal. De wanden waren twintig centimeter dik.'

Hij hield zijn onvaste handen op korte afstand van elkaar, alsof hij me het metrische systeem wilde voordoen.

'En dat komt niet vaak voor, hè?' zei ik, het spelletje meespelend.

'De deur was met vijf stalen grendels en minstens drie sloten uitgerust.'

'Echt waar, drie?'

Hij grinnikte. 'Dat zijn interessante feiten voor jouw boek, hè?'

Ik glimlachte. 'Ja,' zei ik, terwijl ik ondertussen in mijn notitieblokje de aantekening maakte dat het waarschijnlijk om slechts één slot ging, hoogstens twee. 'Waar bevond die grote kluis zich?'

'In het bedrijf.'

'Waar ergens in het bedrijf?'

'In het midden,' zei hij, en hij ging wat rechter in zijn stoel zitten.

'Meent u dat? Was het niet verstandiger om hem uit het zicht te houden?'

Hij keek me stralend aan, alsof ik zojuist de vraag had gesteld waarvan hij vurig had gehoopt dat ik hem zou stellen. 'Hij was uiterst veilig. Ik wilde dat de mensen zich dat goed realiseerden. Aan het einde van elke dag werden daar de diamanten in opgeborgen.'

'Elke dag? Dat lijkt me best een beetje risicovol.'

'Er wás geen risico,' zei Van Zandt. 'De betonnen vloer was een meter dik. Rond die grote kluis hebben we ook nog eens een betonnen muur laten aanbrengen. Ook was er nog een kooi aanwezig.'

'Een kooi?'

'Met dikke ijzeren tralies. Zó dik wel,' zei hij, terwijl hij zijn hand tot een buis vormde en er vervolgens doorheen naar me keek.

'Konden die tralies worden doorgezaagd?'

Hij schudde zelfverzekerd het hoofd.

'En met een snijbrander?'

'Zoiets zou uren hebben geduurd.'

'Goh. Zou het slot dan het zwakke punt geweest kunnen zijn?'

'Welk?'

'Dus er zaten ook meerdere sloten op?'

'Noteer maar: vijf stuks,' zei hij, terwijl hij nu met iets meer enthousiasme naar mijn aantekeningenblok gebaarde.

'En dat was het dan?'

'Het was meer dan voldoende,' antwoordde hij, en zijn borst zwol enigszins op.

'Samen met de bewakers moet het voldoende zijn geweest, neem ik aan. Tussen haakjes, hoeveel man hadden er dienst?'

Van Zandt maakte van de beslissing mij dat al dan niet te vertellen een hele show. Hij liet het glas een paar keer in zijn handen ronddraaien en zoog op zijn lippen. Uiteindelijk zei hij: 'Overdag liepen er vier man rond, en 's nachts twee.'

'Altijd?'

'Altijd.'

'Herinnert u zich de naam nog van de bewaker die samen met Robert Wolkers dienst had in de nacht dat hij werd omgebracht?'

Van Zandt aarzelde. 'Dat weet ik niet meer.'

'Weet u het zeker?'

'Het is een hele tijd geleden.'

'Maar het is wel een zeer gedenkwaardige nacht geweest. Herinnert u zich er echt helemaal niets meer van?'

'Ik weet niets meer,' zei hij, en hij schudde vastbesloten het hoofd.

Ik bleef hem aankijken, maar zijn ogen waren zo onbewogen als een bergmeer. Ik boog mijn hoofd, liet mijn blik over de aantekeningen gaan die ik had gemaakt en bekeek tot waar dit gesprek ons had gebracht. Het was maar goed dat ik alleen nog maar de rol van biograaf had gespeeld. Tot nu toe zat er maar weinig structuur in en ik was ervan overtuigd dat we ergens onderweg het spoor bijster waren geraakt. Van Zandt vertelde me meer dan ik had verwacht, maar het waren alleen dingen die hij bereid was te vertellen. In gedachten vroeg ik me af of het misschien beter was de feiten te laten voor wat ze waren en een beroep te doen op zijn emotionele kant. Misschien werd hij dan iets opener.

'Vertelt u me eens,' zei ik, 'wat vond u van Michael Park?'

'Hij was een moordenaar.'

'Ja, maar wat voelde u bij wat hij heeft gedaan?'

Van Zandt haalde zijn schouders op en tilde zijn stok van de vloer. 'Wat doet het ertoe? Hij heeft iemand doodgeschoten, ja? Een man met een gezin. Met een vrouw. Een dochter. Mijn gevoelens waren hetzelfde als wat iedereen voelde.'

'Ja, maar wat wás dat precies? Woede?'

Hij tuitte zijn lippen.

'Haat?'

Hij schudde nadrukkelijk zijn hoofd.

'Ook al heeft hij uw diamanten gestolen?'

Van Zandt zwaaide met zijn vinger mijn kant op en klakte afkeurend met zijn tong.

'Wil je me soms beledigen?' vroeg hij. 'Waarom? Vanwege die Amerikaan? Wat betekent hij voor jou? Helemaal niets. Hij is dít,' zei hij, en hij pakte een van de blokjes smeltend ijs van de bodem van zijn glas.

'Hij heeft altijd beweerd dat hij onschuldig was.'

'Hij was een dief.'

'Dat heeft hij ook toegegeven. Waarom heeft hij dan ook niet toegegeven dat hij iemand heeft gedood?'

'Kom nou,' reageerde Van Zandt fel. 'En de rest van zijn leven achter de tralies doorbrengen?'

'Dat verschilt niet zo heel veel van de manier waarop hij nu aan zijn eind is gekomen.'

'Dat is mijn zaak niet. Waar ik me zorgen over maakte was mijn bewaker. Zijn gezin. Mijn zorg gold de veiligheid van al mijn werknemers.'

'Dat is heel nobel.'

Van Zandt knikte en sloeg toen het laatste restje van zijn bourbon uit zijn glas achterover, waarbij hij zijn hoofd helemaal achterovergooide, zodat ik zijn adamsappel op en neer kon zien gaan. Hij gebaarde naar mijn eigen glas.

'Smaakt het niet?'

'Ja hoor,' zei ik, en ik slaagde erin nog een klein slokje naar binnen te werken. Deze keer was de tinteling minder hevig, alsof die eerste slok mijn smaakpapillen had verdoofd. Diep in mijn keel voelde ik nog wel iets branden, maar ik was er nu op voorbereid en het was niet zo'n grote schok meer. Ik slikte het spul door en stelde de volgende vraag.

'Ik vraag me af waarom Michael Park, nadat hij de nachtwaker had neergeschoten, niet alsnog alle diamanten heeft meegenomen. Hij had toch al een grens overschreden, dus hij had net zo goed alles mee kunnen nemen.'

'Maar hij kon onmogelijk in de kluis komen.'

'Een professionele inbreker?'

'Hij was volkomen veilig.'

'Maar die sloten dan? Wie had de sleutels of de cijfercombinaties van dat ding? Was u dat?'

'Hij had van een cijfercombinatie die elke dag werd veranderd. Ik kende die combinatie.'

'En de bewakers ook?'

Van Zandt schudde zijn hoofd.

'Dus Michael kan Robert Wolkers onmogelijk hebben gedwongen hem de code te vertellen, voor hij hem doodschoot?'

'Dat is volslagen onmogelijk.'

Van Zandt wees dat idee koeltjes van de hand, duwde zich vervolgens in zijn stoel omhoog en liep opnieuw naar het drankenkabinet. Hij schonk weer een bourbon voor zichzelf in en nam niet de moeite mij opnieuw iets aan te bieden. Ik had het gevoel dat ik zover was gegaan als onder de gegeven omstandigheden maar mogelijk was, en dat ik, als ik doorging hem tegen de haren in te strijken, hier binnen de kortste keren persona non grata zou zijn.

'Ik zou heel erg graag,' zei ik, berustend in wat ik hier nog kon doen, 'wat meer willen horen over de geschiedenis van de firma Van Zandt. Ik weet zeker dat mijn lezers wat meer achtergrondinformatie uiterst fascinerend zullen vinden. Zou u mij dat genoegen willen doen?'

20

Die avond, nadat Van Zandt eindelijk moe was geworden van het hoog opgeven van het zakenimperium dat zijn naam droeg, stapte ik mijn appartement weer binnen en liet het bad vollopen. Nadat het water heet genoeg was om me eraan te branden, voegde ik er nog wat koud aan toe, ik stapte in de kuip en ging languit in het stomende water liggen, ondertussen niets ziend naar de witte badkamertegeltjes op de tegenoverliggende muur starend. Af en toe liet ik mezelf naar voren glijden en liet ik mijn hoofd onder de waterlijn zakken. Daar, zo onder water, hoorde ik een soort metaalachtige echo in mijn oren en voelde ik hoe mijn haar als fijn zeewier rond mijn hoofd zweefde. Heel langzaam kwam ik dan weer boven, spuwde het water uit mijn mond en voelde de huid van mijn gezicht tegen de vochtige lucht prikken.

Uiteraard had Van Zandt tegen me gelogen, hoewel ik niet precies wist in welke mate. De kans bestond natuurlijk dat zijn geheugen niet meer was wat het ooit geweest was, maar ik was er heilig van overtuigd dat het deels opzettelijk was geweest. Ik kon het hem natuurlijk niet kwalijk nemen, want ik had zelf ook tegen hem gelogen, en in elk geval was het niet persoonlijk bedoeld, want hij stak hetzelfde relaas nu al een decennium lang af. Grappig eigenlijk, hoe doorzichtig dat bedrog wel niet was. Zoals Van Zandt zelf had toegegeven, had het bedrijf altijd beweerd dat er in de nacht dat Robert Wolkers was doodgeschoten slechts een handvol goedkope stenen waren verdwenen, precies dezelfde stenen die bij Michaels arrestatie in zijn huis waren aangetroffen. Ik had al een tijdje het vermoeden dat dat onzin was, maar iets wat Van Zandt had gezegd had me daar nog meer van overtuigd. Hij had verteld dat er slechts één grote kluis was, en dat aan het eind van elke dag alle juwelen die op de splijtafdeling aanwezig waren, er naartoe werden overgebracht. Nou, als dat het geval was, hoe had de Amerikaan dan de hand kunnen leggen op die waardeloze stukken zirkoon, dan moest hij toch in de kluis zijn geweest waar alle andere stenen lagen opgeslagen?

Deze tegenstrijdigheid was voldoende om me aan het denken te zetten en kort daarna stapte ik uit bad, ik droogde me zo goed mogelijk met een handdoek af, sloeg die vervolgens om mijn middel en liep naar mijn bureau. Daar pakte ik de telefoon en ik draaide opnieuw het nummer van Rutherfords kantoor, en terwijl ik wachtte tot het antwoordapparaat ingeschakeld zou worden, zag ik toen ik door het donkere raam naar buiten keek, de halfnaakte weerspiegeling van mezelf, hangend in het luchtledige vlak boven de bovenste bladeren van de boom die voor mijn huis pal aan de gracht groeide. Mijn spiegelbeeld zag er naargeestig en hologig uit, als de een of andere stuntelige vluchteling uit de geestenwereld. Hij stak een hand naar me op, waarna hij de vingers daarvan spreidde, om vervolgens halfhartig naar me te zwaaien, alsof hij niet helemaal zeker wist of ik er wel was. Ik glimlachte flauwtjes en stond op het punt iets terug te mimen toen de boodschappentoon van Rutherfords antwoordapparaat mijn gedachten onderbrak en ik mijn dubbelganger los moest laten om een paar woorden op het bandje achter te laten.

Rutherfords telefoontje de volgende morgen deed me uit een diepe slaap ontwaken, een slaap waarin ik had gedroomd dat al mijn tanden uit mijn mond waren gevallen en dat de enige manier om ze naar een tandarts te transporteren een glas cola was geweest. Toen de telefoon rinkelde zat ik midden in een waanzinnige sprint naar de tandartsenpraktijk, terwijl mijn pad voortdurend versperd werd door talloze zombieachtige forensen, en mijn tanden ondertussen steeds verder, sissend en borrelend, aan het oplossen waren in het glas cola dat ik in mijn handen hield. Het rinkelen boorde zich een toegang tot mijn droom en het volgende moment wurmde ik moeizaam een mobieltje open terwijl ik me nog steeds een weg tussen de mensenmassa probeerde te banen. Godzijdank maakte het bellen toen abrupt contact met de bedrading in mijn hoofd en schrok ik wakker. Ik griste de hoorn van de haak.

'Hallo?' wist ik uit te brengen, en ik streek met mijn tong langs mijn tanden om te controleren of ze er nog steeds allemaal waren.

'Met Rutherford,' zei Rutherford. 'Ik heb je boodschap ontvangen. Ik hoop niet dat ik je uit je bed heb gebeld.'

'Absoluut niet,' zei ik, en ik duwde mezelf op mijn ellebogen wat verder omhoog en wreef met mijn hand over mijn gezicht. 'Ik was net bezig met het herschrijven van een hoofdstuk waarover ik niet helemaal tevreden was. Wat kan ik voor je doen?'

'Moet ik dat niet aan jóú vragen? Jij hebt mij gevraagd je zo snel mogelijk terug te bellen.'

'O ja.' Ik krabde aan mijn hoofd en wist nog net een geeuw te onderdrukken. 'Dat is zo. Sorry, Rutherford, ik zit tot over mijn oren in die nieuwe scène, vermoed ik. Hoe zit het met je verplichtingen deze ochtend?'

'Een ogenblikje,' zei hij, en ik zag in gedachten voor me hoe hij zijn agenda raadpleegde. 'Ik geloof dat ik hier wel even weg kan. Waar denk je aan?'

'Wederom een gunst,' zei ik. 'Misschien kan jouw secretaresse om te beginnen al wat zoekwerk verrichten, maar ik hoopte er eigenlijk op dat je in staat was te komen en iemand te ontmoeten.'

'Niels van Zandt bedoel je zeker?'

'Nee, eigenlijk dacht ik aan de bewaker die samen met Robert Wolkers dienst had in de nacht dat die om het leven is gekomen. Heette die man volgens jou niet Rijker?'

'Heb je een adres?'

'Daar komt jouw secretaresse om de hoek kijken. Hij staat niet in het telefoonboek.'

'Nou, ik zal eens kijken wat ik kan vinden. Ik neem contact met je op.'

En dat gebeurde ook, nog geen uur later. Maar het was niet het nieuws waarop ik had gehoopt. Het kwam erop neer dat geen van ons beiden binnenkort met Louis Rijker van gedachten zou kunnen wisselen, want volgens Rutherfords secretaresse was hij al minstens twee jaar geleden overleden, wat redelijk verklaarde waarom ik hem niet in de telefoongids van Amsterdam had kunnen vinden. Maar het was wel degelijk een tegenslag, want hij was voor zover ik weet de enige persoon die tijdens de roofoverval in Van Zandts bedrijf aanwezig was geweest. Maar gelukkig had Rutherford wél het adres van zijn moeder te pakken gekregen.

'Ze woont aan de Apollolaan. In Oud-Zuid,' zei hij me.

'Kun je met me mee, denk je?'

'Zeker weten,' zei hij zo gretig als je voor zesduizend euro in gebruikte biljetten kunt kopen.

De woning waar ik Rutherford aantrof was een villa die uit rode baksteen was opgetrokken en die voorzien was van vensters met dubbel glas, waarvan het onderste gedeelte was afgeplakt met een laag mat plakplastic. Ik neem aan dat die was aangebracht om te voorkomen dat spiedende ogen naar binnen zouden kunnen kijken. Maar de zin daarvan ontging me enigszins toen ik het kattenluikje zag dat onder in de kunststof voordeur van het huis was aangebracht. Toen ik dat geval zag, stelde ik me een kat ter grootte van een gemiddelde herdershond voor. De opening, ik meen het, was enorm en iedereen van minder dan gemiddelde lichaamsbouw, inclusief ondergetekende, moest zonder meer in staat zijn om er een hoofd en arm doorheen te steken en aan de binnenkant de plastic deurkruk te pakken te krijgen. De kans was groot dat, zelfs als de deur op slot zou zitten, de sleutels, om het gemakkelijk te maken, vlak in de buurt zouden hangen, wachtend om datgene te doen waarvoor ze waren gemaakt.

Niet dat dit alles er ook maar iets toe deed, uiteraard, want het vermetelste wat ik voorlopig van plan was te doen was naar voren te stappen en op de bel te drukken. En afwachten. En vervolgens nog wat langer af te wachten.

Ik keek Rutherford eens aan. 'Weet je zeker dat dit het juiste adres is?'

'Natuurlijk. Maar misschien hadden we van tevoren even moeten bellen.'

'Misschien wel,' zei ik en ik deed een stapje achteruit om naar de deur te kijken, en tikte met mijn voet op de betonnen stoep.

'Waarom bel je niet nog eens een keer aan?' merkte Rutherford op.

'Vind je dat niet grof?'

'Hoezo? Misschien heeft ze me niet gehoord.'

Ik bewoog mijn hoofd op en neer, en capituleerde voor dat argument.

'Je hebt gelijk,' zei ik hem. 'Ik neem het risico.'

En dus deed ik het. En deze keer hield ik de deurbel langer ingedrukt dan de eerste keer, zodat niemand het geluid van de bel kon missen. Toen ik uiteindelijk losliet, voelde de stilte op een vreemde manier misplaatst aan en kwam ik bijna in de verleiding om nog wat langer op de bel te drukken, enkel en alleen om de plotselinge leemte te vullen. In plaats daarvan sloeg ik mijn handen op mijn rug in elkaar en wiegde op mijn hakken heen en weer, en keek vervolgens weer neer op dat verdomde kattenluik. Ik durfde te wedden dat zelfs Rutherford erdoorheen kon, en er bestond geen veelzeggender aanklacht tegen dat ding dan die vaststelling. De man had per slot van rekening een hoofd zo groot als een watermeloen.

'Misschien moeten we een andere keer nog eens terugkomen,' zei hij, terwijl hij zijn ronde schouders iets optrok.

'Misschien heb je gelijk.'

Alleen was dat niet het geval. Omdat vlak voordat we ons wilden omdraaien om te vertrekken, er over de matglazen panelen aan weerskanten van de voordeur een schaduw gleed en ik even later hoorde hoe er een sleutel in het slot werd gestoken. Enkele ogenblikken later ging de deur open en stond ik oog in oog met een vrouw van middelbare leeftijd die in de ene hand een bord met eten hield en in de andere een vork met nog wat voedselresten. De vrouw had een kleurig plastic schort voor en haar grove, grijze haar was in een praktische maar niet al te stijlvolle paardenstaart uit haar gezicht naar achteren getrokken.

'Zóóó,' bracht ze traag uit en ze liet de 'o' wat ons betreft wel een eeuwigheid tussen ons in hangen.

Zóóó, deed ik haar geluidloos na en ik keek opzij naar Rutherford, op zoek naar steun.

'Goedemorgen,' begon hij opgewekt, en hij vervolgde zijn relaas op dezelfde manier, hoewel de details van wat hij zei mij totaal ontgingen, totdat ik de naam Louis Rijker hoorde, waarna Rutherford naar mij gebaarde, uitlegde dat we 'Engelsen' waren, om uiteindelijk aan haar te vragen of ze onze taal misschien sprak.

'Ja,' zei ze op bijna zakelijke toon. 'Maar ik ben niet mevrouw Rijker. Ik ben haar verzorgster.'

'Is dat zo?'

Ze knikte.

'Kunnen we mevrouw Rijker misschien te spreken krijgen?'

De vrouw ademde diep in en stak beide handen naar ons omhoog, zodat de vork en het bord op gelijke hoogte kwamen met haar schouders, en er verscheen een uitdrukking op haar gezicht waaruit wij moesten opmaken dat ze dat net zomin wist als wij.

'U kunt het natuurlijk proberen,' verklaarde ze. 'Maar ik geloof niet dat ze Engels spreekt.'

'Mijn vriend kan het wel voor haar vertalen,' zei ik, en ik wees op Rutherford.

De vrouw haalde opnieuw hulpeloos haar schouders op en deed een paar stappen achteruit bij de deur vandaan en gebaarde met een zwaai van haar vork dat we mochten binnenkomen.

'Alstublieft,' zei ze. 'Komt u binnen.'

Ik wierp een korte blik in de richting van Rutherford en stapte toen voor hem over de drempel, waarbij mijn voeten onmiddellijk in een donzig donkerrood tapijt wegzakten. Zodra ik binnen was begonnen mijn ogen te jeuken alsof ik zojuist citroensap had gesnoven. De kattengeur was allesoverheersend. De ellende is dat ik sowieso allergisch ben voor katten, maar in dit vertrek zat die geur niet alleen in de lucht, hij zat in elke vezel van het huis. Kattenpis en kattenhaar op het tapijt, kattengeur in het behang, kattenvoedsel in een bakje vlak voor mijn voeten. Overal om me heen: KAT, mét hoofdletters. Maar ik kon nergens een spoor bekennen van de kleine opsodemieter die hiervoor verantwoordelijk was.

Ik niesde en hield vliegensvlug een hand voor mijn mond, waardoor ik een verse dosis kattenmiasma in de richting van mijn neusgaten stuwde, zodat ik opnieuw moest niezen.

'Gaat het een beetje, beste jongen?' informeerde Rutherford, terwijl hij achter me zijn voeten veegde.

'Hm-mm,' bracht ik met een knikje uit, en ik hield een vinger onder mijn neusgaten en kneep mijn ogen stijf dicht.

'Bent u allergisch voor katten?' vroeg de verzorgster, die dit soort dingen blijkbaar snel doorhad.

'Ach, katten,' zei ik, en ik slaagde er nog net in een derde nies te onderdrukken voor die mij in z'n greep zou krijgen.

'Hier,' zei ze, en ze legde haar vork op het bord, pakte met de hand die ze overhad de brug van mijn neus beet en kneep daarin met haar duim en wijsvinger.

Ik huiverde, en moest bijna opnieuw niezen, maar merkte dat dat niet ging als ze me zo beethield. Misschien liet ik me alleen maar afleiden door de pijn, want ze kneep behoorlijk hard.

'Beter zo?' vroeg ze.

Ik knikte behoedzaam, maar voor ik me aan haar greep kon onttrekken leidde ze me bij de neus naar een zwakverlicht vertrek links van ons. Ik liep half struikelend achter haar aan, de neus omhoog, niet bij machte om te zien of er zich ook obstakels op mijn pad bevonden.

'Hier,' zei ze opnieuw, en deze keer hoorde ik dat ze haar bord ergens neerzette, en vervolgens mijn eigen vingers naar mijn neusgaten leidde. 'Probeer maar eens.'

'Het g-gaat wel weer,' slaagde ik erin uit te brengen.

'Gaat u zitten, alstublieft.'

Ze duwde me omlaag en ik viel half op een zachte bank waar een wollen kleedje overheen lag dat voor hetzelfde geld van kattenhaar geweven had kunnen zijn. Rutherford keek me verontschuldigend aan en liet zijn omvangrijke achterste vlak naast me op de bank zakken, waardoor een allergiewolk ontstond die de zaak nog eens aanzienlijk verergerde. Ik haalde snel mijn zakdoek tevoorschijn, en zag kans hem nog net vóór de volgende nies voor mijn neus te houden, waar ik hem voorlopig maar even liet zitten, en beet hard op mijn tong tot ik eindelijk kans zag weer enigszins tot mezelf te komen. Toen ik mezelf weer in de hand had, keek ik op en merkte voor het eerst dat we niet alleen waren.

Aan de overkant van het vertrek zat een vrouw die de pensioengerechtigde leeftijd reeds lang was gepasseerd. Ze was veel te zwaar, had gezwollen enkels en polsen, en was misschien wel tachtig. Ze droeg een ochtendjas met blauwe bloemetjes, of een soort velours peignoir, en er lagen een stuk of wat plaids op haar schoot. Boven op die plaids lag de directe oorzaak van mijn ongemak, een reusachtige rode kat met zo'n opgezwollen lijf dat het leek alsof hij tijdens zijn laatste ontdekkingstocht buiten in handen was gevallen van een op hol geslagen tiener die het dier onder dwang helium had gevoed. Het schepsel tilde nauwelijks zichtbaar zijn kop op, bekeek ons heel even, begroef zijn neus toen weer tussen zijn voorpoten en sloot zijn ogen, volkomen tevreden met zijn ligplaats en in de wetenschap dat hij zonder ook maar één spier te verroeren grote hoeveelheden verontreinigende stoffen verspreidde.

Ik liet mijn zakdoek zakken en slaagde erin mijn gezicht zodanig te vertrekken dat er iets van een glimlach ontstond, hoewel mijn pogingen geen enkel effect op het oude vrouwtje leken te hebben, en ik begon me af te vragen of ze ons eigenlijk wel kon zien. Haar ogen waren niet veel groter dan speldenknoppen, als kleine smaragdgroene oorknopjes die door de jaren heen doffer waren geworden. Ze leken gefocust te zijn, zij het zeer willekeurig, op een punt op de muur zo'n halve meter boven Rutherfords hoofd. Ik keek omhoog, en Rutherford deed hetzelfde, maar geen van beiden zagen we wat haar belangstelling daar vasthield, afgezien dan van een oninteressant stuk vierkant behang. Nadat we een blik met elkaar hadden gewisseld, richtten we onze aandacht weer op de verzorgster.

'Karine,' zei de verzorgster op monotone toon, waarbij ze de oude vrouw aansprak alsof ze haar best deed een verlegen kind zover te krijgen dat het zich wat meer openstelde voor het bezoek. 'Karine,' herhaalde ze, en ze keek ons met een lege blik in haar ogen en handenwringend aan.

Ik keek weer naar de oude vrouw. Afwezig kneedde ze in een rol kattenvlees dat ze tussen haar vingers geklemd hield. Had ze eigenlijk wel in de gaten dat we er waren? Ik kreeg de indruk dat ik vlak naast haar oor een opgeblazen papieren zak kon laten knallen zonder dat ze met haar ogen zou knipperen.

'Is mevrouw doof?' vroeg ik.

De verzorgster schudde haar hoofd.

'Praat ze wel eens?'

'Soms wel.' Het lukte de verzorgster heel even te glimlachen. 'Ik geloof niet dat ze veel bezoek krijgt.'

Dat vermoedde ik al. Ze klampte zich aan de kat vast alsof die haar enige metgezel in het hele universum was, en keek grimmig en met samengeknepen lippen voor zich uit, alsof haar stoel zich op een reusachtige roetsjbaan bevond en elk moment voorover kon klappen.

'Werkt u hier al lang?' vroeg Rutherford aan de verzorgster, een andere benadering proberend.

'Nog maar een maand,' zei ze schouderophalend.

'Weet u iets van haar zoon? Praat ze wel eens over hem?'

'Ja. Dit is hem,' zei ze, blij eindelijk eens van dienst te kunnen zijn, en ze stak haar hand uit naar een teakhouten bijzettafeltje dat tegen de muur stond en waarop één enkele foto stond. Ze gaf de ingelijste foto aan Rutherford, en met z'n tweeën keken we aandachtig naar de man die erop stond afgebeeld.

De Louis Rijker van de foto had dezelfde leeftijd en bouw als Rutherford, maar dan met iets meer haar, hoewel er op zijn kruin al een kalend plekje ter grootte van een behoorlijk muntstuk te ontwaren viel. Hij had donkere, borstelige wenkbrauwen die aaneen waren gegroeid en zijn tanden stonden schots en scheef, en hier en daar ontbrak er een. Maar wat me het meest bij hem trof, net als bij zijn moeder, waren zijn ogen. Op de foto keek hij recht in de camera, maar je kreeg onwillekeurig het gevoel dat er iets ontbrak. Om het maar eens cru te zeggen, Louis Rijker zag er niet bepaald uit als de slimste Hollander die ooit het levenslicht had gezien.

'Heeft ze nog andere familie?' vroeg ik.

'Ik geloof van niet,' zei de verzorgster, en ze wierp een treurige blik op haar patiënte.

'Is ze ziek?'

'Een beetje. Haar hart, begrijpt u,' en ze klopte een paar keer op haar eigen borst.

'En haar hoofd?' vroeg ik, terwijl ik met een vinger een rondje ter hoogte van mijn slaap beschreef.

'Dat werkt nog prima. Ze zegt soms wel eens iets.'

'Over haar zoon?'

'Nee. Soms over het weer. Of over Annabelle.'

'Annabelle?'

'De kat.'

Ik snoof eens, alsof mijn neus alleen al bij het noemen van dat schepsel opnieuw in opstand zou kunnen komen.

'Misschien dat als u morgen terugkomt, ze wél bereid is iets tegen u te zeggen,' suggereerde de verzorgster.

'Ja,' zei ik instemmend knikkend, en ik stond op. 'Misschien hebt u gelijk.'

Ik keek de verzorgster geruststellend glimlachend aan, en wachtte tot ook Rutherford ging staan. We waren alweer op weg naar de voordeur toen me plotseling nog iets te binnen schoot. Ik stak mijn hand naar de verzorgster op, ritste mijn jaszak open en haalde een van de twee apen-beeldjes die ik bij me had tevoorschijn. Toen liep ik weer naar de oude dame en ging ik op mijn hurken voor haar zitten, waarbij ik mijn best moest doen om niet voor de kat terug te deinzen.

'Herkent u dit?' vroeg ik haar zacht, terwijl ik het aapje vlak voor haar hield en het langzaam ronddraaide. 'Heeft Louis iets dergelijks wel eens in zijn bezit gehad?'

Vervolgens begon ik het beeldje voor haar heen en weer te bewegen, alsof het om een zakhorloge van een hypnotiseur ging. Van links naar rechts, van rechts naar links. Geleidelijk aan zorgde de beweging ervoor dat de vrouw gebiologeerd raakte, en toen, toch nog vrij plotseling, als een televisietoestel dat een ogenblik lang een kristalhelder signaal door-kreeg, richtte de oude vrouw haar blik rechtstreeks op het beeldje. Haar ogen lichtten op, waarbij de irissen zich openden als bloempjes die tot volle bloei kwamen, en ze maakte een trillende hand los van de kat, bracht hem omhoog om het aapje aan te raken. Ze greep naar mijn vin-gers en nam het beeldje van me over, maar net toen ik losliet verloor ze haar grip erop en viel het aapje op de grond. Ik raapte het op, maar toen ik weer opkeek was de niets ziende blik weer bij haar teruggekeerd.

'Wilt u het vasthouden?' vroeg ik, terwijl ik haar hand pakte en haar klamme vingers openvouwde, waarna ik het beeldje op haar handpalm legde. Maar haar hand was slap. Ik probeerde haar vingers rond het beeldje te sluiten, maar het had geen zin, er zat nog steeds totaal geen le-ven in.

'Betekent dit iets voor u? Weet u wat het is?'

Er kwam geen antwoord. Ik had voor hetzelfde geld tegen een was-sen beeld kunnen praten.

'Kom op,' zei Rutherford achter me, en hij legde een hand op mijn schouder. 'Dit is zinloos.'

'Morgen misschien,' suggereerde de verzorgster opnieuw.

'Ja,' wist ik uit te brengen. 'Morgen.'

Eenmaal buiten op straat, ver van de kat verwijderd, haalde ik een paar keer diep adem om mijn luchtwegen weer schoon te vegen, stopte het aapje in mijn zak en keek Rutherford met fronsende wenkbrauwen aan.

'Denk jij dat ze überhaupt weet dat we bij haar op bezoek zijn ge-weest?' vroeg ik.

'Volgens mij niet.'

'Volgens mij ook niet.' Ik zoog opnieuw mijn longen vol lucht, keek om me heen en schudde somber mijn hoofd. 'Het ziet ernaar uit dat ik je kostbare tijd heb verspild.'

'Nee, absoluut niet,' verzekerde hij me, en hij legde een arm op mijn rug. 'Ik weet toevallig een perfect plekje in de buurt waar we kunnen lunchen.'

21

Nadat we in een nabijgelegen patisserie wat gegeten hadden, namen we afscheid van elkaar en ging ik opnieuw op zoek naar Marieke. Ze was aan het werk achter de bar van café De Brug, had haar haren met een schildpadclip opgestoken, terwijl ze rond haar slanke middel een witte schort droeg. Ze maakte een nerveuze indruk toen ik naar binnen liep, voor het eerst sinds we elkaar hadden ontmoet, en enigszins onzeker hoe ze moest reageren. Het duurde enkele ogenblikken voor ze besloten had welke houding ze zou aannemen en ze viel uiteindelijk terug op haar normale doen: humeurig.

Er was maar één andere klant in het café, een oude man in een dik paardenharen jack met een eenvoudige wollen muts op en een glaasje rum voor zich op het tafeltje. We knikten elkaar kort toe toen ik het lokaal binnen stapte, maar hij wendde zijn schuchtere blik weer snel van me af. Hij streek met zijn tong langs zijn lippen en tuurde naar zijn rum, alsof hij zichzelf ertoe zou verleiden de hele middag aan zijn slok rum te blijven zitten.

'Een biertje graag,' zei ik haar. 'En kijk me niet zo aan. Ik bén niet de grootste vergissing die je in je leven gemaakt hebt.'

Zonder iets te zeggen pakte ze een klein glas van de plank boven de bar en begon die aan de tap te vullen. Op het bier verscheen een dikke schuimlaag, waarvan ze het gedeelte dat boven de rand van het glas uittorende met een plastic spatel wegstreek. Ik nam een slok en zag dat ze me aandachtig opnam. Dit had ze niet verwacht en ik zag aan haar dat ze geen idee had wat ze ervan moest denken. Was ik nou alleen maar de een of andere stomme Engelsman die smoorverliefd op haar was geworden, of was ik hier om een heel andere reden?

'Prima bier,' zei ik. 'En het glas is schoon en de service is onberispelijk. Je mag best trots op jezelf zijn.'

Dat resulteerde in een grijns. In elk geval verdween die woedende blik heel even van haar gezicht.

'Hoeveel jaar denk jij nog dat je hier voor de boeg hebt? Twee, drie misschien, voor je ermee ophoudt en trouwt met de een of andere rijke knaap zonder hersens?'

Een grijns én een woedende blik! Wie had dat gedacht?

'Ik bedoel, dat moet toch het plan zijn, niet? Ervan uitgaande dat je die diamanten écht bent misgelopen.'

Verbazingwekkend, hè, wat één woord met het gezicht van iemand kan doen? Dat van Marieke werd van het ene op het andere moment volkomen uitdrukkingsloos. De verbittering en het wantrouwen verdampten, waardoor alleen verbazing overbleef, alsof haar gezicht opnieuw werd opgestart terwijl het wachtte op de volgende serie instructies die nog naar het netwerk van spieren vlak onder haar huid verstuurd moest worden. Lang bleef ze zo niet, maar het was duidelijk dat ik op het goede spoor zat.

'Michael is ermee aan de haal gegaan, hè? Het gerucht deed de ronde dat hij jaren geleden er met een heel fortuin vandoor was gegaan, dus wie weet wat die spullen vandaag de dag waard zijn?'

Ze tuitte haar lippen en probeerde zorgeloos naar buiten te kijken, voorlopig nog niet bereid iets te zeggen.

'Wat ik niet begrijp is wat die aapjes met dit alles te maken hebben. Of waarom je ze alle drie wilde hebben. Heb je zin om me daar wat meer over te vertellen?'

'Waarom zou ik?'

'Het zou wel eens in je eigen belang kunnen zijn.'

'Maar je hebt die aapjes niet eens meer. Je hébt niet eens meer iets wat van belang voor mij zou kunnen zijn.'

'Jij moet eerst high zijn, klopt dat?'

Haar lip vertrok. Dat vond ik niet erg. Ik zou de hele dag naar haar lippen kunnen kijken.

'Die beeldjes,' zei ik, 'heb ik ooit in mijn bezit gehad. Ik stel me zo voor dat ik er opnieuw de hand op moet kunnen leggen.'

'Hoe zou je dat voor elkaar willen krijgen?'

'Tja, dat is mijn probleem. De vraag is alleen, hoeveel is het je waard? En voor je dat mocht denken, die twintigduizend euro is echt niet voldoende. Ik wil de helft van de diamanten.'

Ze wierp plotseling een blik in de richting van de oude man, en keek toen mij weer aan.

'Praat wat zachter alsjeblieft.'

'Met alle plezier,' zei ik. 'Maar je hebt nog steeds geen antwoord op mijn vraag gegeven.'

'Ik kán je de helft niet geven. Jij hebt niets met die dingen te maken.'

'Jij dan wel? Luister, je mag dan met Michael naar bed zijn geweest, maar volgens mij was het geen liefdesrelatie.'

'Daar weet jij niets van,' merkte ze op.

'Vertel maar op, dan.'

Ze staarde me chagrijnig aan, haalde diep adem en knipperde een paar keer met haar ogen. Toen keek ze opnieuw door het raam naar buiten, maar deze keer zonder haar blik scherp te stellen, en ze liet met een lichte zucht haar adem ontsnappen. Ik zag dat ze haar vingers gekruist op de bar legde, maar kon niet zeggen of dat een welbewust gebaar was of niet. Ik maakte mijn blik snel weer van haar vingers los, want het was vooral haar gezicht dat mijn aandacht trok. En profil zag ze er zo elegant uit, als een jonge adellijke monarch op een postzegel. Plukjes blond haar op haar gebruinde slapen, de nog net zichtbare sproeten op haar wangen. En dan die lippen, delicaat en ietwat omhoog gekruld, wachtend op een dwaas die stom genoeg was om zich daardoor te laten obsederen.

'Hoe ben je met Michael in contact gekomen?' vroeg ik. 'Hij was volgens mij nog maar een paar dagen uit de gevangenis, toch?'

'Hij schreef me brieven,' zei ze. Ze draaide zich naar me om en zei op een ontwapenend monotone manier: 'Lieve brieven.'

'En jij schreef terug?'

'Ja, waarom niet?'

'Hij was een moordenaar. Dat kon jou niet schelen?'

'Daar hebben we het nooit over gehad.'

'Hebben jullie het over de diamanten gehad?'

Ze schudde haar hoofd. 'Niet in de brieven. Die worden door de bewaarders gelezen.'

'Dus jullie hebben elkaar ook persoonlijk ontmoet?'

Marieke deed even of ze niets had gehoord. Toen reikte ze omhoog naar de plank boven haar hoofd en pakte een glas. Ze vulde het glas met leidingwater uit de kraan boven de spoelbak en nam een slokje. Haar handen trilden niet, in de verste verte niet, maar het water leek haar in enige mate te kalmeren.

'Ik heb er gewerkt,' zei ze uiteindelijk.

'In de gevangenis?'

'Twee jaar lang. In de keuken.'

'En dan kreeg je, elke keer dat je een prak aardappelpuree op zijn bord kwakte, een stuk van zijn verhaal te horen?'

'Stommeling. Jij vraagt me hoe we elkaar hebben leren kennen, en dan maak je dat soort stomme opmerkingen.'

'Dat is een slechte gewoonte van me, je hebt gelijk. Ga door.'

Ze nam nog een slokje water en depte vervolgens met haar vingertoppen haar lippen. Ik wachtte rustig af, terwijl zij haar lip tussen twee vingers nam en er zachtjes in kneep. Uiteindelijk hervatte ze haar verhaal.

'Michael was... hoffelijk. En hij was ook anders, een Amerikaan in een Nederlandse gevangenis. Hij sprak graag met de koks en de bewaarders, met mensen die buiten de gevangenis woonden.'

Ze zweeg even, half en half verwachtend dat ik haar zou onderbreken met de een of andere spottende opmerking, maar ik wist me te beheersen.

'Hij vroeg me van alles, wat ik de vorige dag had gedaan, bijvoorbeeld. Of wat ik ik het komende weekend ging doen. Hoe het weer zou worden. In wat voor auto ik reed. Of ik vaak naar Amsterdam ging. Ik werd uiteraard niet geacht op dat soort vragen antwoord te geven. Ze zeiden dat dat gevaarlijk was.'

'Als een gevangene te veel van je af wist?'

'Of als ze je aardig vonden. De kans bestond dat ze je zouden vragen bepaalde dingen voor ze te doen, dingen voor ze mee te nemen.'

'Heeft Michael dat soort dingen ook wel eens aan je gevraagd?'

'Nooit.'

'Maar hij heeft je wel brieven geschreven?'

'Aanvankelijk niet. Toen ik daar werkte stelde hij me dit soort vragen wel. Maar toen raakte ik mijn baan kwijt.'

'Hoe is hij dan in contact met je gebleven? Had je hem je adres gegeven?'

'Nee,' zei ze, en ze schudde haar hoofd. 'Ik heb het initiatief genomen.'

'Jij?'

Ze haalde haar schouders op. 'Nadat ik daar was weggegaan, miste ik zijn vragen. Ik miste het hem de dingen te vertellen waarnaar hij vroeg. En ik wist niet of er iemand anders was die zijn vragen kon beantwoorden. Ik werd triest als ik daar aan dacht. Dus heb ik hem een bezoek gebracht.'

'En hij sprak vrijuit tegen je?'

'Hij voelde het net zo. Hij was... hoe zal ik het zeggen... gevoelens voor me gaan koesteren.'

'Handig.'

'En toen vertelde hij me over de diamanten.'

'Ik neem aan dat je net hebt gedaan of je verrast was, hè? Alleen wist je natuurlijk allang van het bestaan af, niet? Ik bedoel, je hebt alleen maar aan iemand in de gevangenis hoeven vragen waarom hij achter de tralies zat, of oude kranten hoeven raadplegen. Misschien heb je dat al gedaan vóór hij tegen je begon te praten. Zoals je al zei, een Amerikaan die in een Nederlandse gevangenis zit opgesloten, bepaald alledaags is dat niet.'

Ze wachtte tot ik uitgesproken was, bevestigde het niet, maar ontkende ook niets. Dat hoefde ook niet. Wat mij betrof viel het allemaal op zijn plek.

'Hij heeft je waarschijnlijk niet verteld waar ze waren, daar was hij te voorzichtig voor. In twaalf jaar tijd leer je heel geduldig te zijn.'

'Hij heeft me verteld dat hij ze had.' Ze ging zachter praten en boog zich over de bar wat dichter naar me toe. 'Hij zei dat het om heel wat diamanten ging,' fluisterde ze. 'Ze waren alleen nog niet bewerkt.'

'Je bedoelt geslepen?'

'Geslepen, ja.'

'Daarom kon hij ze niet onmiddellijk doorverkopen. Hij had een heler nodig. En dan denk ik aan iemand in Parijs.'

'Sorry?'

'Niets. Ga door.'

'Veel meer heb ik niet te vertellen. Nadat ik bij hem op bezoek was geweest begon hij me brieven te schrijven, en ik schreef terug. Dat speelde zich allemaal vrij kort voor zijn vrijlating af.'

'Logisch. Je wilde niet het risico lopen dat hij zijn belangstelling voor jou zou verliezen.'

'Toen hij werd vrijgelaten, kwam hij naar Amsterdam.'

'En jij zorgde voor het welkom waarop hij had zitten wachten. En daarna fluisterde hij lieve woordjes in je oor, om je uiteindelijk te bekennen dat de hand leggen op de diamanten toch wat minder eenvoudig was dan jij had gehoopt. Er waren beeldjes van apen die een rol in het geheel speelden, plus de andere mannen die die dingen in hun bezit hadden. Dat moet een hele teleurstelling voor je zijn geweest.'

Ze trok haar lippen tot een smalle streep. 'Zo is het helemaal niet gegaan.'

'O, ik denk van wel. Maar als je wilt mag je aan de Disneyversie vasthouden. De vraag waar het echt om draait zijn de aapjes, toch? Heeft hij je toen al verteld waar ze precies voor stonden, of heb je nog een tijdje op hem moeten inpraten?'

'Hij heeft me alles verteld,' zei ze, en ze ging recht overeind zitten. 'Meer dan hij aan jou heeft verteld.'

'Ongetwijfeld. Maar ik ben dan ook alleen maar door hem ingehuurd. Jij was de ware liefde voor hem.'

Er verscheen een grimmige uitdrukking op haar gezicht. 'Jij werd geacht hem die beeldjes te bezorgen. We stonden op het punt uit Amsterdam te vertrekken.'

'Mét de diamanten?'

'Uiteraard.'

'Dus ze bevinden zich nog steeds in de stad?'

Ze knikte en sloeg haar ogen ten hemel ten teken dat dat toch iets zeer voor de hand liggends was.

'Waar?'

Op dat moment ging de deur van het café open en stapte de jongeman naar binnen die ik eerder die week al een keertje achter de bar had zien staan. Hij kreeg me onmiddellijk in het oog en bleef even staan, terwijl hij zijn jas nog maar voor de helft had opengeritst. Hij zei op onvriendelijke toon iets in het Nederlands tegen Marieke, en dat was voor de oude man voldoende reden om zich van zijn rum af te wenden en mij vragend aan te kijken. Maar ik hoefde niet met een reactie te komen, want dat deed Marieke al voor me. En wat ze ook tegen hem had gezegd, hij nam er genoegen mee, en nadat hij me nog een keertje woedend had aangekeken ging hij via een deur naar een ruimte achter de bar.

'Wat heb je tegen hem gezegd?' vroeg ik, terwijl ik me op mijn kruk naar Marieke omdraaide.

'Als je mij de aapjes bezorgt zal ik het je vertellen,' zei ze, terwijl ze een blik wierp op de deur waardoor haar collega was gegaan. 'Hoe zou ik je anders ooit kunnen vertrouwen?'

'Jij wilt in onze relatie het element vertróúwen een rol laten spelen? Vind je het daar niet een beetje te laat voor?'

'Niet als je mij die aapjes brengt.'

'Uit jouw mond lijkt het allemaal zo eenvoudig.'

Ze keek me ernstig aan. 'Maar als het je lukt ze in handen te krijgen, moet je ze niet in je appartement achterlaten. Breng ze dan maar hierheen.'

'We zullen zien,' zei ik haar. 'Je weet maar nooit, misschien ontdek ik zelf wel waar die dingen ergens zijn, dan kan ik alle diamanten voor mezelf houden.'

Ze klemde haar kaken op elkaar.

'Wat nou? Denk je soms dat ik grapjes zit te maken?'

Ik kwam van mijn kruk en knoopte mijn jas dicht. Toen stak ik mijn handen in mijn zakken en maakte bij wijze van afscheid een buiginkje. Het voelde prettig aan, zij het misschien een tikkeltje kinderachtig, om over de verdwenen apenbeeldjes te praten en met het aanbod te komen naar ze op zoek te gaan, terwijl ik tegelijkertijd twee van die dingen in mijn zak had zitten en mijn vingers eromheen had geklemd. Ik kwam bijna in de verleiding ze tevoorschijn te halen en er grijnzend mee voor haar gezicht te zwaaien, maar ik wist me te beheersen. Ik wist nog steeds niet precies hoeveel ze nog kon hebben.

Buiten was het al gaan schemeren, waardoor de temperatuur een paar graden was gezakt en de straatlantaarns langs de gracht waren aangesprongen. Toen ik op mijn horloge keek, zag ik dat het al bijna half zes was, en omdat ik geen zin had om in een tram vol forensen platgedrukt te worden keek ik om me heen, op zoek naar het dichtstbijzijnde fietsenrek. Een eindje verderop zag ik er een, ik liep ernaartoe en kwam onmiddellijk tot een keus: een lichtblauw rijwiel met jasbeschermers en een mandje voor op het stuur. De stalen ketting waarmee het voorwiel van de fiets aan het rek was bevestigd, was van een modern hangslot voorzien, maar nog vóór mijn vingers gevoelloos konden worden had ik mijn picks al tevoorschijn gehaald en sprong het slot open. Ik maakte de ketting weer aan het rek vast, bevrijdde de fiets van de wirwar aan pedalen en sturen die zich eromheen geslingerd leken te hebben, en nam hem aan de hand mee naar de rand van het trottoir, waar ik aanstalten maakte mijn been over het zadel te zwaaien en weg te fietsen.

Maar voor ik dat kon doen, kwam er een wit bestelbusje uit een nabijgelegen parkeerplaats geschoten om vervolgens recht op me af te komen. De chauffeur deed geen enkele poging uit te wijken, maar ging in plaats daarvan plotseling op de rem staan en bracht het busje met gierende banden vlak voor me tot stilstand, waardoor me de pas afgesneden werd. De portieren van het busje vlogen open.

Ik kende alle clichés over chauffeurs van witte bestelbusjes, maar de roekeloosheid van deze operatie verbijsterde me en het duurde even voor ik in de gaten had wat er precies gebeurde en ik in staat was de confrontatie met de chauffeur aan te gaan. Maar de confrontatie die volgde was van een heel andere soort dan ik verwachtte, want de twee mannen die de auto uitsprongen hadden bivakmutsen op, en een van hen had een honkbalknuppel over zijn schouder. Ik deed mijn mond open om iets te zeggen, maar voor ik de woorden kon uitspreken, stak de man de knuppel naar voren en dreef hem diep in het zachte gedeelte van mijn plexus solaris. De pijn schoot door me heen en schakelde me direct uit. Hij explodeerde vanuit mijn borst in de richting van mijn vingertoppen, waardoor ik de fiets los moest laten en ik van het ene op het andere moment geen adem meer kreeg. Mijn benen begaven het en ik viel op mijn knieën op het klinkerplaveisel, terwijl de fiets naast me neer kletterde. Ik keek op, hapte naar adem, om te zien hoe de man de knuppel voor de tweede keer op me liet neerkomen. Maar toen hij me opnieuw raakte voelde ik helemaal niets meer.

22

De aktetas wilde niet dicht. Ik drukte hard op de klep en was druk in de weer met de klemslotjes, maar ik slaagde er niet in ze vast te klikken. Er zat iets in de weg. Ik liet de aktetas op de grond vallen en drukte er opnieuw uit alle macht op. Toen de obstructie van geen wijken wist, ging ik met beide voeten op de tas staan en begon er woest op op en neer te springen. Er zat enige speling in de klep, maar niet voldoende. Ik besloot de aktetas weer open te doen en de hand van Arthur de butler een beetje anders neer te leggen, maar toen ik de klep opengooide was er helemaal geen hand te zien: er zat het hóófd van een man in. De man keek me smekend aan, zijn pupillen kropen bijna uit de spleten van zijn bivakmuts tevoorschijn, en hij kreunde. Het gekreun van de man werd steeds hardnekkiger, en het volgende moment begon het hoofd te schudden, alsof het iets probeerde te zeggen, maar daartoe niet in staat was. Ik reikte naar beneden en duwde mijn vingers langs zijn lippen en voelde in de vochtige holte van zijn mond tot ik op iets hards stootte. Ik greep het zo stevig mogelijk vast en begon te trekken. Een beeldje in de vorm van een aap gleed uit zijn mond, glibberig van zijn kwijl. Ik bracht het beeldje naar mijn neus en rook eraan. Een zoete, peperachtige smaak steeg naar mijn neusholten op en klauwde zich in mijn brein. Toen gingen mijn ogen met een ruk open en de man die mijn hoofd bij mijn haar overeind hield, duwde opnieuw een dosis reukzout onder mijn neus.

Hij gaf me op de koop toe nog een klap in mijn gezicht, en ik mompelde iets wat mijn droge lippen weigerden te articuleren. Ik maakte met behulp van mijn wangen wat speeksel aan, slikte dat door en op dat moment voelde ik me misselijk worden. Plotseling en onstuitbaar joeg er een oververhitte schokgolf van mijn borst naar mijn hersenpan, waardoor mijn voorhoofd in een gloeiend hete plaat veranderde. Mijn oren klapten open en ik begon te kokhalzen.

De man liet mijn haar los, bracht zich met een sprong in veiligheid en maakte een grommend geluid toen ik de laatste resten van mijn gal uitspuwde. Ik wilde wanhopig graag met mijn hand mijn lippen schoonvegen en het zweet van mijn gezicht en voorhoofd wissen, maar merkte dat ik dat niet kon omdat mijn handen aan de achterkant van de plastic stoel waarop ik zat waren vastgesnoerd. Ook mijn voeten waren vastgebonden, aan de stalen poten van de stoel. De hitte was ondraaglijk. Ik wilde al mijn kleren van mijn lichaam rukken en me in een ijskoud zwembad storten, wilde niets liever dan afgespoten worden met ijskoud water. Ik draaide me versuft in de richting van de man en stond op het punt hem om hulp te vragen, maar toen ik mijn smerig smakende lippen open wilde doen om iets te zeggen, werd het wazig voor mijn ogen en merkte ik dat ik in een lange, mistige tunnel tuurde die alleen maar naar bewusteloosheid leidde.

Toen ik voor de tweede keer bijkwam, hield de man mijn hoofd naar achteren en goot hij water in mijn keel. Ik kokhalsde en proestte, en moest bijna opnieuw overgeven. De man probeerde nog meer water in mijn mond te schenken, maar ik schudde kreunend mijn hoofd, en stootte het glas weg. Hij deed een stap naar achteren en keek me een ogenblik lang aandachtig aan, en riep over zijn schouder iets in het Nederlands naar zijn kompaan, die net het vertrek binnen was komen lopen. Beide mannen hadden een spijkerbroek en een leren jasje aan, en het haar van de dunne man was geplet en in de war vanwege de bivakmuts die hij op had gehad. De dikke man was kaal. Ik had dit tweetal slechts één keer gezien, in het café, samen met Michael, maar sinds die keer had ik vaak genoeg aan ze moeten denken, en ik wist onmiddellijk wie ze waren.

Een sterke geur drong mijn neusgaten binnen en ik keek naar beneden, en zag dat mijn braaksel nog steeds vlak voor me op de vloer lag. Ik keek weer op en nam het vertrek waarin ze me vasthielden in me op. Hier was ik al eens eerder geweest. De matras en het beddengoed waren nog steeds aan flarden en geruïneerd, terwijl de houten hutkoffer nog altijd op precies dezelfde plek stond als daarvoor, en ook het luik naar de vliering zat nog op dezelfde plaats, recht boven de hutkoffer. Op de kale vloer, een klein eindje verwijderd van mijn vloeibare maaginhoud, lagen twee beeldjes van apen.

De mannen zagen me naar de beeldjes kijken en zeiden iets tegen elkaar. Toen boog de dunne man zich voorover, griste ze van de grond, stak ze in de zak van zijn leren jasje, deed de rits ervan dicht en keek me behoedzaam aan, alsof ik alsnog in staat zou zijn om ze pal voor hun ogen te stelen. Ik had geen flauw idee hoe ze dachten dat ik dat voor elkaar zou moeten krijgen. Alleen al de druk op mijn borst vanwege de op mijn rug vastgebonden armen was voldoende om me elke keer dat ik ademhaalde te doen huiveren van de pijn. Mijn borst voelde op de plek waar hij door de honkbalknuppel was geraakt rauw en overgevoelig aan, en ik was bang dat minstens een van mijn ribben gebroken was. Wat dat betreft was het misschien wel goed dat ik mijn armen niet kon bewegen, want dat betekende ook dat mijn verwondingen niet konden verergeren. En ik kon ook mijn handen niet omhoog brengen om te voelen hoe ernstig de achterkant van mijn schedel eraan toe was. Maar goed, ik had wel plezieriger avonden meegemaakt.

'Jij bent een Engelsman,' zei de dikke man uiteindelijk.

Ik knikte en huiverde toen het vertrek opzij leek te kantelen.

'Weet jij wie we zijn?'

Deze keer schudde ik behoedzaam mijn hoofd.

'We kennen jou. Charlie Howard. Je bent schrijver.'

'Ja,' wist ik uit te brengen.

'En een dief.'

Ik keek hem een even aan. Zijn ogen lagen diep in de kassen en waren erg donker. Hij had zijn hoofd tussen zijn omvangrijke schouders getrokken, ademde door opvallend brede neusgaten en wachtte op mijn reactie. De dunne man liet zijn blik tussen ons beiden heen en weer schieten, als een gretige toeschouwer bij een of andere bloederige sportwedstrijd. Ik sloeg mijn ogen neer en moest alle mogelijke moeite doen om enigszins scherp te blijven zien, terwijl de dikke man zichzelf nog eens herhaalde.

'Je bent een dief. Jij hebt ons bestolen.'

'Dat was een vergissing,' bracht ik met een krakend stemmetje uit.

'Dat zeg je nu.'

Ik keek op. 'In feite zeg ik dat nu al ruim een week. Al sinds de avond dat jullie Michael hebben gedood.'

De dunne man draaide zich naar de dikke man om, duidelijk op het punt iets te gaan zeggen, maar de dikke man stak zijn hand op en snoerde hem de mond. Hij kwam op me af gelopen en ging op zijn hurken voor mijn stoel zitten, zodat zijn gezicht slechts enkele centimeters van het mijne was verwijderd. Hij trok zijn wenkbrauwen op, keek me diep in de ogen en wreef met zijn vingers langs zijn kin als een golfspeler die geconfronteerd wordt met een lastige putt. Even dacht ik dat hij me een klap zou verkopen, maar in plaats daarvan bleef hij rustig op zijn hurken zitten, zwijgend en langzaam ademhalend, terwijl hij probeerde iets in mijn gelaatsuitdrukking te lezen. Ik wist niet precies waar hij naar op zoek was en ik was te zwak om wat voor spelletje dan ook te spelen, dus liet ik hem alles van mijn gezicht lezen wat hij wilde. Uiteindelijk zette hij zijn handen op zijn dijen en kwam overeind.

'Jij gaat slapen,' zei hij, en met die woorden tilde hij zijn voet op, gestoken in een stevige hoge schoen, en gaf hij een harde trap tegen mijn stoel, zodat die omviel en ik met een harde klap op mijn zij terechtkwam, waarbij een felle pijnstoot zich door mijn borst verspreidde.

Op de een of andere manier lukte het me wat te slapen, maar dat duurde niet lang. Ik werd wakker door een tintelend gevoel in mijn arm. Het bloed was er helemaal uit weggetrokken, het lichaamsdeel was min of meer gevoelloos geworden en klopte. Ik klemde mijn kaken op elkaar en ging de strijd aan met de pijnsteken en -scheuten in mijn borst in een poging mezelf weer overeind te worstelen. Maar daar slaagde ik niet in. Ik lag onder een te lastige hoek. Ik drukte mijn voorhoofd tegen de grond en probeerde mezelf wat omhoog te wrikken, zodat het bloed weer een beetje in mijn arm kon terugstromen. Het hielp een beetje, maar ik hunkerde ernaar mezelf uit te strekken en eens flink met mijn arm te schudden.

'Hé,' riep ik, verrast door de paniekerige ondertoon in mijn stem. 'Hé, mijn arm doet pijn. Alsjeblieft. Het doet écht pijn.'

Vanuit de gang hoorde ik voeten mijn kant uit schuifelen.

'Alsjeblieft,' vervolgde ik. 'Help me in elk geval overeind. Er zit geen bloed meer in mijn arm.'

Ik zag bij de drempel van het vertrek een schaduw op de vloer verschijnen, maar die kwam niet dichterbij.

'Alsjeblieft, ik smeek jullie. Maak mijn armen los. Laat me ze even uitstrekken. Alsjeblieft.'

Er klonk opnieuw geschuifel, maar deze keer trok de schaduw zich terug. Vervolgens ging het licht in de gang uit en niet lang daarna begon ik te jammeren en mezelf te vervloeken. Ik had op dat punt aangekomen alles los kunnen laten, echt alle moed kunnen laten varen, maar in plaats daarvan werd ik kwaad. Ik vloekte en ik knarste met mijn tanden, en begon woest met mijn stoel heen en weer te schuiven, elke keer dat ik mezelf meer verwondde, schreeuwde ik de longen uit mijn lijf, en dat gebeurde steeds, totdat ik er op de een of andere manier in slaagde mezelf iets om te draaien en ik op mijn andere arm kwam te liggen. En zo lag ik, god mag weten hoe lang, met mijn gezicht tegen de stoffige houten vloer gedrukt, onregelmatig ademhalend, met een af en toe pijnlijk bonzende borst, terwijl de wond op mijn achterhoofd zich ontwikkelde tot een afschuwelijk bonkende hoofdpijn, tot – eindelijk – de dikke man en de dunne man de kamer binnen stapten en zich opnieuw over me heen bogen.

'Kom overeind,' zei de dikke man.

'Dat kan ik niet.'

Hij gebaarde ongeduldig naar de dunne man, en samen tilden ze me op en zetten ze de stoel weer op zijn poten. Ik had geen idee hoe laat het was, hoewel ik het idee had dat het ergens diep in de nacht of vroeg in de ochtend was. De dunne man zag er vermoeid uit, dus misschien was het inderdaad al zo laat. Maar in feite maakte het maar weinig uit.

'Vertel ons over de Amerikaan,' beval de dikke man.

Ik knipperde met mijn ogen in een poging mijn gedachten te ordenen.

'Hij heette Michael Park,' begon ik, terwijl ik voorzichtig mijn kaak bewoog en met mijn tong langs mijn lippen streek. Ik proefde nog steeds de azijnachtige slijmsmaak. 'Hij was net uit de gevangenis ontslagen. Hij is veroordeeld voor...'

'Ja, ja. Vertel ons nou maar hoe je hem hebt leren kennen.'

'Hij heeft me ingehuurd. Om die apenbeeldjes van jullie te stelen. Terwijl jullie een eetafspraak met hem hadden.'

'Je liegt,' zei hij, terwijl hij zijn arm omhoog bracht, alsof hij van plan was me een klap te geven.

'Nee,' zei ik, terwijl ik achteruitdeinsde. 'Dat is de waarheid, écht. Hij zei dat jullie hem zouden vertrouwen. Maar hij regelde wel een etentje met jullie, zodat ik die beeldjes kon stelen. Hij vertelde me waar jullie woonden en waar je die aapjes bewaarde.'

Hij liet behoedzaam zijn arm zakken. 'Waarom zou hij dat doen?'

'Dat weet ik niet. Maar hij was van plan om direct nadat ik hem die beeldjes had overhandigd uit Amsterdam te vertrekken.'

'Heeft hij je dat verteld?'

'Ja. En ik geloofde hem.'

De dikke man dacht even na over wat ik hem had verteld en de dunne man keek hem ondertussen aan, terwijl er op zijn ratachtige gezicht voortdurend zenuwtrekjes te zien waren en zijn dunne armen volkomen slap langs zijn zij hingen. Ik mocht de dunne man absoluut niet. Met de dikke man kon ik nog wel praten, maar op de een of andere manier had ik het gevoel dat de dunne man niet eens over een stel hersens beschikte, en dus ook niet logisch kon nadenken. Hij maakte een nerveuze indruk, voortdurend gespannen, hoewel ik de indruk kreeg dat hij gewoon zo was en dat het niets te maken had met de eventuele drugs waaraan hij wellicht verslaafd was.

'Hoe dan ook,' zei ik, in een poging met de dikke man in gesprek te blijven, 'wat maakt dat voor jou uit? Michael is dood en je hebt de drie aapjes.'

De dikke man trok opnieuw zijn hoofd tussen zijn schouders, alsof hij zich ergens voor schrap zette, en deze keer dacht ik echt dat hij een stap naar voren zou doen om me een klap te geven. Hij haalde diep adem en zijn omvangrijke torso zwol indrukwekkend op, en werd weer wat kleiner, terwijl hij zijn handen naast zijn zij liet hangen. Ik zag duidelijk hoe hij zijn vuisten balde, waarbij de huid rond zijn knokkels wit werd.

'Wat heb je over die aapjes te vertellen?'

'Het lijkt me allemaal nogal voor de hand liggend. Je hebt het beeldje gestolen dat Michael in zijn bezit had. Dat gebeurde nadat je hem mishandeld had, zodat hij zou vertellen waar hij het ergens verstopt had. En nu heb je ook de twee aapjes terug die ik van jullie heb gestolen.'

'Je hebt al eerder gezegd dat we hem gedood zouden hebben. Dat is niet waar.'

De dunne man schudde onrustig zijn hoofd.

'Nou, als júllie hem niet hebben gedood, wie heeft dat dan wél gedaan?'

'Jij,' zei de dikke man. 'Daarom heeft de politie jou gearresteerd.'

'Dat was een vergissing.'

'Nog een vergissing.' Hij draaide zijn hoofd nadrukkelijk van de ene naar de andere kant. 'De politieman die jou heeft gearresteerd, die Burggraaf, die máákt geen vergissingen.'

'Deze keer wel. Luister, wat er werkelijk is gebeurd, is het volgende: nadat ik de aapjes bij jullie had gestolen, ben ik inderdaad naar Michaels appartement gegaan, maar toen was hij al zwaargewond. Hij lag in het bad. Zijn vingers waren gebroken.'

De dikke man hield zijn adem scherp in en wendde zijn gezicht af, alsof hij terugschrok voor het beeld dat ik hem schetste. Bij de dunne man schoot heel even zijn tong uit zijn mond naar buiten, net als bij een hagedis.

'Heeft hij nog iets gezegd?'

'Nee.'

'Hij liegt,' zei de dunne man op besliste toon. 'Hij probeert ons te bedonderen.'

'Dat probeer ik níét,' reageerde ik. 'Het is de waarheid. Geloof me nou maar.'

De dikke man stak een hand op, ons beiden tot zwijgen brengend.

'Heb jij dat andere aapje dan niet?' vroeg hij.

'Hebben jullie dat dan niet?'

Hij keek me recht aan, probeerde opnieuw iets in mijn ogen te lezen. Deze keer deed ik precies hetzelfde. Waar hing dat derde aapje ergens uit? Als ik het niet had en dit tweetal had het niet, wie had het dan wel? En vertelden ze me de waarheid eigenlijk wel toen ze zeiden dat ze Michael niet hadden vermoord? Het was moeilijk te zeggen, mede gezien het feit dat ze me net met een honkbalknuppel hadden afgerost en me op een stoel hadden vastgebonden.

'Als jullie me nu eens,' vervolgde ik, 'lieten gaan, zodat ik achter dat derde aapje aan kan gaan? Ik heb een idee waar dat zou kunnen zijn.'

'Waar dan?'

'Ergens waaraan ik al veel eerder had moeten denken. Als jullie me laten gaan, vind ik het voor jullie en kom ik het je brengen.'

De dikke man grijnsde even en een mond vol vullingen werd zichtbaar. Hij slaagde er zelfs in een licht gegrinnik ten gehore te brengen.

'Je liegt. Je loopt linea recta naar de politie.'

'Geloof me nou maar, dat is wel het laatste wat ik zal doen.'

'Maar ik geloof je niet.' Hij knikte naar de dunne man. 'En mijn vriend hier zegt dat we je beter snel kunnen ombrengen. En ik begin zo langzamerhand het gevoel te krijgen dat hij gelijk heeft.'

'Nee, lúíster nou eens even. Ik wéét waar dat beeldje is.'

'Jij weet helemaal niets.'

Hij gebaarde naar de dunne man en ze liepen beiden het vertrek uit, waarna ze de deur achter zich dichttrokken.

Zodra ze vertrokken waren, ging ik weer verder met datgene waarmee ik bezig was geweest toen ze binnenkwamen. Als je er goed over nadenkt, ben je als inbreker eigenlijk ook een beetje een boeienkoning. Al die sloten, kettingen en boeien, ze werken in feite allemaal volgens dezelfde principes. Als inbreker gaat het erom dat je afgesloten ruimtes binnen komt, terwijl het er bij een boeienkoning om gaat daar weer úít te komen. Een personeelsconsultant zou kunnen opmerken dat de twee beroepen 'uitwisselbare vaardigheden' kennen. En dit alles is een omslachtige manier om te zeggen dat ik er eindelijk in was geslaagd om de touwen los te krijgen waarmee mijn handen achter de rugleuning van de stoel vastgebonden zaten.

Ik moet er onmiddellijk bij vertellen dat ik zodra ik weer bij bewustzijn was met die touwen in de weer was gegaan. Het deed wel vreselijk pijn aan mijn borst, en het buigen van mijn polsen en het verdraaien van mijn vingers terwijl mijn armen al gevoelloos begonnen te worden, was absoluut een pijnlijke bedoening, maar het was aanzienlijk beter dan over de kling gejaagd te worden. Dus ontwarde ik het touw en frummelde ik moedig verder aan de knopen, en na een paar uur slaagde ik er eindelijk in een opening te vinden en de eerste ervan los te peuteren. En vanaf dat moment was het meer van hetzelfde, alleen met iets meer speling in het touw en een fractie meer beweging in mijn polsen, totdat ik zover was dat ik al het touw van mijn polsen kon laten glijden. En dat behoedzaam weg laten glijden deed ik precies op het moment dat de dikke en de dunne man het vertrek verlieten en mij aan mijn lot overlieten.

Uiteraard was dat nog maar de eerste stap, en nadat ik heel voorzichtig mijn armen had uitgestrekt, de schuurplekken op mijn polsen had bekeken en weer een beetje leven in mijn handen had geschud, moest ik hetzelfde ritueel nog eens uitvoeren met de touwen om mijn benen. Maar deze keer kon ik zíen wat ik aan het doen was en welke problemen ik tegenkwam, en nadat ik de cruciale eerste knoop had weten los te werken, was het alleen nog maar een kwestie of ik nog voldoende tijd had om de klus af te maken vóór een van hen terug zou komen om me met de honkbalknuppel alsnog de genadeklap te geven.

Dat soort gedachten hielp niet echt. Integendeel, ze belemmerden me alleen maar bij mijn ontsnappingspoging, aangezien ik geneigd was het te snel te doen, met als enig resultaat dat de touwen in de war raakten. Het probleem was dat ik, ondanks dat ik me er zeer van bewust was dat deze werkwijze mijn vrijkomen behoorlijk vertraagde, me zulke grote zorgen maakte dat ik deze ontsnappingskans zou verprutsen, dat ik op dezelfde manier door bleef gaan; mijn vingers en duimen zwaaiden alle kanten op. Maar misschien dat de angst toch nog ergens goed voor was, want hij zorgde er ook voor dat ik geen tijd had om aan mijn verwondingen te denken. Aan iets anders denken dan aan pijn bleek van cruciaal belang, en ten slotte bevrijdde ik me van de laatste touwen en was ik in staat om enigszins wankel van de stoel op te staan en me voor te bereiden op de uitdaging om mezelf op de vliering te hijsen.

En inderdaad, mezelf omhoogtrekken was een ongelooflijk pijnlijke zaak, ik kan niet anders zeggen. De kans was groot dat ik met deze klimpartij mezelf alleen nog maar erger zou beschadigen – gezien de manier waarop ik mijn ribben moest belasten – maar door deze ervaring schoot wel het idee door me heen dat al die praatjes over mensen die in buitengewone moeilijke situaties extra kracht weten te verzamelen, wel eens waar zouden kunnen zijn. Want toen ik mezelf omhoogtrok deed ik dat zonder het uit te schreeuwen van de pijn, terwijl ik ook tijdens de scheuten die mijn bovenlichaam teisterden geen kik gaf.

En omdat het een zaak van leven of dood was, en ik denk dat dat ook letterlijk zo was, was het een reusachtige opluchting toen ik mijn elleboog en dijbeen over de rand van de luikopening sloeg en mijn hand onder de slordig aangebrachte vlieringisolatie stak. Ik ontdekte dat het pistool er nog steeds was, op exact dezelfde plaats waar ik hem had verborgen, precies zoals de dingen altijd zijn als de planeten op de juiste manier gecentreerd zijn en de goede God in een barmhartige bui is.

Niet dat ik op dat moment tijd had om aan dat soort dingen te denken, want ik werd te zeer in beslag genomen door het zo geluidloos mogelijk tasten naar de kolf van het pistool, waarbij ik op iets stootte wat aanvoelde als een verzonken knopje, dat ik met opeengeklemde kaken indrukte. Een complete houder met patronen schoot naar buiten. Dat was niet mijn bedoeling. Ik schoof de houder moeizaam weer in de kolf, en lokaliseerde een ander hefboompje, waarvan ik hoopte dat het de veiligheidspal was. Ik schoof het hendeltje omhoog, er gebeurde niets wat ik niet wilde, liet mijn benen toen weer door het luik zakken, zette me schrap, en liet me toen zo behendig mogelijk boven op de hutkoffer vallen.

Met het pistool als een nogal angstaanjagende zaklantaarn voor me uit gestoken liep ik naar de zijkant van het vertrek en bleef daar even staan luisteren naar eventuele geluiden waaruit zou kunnen blijken dat het tweetal me had gehoord. Ik luisterde ingespannen, maar er heerste alleen maar stilte en het enige wat ik hoorde was het geluid van mijn eigen oppervlakkige en in mijn keel raspende ademhaling. Ik stapte de gang in, richtte het pistool op de donkere ruimte recht voor me en liep met de loop voor me uit naar de tweede slaapkamer. De deur ervan was dicht. Ik wierp een snelle blik over mijn schouder, keek toen weer naar de deur en overwoog heel even hem open te trappen. Uiteindelijk stak ik mijn hand uit en duwde de deurkruk zo traag als ik kon omlaag, duwde de deur een fractie open en tuurde naar binnen.

Er brandde geen lamp in het vertrek. Na enkele angstige momenten pasten mijn ogen zich aan de schemering aan en ik zag nog net de contouren van de dunne man op het eenpersoons kampeerbed. Naast hem op de grond lag zijn leren jasje. Op mijn tenen liep ik op het jasje af en boog me voorover, waarbij ik voortdurend één oog op de dunne man gericht hield, en voelde net zolang in het jasje tot mijn vingers de apenbeeldjes gevonden hadden. Ze zaten nog steeds in de dichtgeritste jaszak. Ik durfde het risico niet te nemen hem open te ritsen, dus nam ik het hele jasje mee en verliet achteruitlopend het vertrek richting gang, waar de dikke man met een omhooggehouden honkbalknuppel me stond op te wachten.

Maar dat pistool had hij niet verwacht. Als hij het wél had verwacht, denk ik dat hij mij naast de deur zou hebben opgewacht, en me zodra ik naar buiten kwam een klap op mijn hoofd zou hebben verkocht. Maar in plaats daarvan stond hij recht tegenover me, bijna aan het einde van de gang, en toen hij de plafondlamp aanklikte moet hij hebben gedacht dat alleen de aanblik van de knuppel voor mij voldoende moest zijn om me over te geven. Toen ik mijn arm strekte en het pistool op hem richtte sperden zijn ogen zich wijd open. Vervolgens vernauwden zijn ogen zich weer en verscheen er een serie diepe rimpels in zijn voorhoofd.

'Maar we hebben je gefouilleerd,' protesteerde hij.

'Tja, dat zal je leren pistolen in te laten slingeren,' fluisterde ik terug. 'Iedereen kan ermee aan de haal gaan.'

'Maar...'

'Laat vallen,' onderbrak ik hem, en ik gebaarde naar de honkbalknuppel. 'En nou loop je achteruit. Kom op. Naar achteren.'

Hij aarzelde. Ik bracht het pistool met een rukje wat hoger. Langzaam zette de dikke man de knuppel naast zich neer op de grond, met de steel tegen de muur.

'Nee, op de grond,' snauwde ik hem toe.

De dikke man maakte aanstalten door de knieën te gaan. 'Nee, jíj niet,' zei ik. 'De knúppel. Leg hem op de grond neer.'

Hij deed wat ik hem opdroeg.

'Goed, en nou ga je erbij vandaan.'

Hij schuifelde naar achteren en ik wierp een korte blik op de voordeur. Ik zag dat die nogal provisorisch was gerepareerd, en dat hij niet was vervangen door een nieuwe. Maar op dat moment schreeuwde hij iets in het Nederlands in de richting van de tweede slaapkamer en even later liet de dunne man een onduidelijk antwoord horen. Ik schudde mijn hoofd en deze keer deed de dikke man er het zwijgen toe, maar het was al te laat. Ik liep de gang door en draaide me met een ruk om toen de dunne man achter me verscheen, met ogen die rood waren van de slaap, terwijl zijn mond op het moment dat hij mij zag, met in mijn ene hand een pistool en in de andere zijn jasje, van verbijstering openviel.

'Waar zijn de sleuteltjes van jullie bestelwagen?' wilde ik weten, terwijl ik het pistool dan op de een en dan weer op de ander richtte.

De dunne man was nog steeds te geschokt om antwoord te kunnen geven, en de dikke man probeerde tijd te rekken.

'Je sleuteltjes!' schreeuwde ik, met het pistool in de richting van de dunne man priemend, terwijl ik mijn vinger wat strakker om de trekker hield. 'Nú!'

Zwijgend gebaarde hij naar het jasje dat ik vasthield, en ik schudde eraan totdat ik de sleuteltjes hoorde rinkelen.

'Oké,' ging ik door, terwijl ik me weer op de dikke man richtte. 'Jij doet de deur open. Goed. En nu nog wat verder naar achteren. Verder. Nog een stukje. Oké.'

Ik wierp nog een laatste blik op de dunne man, alleen om me ervan te overtuigen dat hij niet dichterbij was gekomen.

'Als ik een van jullie op de trap hoor vóór ik hier weg ben, dan schiet ik. Begrepen?'

De dunne man stond daar maar, met wijd open mond, en keek steels naar zijn partner, maar de dikke man knikte en legde met een terloops gebaar zijn handen op zijn rug. Ik bewoog me behoedzaam in de richting van de deur, het pistool met een onzeker boogje van de een op de ander richtend. Zodra ik de drempel over was, draaide ik me snel om en holde naar de trap, en zo snel als mijn conditie dat toestond, rende ik, half springend en half struikelend de vijf trappen af. Tegen de tijd dat ik bijna beneden was haalde ik zwaar adem, voelde me licht in het hoofd en leek letterlijk het gevaar te bestaan dat mijn razendsnel kloppende hart elk moment uit elkaar kon spatten, maar ik hoorde nog geen voetstappen achter me aan komen. Ik bereikte de voordeur en kreeg het knipslot te pakken, rukte dat open en stormde de kille, donkere nacht in. Ik hield er zo goed mogelijk de pas in, terwijl ik ondertussen net zolang in de zakken van het leren jasje voelde tot ik de autosleuteltjes vond. Daarna holde ik naar de gracht en gooide ze in het water. Ik overwoog heel even het pistool ook in de gracht te gooien, maar uiteindelijk wikkelde ik het leren jasje eromheen, propte de bundel onder mijn arm en liep verder, op zoek naar het dichtstbijzijnde fietsenrek.

23

Ik bleef net lang genoeg in mijn appartement om wat kleren en mijn paspoort in een weekendtas te proppen, en mijn inbreekspullen mee te grissen. Ik stopte het pistool ook in de tas en stond op het punt het gebouw uit te hollen, toen ik toch even naar de badkamer liep om mijn verwondingen te bekijken. Voor de spiegel tilde ik mijn overhemd op en ik zag dat ik een akelige donkerblauwe plek midden op mijn borst had, alsof iemand een schietroos op mijn lijf geschilderd had. Toen boog ik mijn hoofd voorover en betastte voorzichtig het bloed dat in mijn haar was samengeklonterd. Ik draaide de koude kraan van het bad open en hield er een handdoek onder, en met de doorweekte lap depte ik voorzichtig zo veel mogelijk bloed weg zonder de wond weer te openen. Toen verwisselde ik mijn beblode overhemd voor een schoon sweatshirt, ik trok het leren jasje van de dunne man aan, waarin in de dichtgeritste zak nog steeds de apenbeeldjes zaten, en ging weer naar buiten. Op straat was geen spoor van de dikke en dunne man te bekennen, maar ik was niet van plan om hier in de buurt op ze te blijven wachten. In plaats daarvan beende ik met grote passen door de rosse buurt naar de St. Jacobsstraat en bereidde me voor op iets wat ik al een hele tijd geleden had moeten doen.

De voordeur van het gebouw zat nog steeds op dezelfde plaats als een kleine week geleden, toen Marieke me daar voor het eerst mee naartoe had genomen. Ik wierp een snelle blik op de deur en overwoog om met behulp van mijn inbrekersspullen het slot te forceren, maar ik aarzelde. Een opvallend aanplakbiljet van de politie dat het hier een plaats delict betrof, was op ooghoogte over een stuk of wat kleine affiches geplakt en er was nog steeds een kleine kans dat de deur in de gaten werd gehouden. En als ik toch via de voordeur naar binnen zou gaan, bestond de mogelijkheid dat ik tijdens de korte klim naar Michael Parks zit-slaapkamer op de bovenste etage een van de andere bewoners van dit gebouw tegen het lijf zou lopen. Ik drentelde wat rond voor het huis en dacht na. Uit de sekswinkel aan de ene kant van het gebouw steeg wilde, ritmische dansmuziek op, terwijl uit de coffeeshop aan de andere kant de een of andere raggae-ska te horen was. Hier bovenuit kon ik nog net de loeiende sirene van een ziekenwagen in de verte opvangen.

Goed beschouwd vond ik het niet prettig om de voordeur te nemen. Waarschijnlijk zou alles wel goed gaan, maar waarom zou ik tegen mijn instincten ingaan? Dus liep ik bij de deur vandaan en wandelde opnieuw door de St. Jacobsstraat, sloeg de eerste de beste zijstraat in en kwam uit bij de achterzijde van het gebouw. Daar aangekomen vond ik een donker hoekje waar ik mijn weekendtas kwijt kon, en waar ook een grote vuilcontainer stond die ik door het steegje rolde tot hij recht onder een overhangend stuk dakrand stond dat mijn aandacht had getrokken.

Ik klom op de container, zette een voet schrap tegen de zijmuur, en slaagde erin om met een soort springbeweging, die een hevige pijnscheut midden in mijn borst tot gevolg had, zo hoog te komen dat ik de rondlopende, met lood beklede dakrand van het appartement, die vlak onder Michaels achterraam uitstak, te pakken kon krijgen.

Zonder de adrenaline van een dreigende dood was het een hele toer mezelf omhoog te hijsen, en dat ging dan ook gepaard met hartgrondig vloeken en kreunen. Na die beproeving ging ik plat op mijn rug liggen en hield me volkomen stil, en tuurde naar de leisteengrijze wolken aan de nachtelijke hemel boven me. De wolken waren zwak iriserend in het schijnsel van het door de grote stad veroorzaakte natriumwaas, alsof de lucht een donkere, griezelige zee was waar fosforescerend plankton doorheen geweven was. Ik nam dat vreemde effect in me op terwijl ik tegelijkertijd wat op adem probeerde te komen en moeizaam een paar latex weggooihandschoenen uit mijn broekzak wist te vissen. Toen draaide ik me op mijn zij, keek schuin omhoog naar het badkamerraam en zette me schrap voor de volgende lichamelijke inspanning.

Gelukkig zat er in de buurt van het raamkozijn een gietijzeren afvoerbuis waarlangs ik naar boven kon klauteren, en om de een of andere reden was dat klauteren aanzienlijk minder pijnlijk dan ik had verwacht. Nadat ik me een kleine meter omhoog had gewerkt, plaatste ik mijn rechtervoet tegen een van de metalen klampen waarmee de pijp aan de muur was bevestigd en stak mijn hand naar de vensterbank uit. Ik duwde me zo veel mogelijk van de vensterbank omhoog, en kreeg, diagonaal in de lucht hangend, een van de dwarslatten van het schuifraam te pakken, zodat ik met mijn vrije hand het raam langzaam omhoog kon duwen. Het duurde ruim een minuut voor ik dat raam zo ver open had gekregen dat ik naar binnen kon kruipen. Tegen die tijd begonnen mijn benen en armen hevig te trillen, en voelde mijn ribbenkast aan alsof iemand met een complete messenset in mijn borst aan het hakken was. Maar toch slaagde ik erin om me tegen de richel af te zetten en de vensterbank aan de andere kant van het kozijn te pakken te krijgen, en mezelf in één min of meer vloeiende beweging door het raam naar binnen te werken.

Ik liet me op het waterreservoir van het toilet zakken en even later stond ik op de badkamervloer. Het was donker in het vertrek en het duurde even voor ik het touwtje van het licht vond, maar het volgende moment verspreidde een aan het plafond hangend peertje een zwak schijnsel. Recht voor me uit zag ik op het witte porselein opgedroogd bloed, plukjes haar en mogelijk zelfs nog wat van de schedel afkomstige botsplinters, die op de vergeelde tegels en het donkere sierpleister op de muur zaten gesmeerd. Op een bepaalde manier deed het ook vreemd aan dat zijn lijk er niet was. Afgezien van de bloederige resten, was er geen echte reden om aan te nemen dat ik me op een plaats delict bevond. Ik weet niet zeker wat ik had verwacht te zullen aantreffen, krijtstrepen of misschien sporen van forensisch onderzoek, maar in elk geval was het er niet. Ik vroeg me af hoe lang het zou duren voor de huiseigenaar toestemming zou krijgen om het bad schoon te maken, en daarna vroeg ik me af of de huiseigenaar daar sowieso nog de moeite voor zou nemen. Misschien was dit tweekamerappartement wel gedoemd om door de Amsterdamse krakersbeweging in bezit te worden genomen.

Maar genoeg van dat soort gedachten. Ik dacht niet dat ik datgene waarnaar ik op zoek was in de badkamer zou vinden en ik stond ook niet te juichen bij het vooruitzicht deze ruimte grondig te moeten doorzoeken, maar ik bleef net lang genoeg in de badkamer om de bovenkant van het toiletreservoir op te tillen en er een blik in te werpen. In het water dreef als een lusteloze kwal een doorzichtig plastic zakje met daarin nog geen honderd gram van een soort wit poeder, maar verder was er niets bijzonders te zien. Ik legde het porseleinen deksel weer terug en liep naar het benauwde woongedeelte, waar ik direct na binnenkomst het licht aandraaide.

Ook de woonkamer lag er nog net zo bij als een paar dagen geleden, hoewel Michaels koffer verdwenen was, terwijl er op de opklapbare keukentafel een geel velletje papier lag dat eruitzag als een politieformulier. Midden in de kamer bleef ik staan, de handen in de zij, en ik nam het interieur aandachtig in me op, mezelf afvragend waar ik zou beginnen en hoe lang het zou gaan duren. In zekere zin probeerde ik in Michaels schoenen te gaan staan en ik vroeg me af wat ík met dezelfde ruimte gedaan zou hebben. Ik besefte plotseling dat ik helemaal voorbij was gegaan aan het feit dat Michael zelf ook inbreker was geweest. En als hij ook maar een klein beetje op me leek, zou hij zijn kostbaarheden ergens bewaren op een plaats waar de meeste mensen, vooral opportunistische dieven, nooit zouden kijken. Ik had mijn inbrekersspullen achter het zijpaneel van mijn bad verstopt, en de twee apenfiguurtjes in een doos met zeeppoeder, en volgens mijn theorie had Michael net zoiets gedaan. Als hij zo goed was als Pierre had beweerd, dan was het derde aapje wellicht nooit zijn appartement uit geweest, hoeveel boeven, politieagenten en forensische teams dat ook mochten hebben uitgekamd.

Dat was de theorie. Maar nu ik in de zit-slaapkamer terug was, kostte het me toch moeite me voor te stellen waar dat beeldje dan ergens verborgen zou kunnen zitten. Het was zo'n ongelooflijk kleine ruimte, met nauwelijks enig meubilair, dat de mogelijkheden erg beperkt waren. Ik begon met het meest voor de hand liggende, schoof de ladekast naast het bed opzij en onderzocht de holle ruimte erachter. Daarna zette ik de kast op z'n kop en controleerde de onderkant. Afgezien van enkele dikke plukken stof en wat huisvuil was er niets te zien, dus schoof ik de laden weer terug en trok het bed van de muur. Dat had een stalen frame en ik zag nergens openingen waar eventueel iets in gestopt zou kunnen worden. Ik bevoelde het laken en de dekens, tilde de matras op en keek eronder. Toen ik niets aantrof, liet ik de matras weer zakken, prikte er een paar keer met een vinger in, zoals een chirurg op zoek is naar een hernia, hield het toen voor gezien, en richtte mijn aandacht vervolgens op het keukengedeelte.

De opklapbare keukentafel en de stoelen leverden niets op, en ik schudde een paar keer met de gasfles om me ervan te overtuigen dat er vloeistof in zat. Toen scheen ik met mijn kleine zaklantaarn achter de eenpits gasbrander, waar ik een miniatuurwereld aantrof van verbrande broodkruimels en zwartgeblakerde brokken van een mij totaal onbekende substantie, maar verder niets van belang. Ik richtte me weer op, zette mijn handen in mijn zij en keek naar de aluminium gootsteen. Het was niet onmogelijk dat hij iets in de plastic zwanenhals er pal onder had verstopt, maar dat leek weinig waarschijnlijk, dus liet ik die voorlopig met rust. Toen keek ik omhoog en kreeg de nepmarmeren lichtarmatuur in het oog. De fitting was gemaakt van een of ander transparant materiaal en de kans bestond dat hij er iets in verstopt had, dus trok ik een van de keukenstoelen wat dichterbij, ging erbovenop staan en stond op het punt om de fitting los te schroeven, toen ik de voordeur van het gebouw hoorde open- en dichtgaan, en ik het geluid van voetstappen op de trap beneden hoorde.

De voetstappen klonken weloverwogen, alsof de persoon die naar boven liep geen enkele haast had om op zijn of haar plaats van bestemming aan te komen. Ik keek om me heen, nam het vertrek in me op, en vroeg me af of ik het interieur nog op tijd net zo kon achterlaten als ik het had aangetroffen, maar ik wist dat ik dat nooit voor elkaar zou krijgen zonder daarbij een hoop lawaai te maken. In plaats daarvan schroefde ik de fitting van de lamp los en draaide ik het gloeiend hete peertje een fractie los, zodat het vertrek van het ene op het andere moment in duisternis werd gehuld en de eigenaar van de voetstappen geen streep licht onder de voordeur van de zit-slaapkamer kon zien schijnen. Terwijl ik de doorschijnende zeshoeken voor mijn ogen wegknipperde en de geur van het schroeiende plastic van mijn weggooihandschoenen probeerde te negeren, tastte ik niets ziend in het omhulsel van de armatuur totdat ik er zeker van was dat ook daar niets verstopt zat.

Ondertussen kwamen de voetstappen steeds dichterbij. Het lag niet echt voor de hand dat iemand van de politie het appartement nog zo laat 's avonds zou komen controleren, bedacht ik, maar zeker weten deed ik dat natuurlijk niet. Bovendien bestond er natuurlijk altijd een kans dat iemand zich onder minder dan strikt legale omstandigheden toegang zou verschaffen. Ik verstrakte en zette me schrap om er op het moment dat er een sleutel in het slot werd gestoken vandoor te gaan, kromde mijn tenen in mijn sportschoenen, terwijl ik in gedachten al bezig was met een sprong richting badkamer. De voetstappen kwamen nog steeds dichterbij en toen hoorde ik een losse plank vlak voor de voordeur kraken. Toen was het een eeuwigheid rustig, leek het wel. Het was zó stil dat ik het gekraak van mijn knieschijven meende te kunnen horen. Mijn hele lichaam voelde op slag ijskoud aan, om op het moment dat ik me dat bewust werd helemaal te gaan gloeien. Ik hield zo goed mogelijk mijn adem in, maar ik was bang dat mijn hart zo luid klopte dat het voor anderen hoorbaar zou zijn en mijn aanwezigheid zou verraden. Ik stond dan ook op het punt om richting raam te vluchten, toen ik uiteindelijk, en zeer tot mijn opluchting, de voetstappen weer hoorde, die blijkbaar even doelbewust aan de volgende trap waren begonnen. Óf de persoon aan wie die voetstappen toebehoorden was dronken en probeerde nu langzaam een hogere etage te bereiken, óf hij was oud en moest regelmatig even rusten, of hij of zij was gewoon zo nieuwsgierig dat hij even bleef staan voor een appartement waar pas geleden iemand om het leven was gebracht, maar waar het om ging was dat er op korte termijn niemand bij me naar binnen zou komen wandelen. Ik wachtte tot ik de voetstappen niet meer hoorde en draaide de lamp weer terug in zijn fitting, wendde mijn blik af van het verlichte peertje en zette vervolgens het lichtarmatuur weer vast.

Ik stapte van de keukenstoel af, haalde mijn microschroevendraaier tevoorschijn en schroefde daarmee onmiddellijk de lichtschakelaar aan de muur open. Ik controleerde de holle ruimte erachter, en deed toen hetzelfde met de twee stopcontacten vlak boven het aanrechtblad. Ook dat leverde niets op. Ik drukte de schroeven weer op hun plaats terug, schroefde ze vervolgens vast en overwoog het tapijt op te tillen en de vloerplanken na te lopen. Het leek me een weinig waarschijnlijk scenario. Als Michael de aapjes haastig mee moest kunnen grissen, was een plek onder de vloer niet bepaald handig. Het was uiteraard mogelijk, maar ik vond het maar niets, en ik besloot dan ook dat pas te proberen als al het andere niets had opgeleverd. En hoezeer ik hem ook het liefst zou willen mijden, leek de badkamer mij een aanzienlijk logischer plaats.

Om te beginnen controleerde ik het zijpaneel van het bad, voor het geval we echt op exact dezelfde golflengte zaten. Het paneel bleek lastig weg te halen. Een van de schroefkoppen bleek beschadigd en het paneel was scheef en met het nodige geweld op zijn plaats gemonteerd, dus kostte het me heel wat moeite het los te krijgen, en, ik had het kunnen weten, al snel bleek dat ik me de moeite had kunnen besparen. Het enige wat achter het paneel te zien was, was de onderkant van de porseleinen badkuip en de ijzeren afvoer, en ik was niet van plan om die buis te demonteren.

In de badkamer hing geen handdoekenrek of een rail voor een douchegordijn, en zelfs als dat wel het geval was geweest, zouden die waarschijnlijk veel te klein zijn om er een apenbeeldje in te verstoppen. Ik controleerde de plastic wc-borstelhouder en trof op de bodem daarvan slechts een geelbruine smerige substantie aan. Het licht boven me was afkomstig van een kaal peertje en er was verder nergens een medicijnenkastje of een handdoekenkast te bekennen.

Ik keek opnieuw naar het bloederige tafereel rond het bad, naar het verkleurde keramische materiaal en de tegeltjes, en op dat moment ging er een schok door me heen. Het was maar een kleinigheid, maar het metalen afdekplaatje van de overlooppijp maakte een net iets te opzichtige indruk. Ik haalde opnieuw mijn schroevendraaier tevoorschijn en uiterst behoedzaam wrikte ik het afdekplaatje van het bad los, waarbij ik er wel voor zorgde dat mijn pols en arm uit de buurt bleven van het opgedroogde bloed en verbrijzeld lichaamsweefsel. Het afdekplaatje werd niet door kit op z'n plaats gehouden en viel moeiteloos in de palm van mijn hand. En er kwam nog iets mee. Aan de achterkant van dat plaatje zat een klein doorzichtig zakje vastgeplakt. Ik trok aan het zakje en de rest ervan kwam onmiddellijk uit de overlooppijp mee. Het zakje was kurkdroog, hoewel het bepaald smerig rook. Ik schudde het een paar keer los, maakte het zakje toen open en haalde de inhoud tevoorschijn. Het was niet het ontbrekende apenbeeldje, het was iets wat veel interessanter was.

24

Tegen de tijd dat ik alles had teruggeplaatst zoals ik het had aangetroffen en via het badkamerraam weer geluidloos op het platte dak was teruggekeerd, begon het buiten alweer licht te worden en viel er een lichte motregen. Ik haalde mijn weekendtas uit het donkere hoekje waar ik hem had geparkeerd en gooide mijn latexhandschoenen in een afvalbak, rolde de vuilcontainer terug naar de plaats waar ik hem had weggehaald en ging op zoek naar een plekje waar ik mijn gedachten op een rijtje kon zetten.

Vlak in de buurt vond ik een café, een paar straten verderop in de richting van het Singel, waar de eigenaar de zaak net opengooide en slechts één blik op mijn bleke, door slapeloosheid getekende gezicht hoefde te werpen om me onmiddellijk mee naar binnen te tronen voor de eerste kop koffie van die dag. Daar genoot ik van. Zittend voor het zijraam, dat van geslepen glas was, warmde ik mijn handen aan de beker, en overdacht de gebeurtenissen die me hadden gebracht naar de plaats waar ik nu was. Op het tafeltje voor me lag het velletje papier dat ik opgevouwen in Michaels overlooppijp had aangetroffen. Het was een fotokopie van een document en de kopie was weliswaar niet perfect, maar voldoende duidelijk om mij te vertellen wat het me zou móeten vertellen. Ik nam nog een slokje van mijn koffie en wachtte tot de cafeïne tot mijn grijze cellen zou zijn doorgedrongen en ik de implicaties van wat ik had gevonden kon overdenken. Intussen luisterde ik naar het gerammel van serviesgoed dat uit de vaatwasser werd gehaald en de café-eigenaar die doorging met zijn voorbereidingen voor een nieuwe dag.

Een half uur later, toen hij klaar was met zijn geestdodende werk en hij eindelijk tijd had om zelf een kop koffie te drinken, vroeg ik of hij misschien wat te eten voor me kon maken. Hij knikte en liep naar achteren, terwijl ik op zoek ging naar het herentoilet, waar ik de bloederige wond op mijn achterhoofd wat kon verzorgen. Een paar minuten later kwam ik met een papieren handdoekje tegen de wond gedrukt weer tevoorschijn. Op datzelfde moment kreeg ik een bord met het lekkerste koude vlees en kaas voorgeschoteld dat ik ooit heb geproefd. Ik werkte het eten langzaam en bedachtzaam naar binnen; dat kostte me bijna een uur, en liep toen naar een munttelefoon achter in het café en toetste het nummer in dat op het visitekaartje van Rutherford stond. Ik verwachtte een bericht op zijn antwoordapparaat achter te moeten laten, maar tot mijn verrassing nam Rutherford zelf op, hoewel enigszins slaapdronken.

'Slaap jij soms aan je bureau?' vroeg ik nadat we elkaar kort begroet hadden.

'Ik heb de telefoon doorgeschakeld,' legde hij geeuwend uit. 'Ik had er rekening mee gehouden dat je wel eens contact met me zou willen opnemen.'

'Dat is erg attent van je,' zei ik tegen hem. 'Punt is dat ik je alweer een gunst zou willen vragen.'

'Je zit toch niet opnieuw achter de tralies, beste jongen?'

'Nee, nog niet. Maar ik zit in een nogal lastig parket, Rutherford, en het komt erop neer dat ik me afvroeg of je misschien kans ziet me een dag of twee onderdak te bieden. Ik zou natuurlijk naar een hotel kunnen gaan, maar...'

'Daar moet je niet eens aan dénken,' onderbrak hij me. 'Dat meen ik. Ken je de Oosterparkbuurt een beetje?'

Ik vertelde waar ik ergens zat.

'Uitstekend. Ik woon aan de westkant ervan. Heb je een pen?'

'En een servetje.'

'Heel goed,' zei hij, en hij gaf me het betreffende adres en vroeg me of ik het wist te vinden.

'Zeker weten,' reageerde ik. 'Is het goed als ik nu direct naar je toe kom?'

'Maar natuurlijk. Dan zet ik vast thee.'

Ik bedankte hem en hing de hoorn aan de haak, betaalde de café-eigenaar, liet tijdens het afscheid een paar extra euro achter voor de fooienpot en wandelde toen in de richting waar ik eerder die ochtend vandaan was gekomen. Door de kille lucht was mijn hoofdwond nog behoorlijk gevoelig en er ging een huivering door me heen. Ik trok het leren jasje van de dunne man nog wat steviger om me heen om het iets warmer te krijgen, stak één hand in mijn broekzak en trok de hand waarmee ik de weekendtas droeg zo ver in de mouw op dat hij helemaal verdween.

Vanaf de St. Jacobsstraat stak ik het bij de toeristen zo geliefde Damrak over en liep via de Oude Kerk naar het hart van de rosse buurt. Het tafereel hier was op een treurige manier vertrouwd. Hier en daar kwamen nog wat aangeschoten feestvierders uit een bordeel of een vierentwintig uur per dag geopende seksclub gewankeld, in verfrommelde kledij en zich krachteloos en richtingloos voortbewegend. Ondertussen kwamen groepjes schoonmaaksters gearmd uit diezelfde wijk gelopen, gekleed in plastic overjassen en rubberlaarzen, op weg naar het Centraal Station en dan terug naar de sfeerloze buitenwijken waar ze vandaan kwamen. In hun plaats arriveerden er andere jonge vrouwen die straks aan de minder lucratieve dagdienst zouden beginnen, waarbij dikke lagen make-up hun gezicht een geforceerd optimistische uitdrukking gaven.

Ik boog mijn hoofd en ontweek hun blik, en keek in plaats daarvan naar mijn voeten op de smerige straat, niet echt luisterend naar het rugbylied dat een handvol landgenoten halfhartig brabbelden. Het duurde niet lang of ik naderde de Nieuwmarkt, waar de rosse buurt bijna aansloot op een uitloper van de Chinese buurt. Ik zag om me heen Oost-Aziatische winkels, slagers en restaurants in een uitbundig kleurenpalet van fel geel en rood, en een wereld van symbolen en karakters die ik onmogelijk kon ontcijferen. Het snelvuurgeratel van gesprekken in het Chinees vulde mijn oren en vleesachtige geuren dreven langs mijn neusgaten.

Ik liep over de Zeedijk en passeerde net een tijdschriftenwinkeltje, toen de eigenaar van de zaak met een standaard met ansichtkaarten de straat op schuifelde. Vanwege al die kaarten kon hij onmogelijk zien waar hij liep en hij botste pal tegen me op. Hij liet de standaard uit zijn handen vallen, die met veel gekletter op de grond terechtkwam, waardoor de straat bezaaid kwam te liggen met ansichtkaarten en plattegronden. Ik bukte me om te helpen die spullen op te rapen, er niet zeker van of die man mij vervloekte of zichzelf. Terwijl ik mijn hand uitstak naar een handvol op de grond liggende kaarten, werd mijn oog getroffen door iets wat ik zag achter het raam pal boven de tijdschriftenwinkel. Ik aarzelde, en staarde naar het raam. Op dat moment drong tot me door dat de man míj uitvloekte, maar dat kon me absoluut niet meer schelen. Tegen het raam geplakt zag ik een bekende afbeelding, misschien een centimeter of vijftig hoog, met daar vlak boven een stuk of wat Chinese karakters. Die tekens kon ik uiteraard niet lezen, maar de afbeelding was zo duidelijk als wat. Drie apen: een bedekte zijn oren, de andere zijn mond en de derde zijn ogen.

Verstomd kwam ik overeind en ik stopte afwezig wat kaarten in de hand van de uitbater. Ik liep als in trance langs hem heen naar de deur van aluminium en glas pal naast zijn winkeltje. Op het kozijn zaten diverse deurbellen, maar daar liet ik me niet door tegenhouden. In plaats daarvan deed ik de deur open en stapte een onverwarmde hal binnen waar mijn adem in de stilstaande lucht onmiddellijk tot damp condenseerde.

Vóór me zag ik een in duisternis gehulde opslagruimte en een in het licht badende trap met een versleten rode loper. Ik beklom de trap in een enigszins bedwelmde toestand, als een man die was gehypnotiseerd, en boven aan de trap aangekomen stuitte ik weer op een deur, waarin een matglazen ruit zat waarin het aapjesvignet ook was verwerkt, hoewel het deze keer iets kleiner was dan ik vanaf de straat had gezien. Ik pakte de deurkruk. Hij zat niet op slot. Ik deed de deur open en stapte naar binnen.

Het vertrek waarin ik terechtkwam was erg klein en er stond uitsluitend goedkoop meubilair. De kamer werd gedomineerd door een ongeveer één meter hoge balie, met op enige afstand ervoor drie plastic stoeltjes. De wanden waren in gebroken wit geschilderd en verder helemaal kaal. De enige voorwerpen die op de balie stonden waren een draadloze telefoon en een kleine koperen hotelbel. Ik bleef enkele ogenblikken roerloos staan, maar toen er niemand kwam stapte ik op de balie af en gaf een tik op de bel.

Ik wil je wel vertellen dat ik wilde dat er meer van dit soort bellen waren, want de vrouw die daarop verscheen was zo'n beetje het mooiste schepsel dat ik ooit had gezien. Ze was misschien net een meter vijftig, sierlijk en delicaat, en droeg een schitterende pauwblauwe kimono die het donkere, glanzende haar dat ze boven op het hoofd had samenge-bonden nog eens extra deed uitkomen. Haar gezicht was op een bijna geisha-achtige wijze opgemaakt, en toen ze het vertrek binnen kwam boog ze haar hoofd op oosterse wijze.

Ik boog mijn hoofd ook, maar toen ik opkeek verdween de vriende-lijke glimlach die ik me had aangemeten onmiddellijk. Ze werd geflan-keerd door twee enorme kerels, met schouders als rotsblokken en met een nauwelijks noemenswaardige nek. Ze droegen een colbert en een donker overhemd, maar zagen er eerder uit alsof ze op een sumomat thuishoorden. Hun hoofdhaar zat vol gel en was strak naar achteren ge-kamd, terwijl ze op een vreemde manier naar binnen sloften, waarbij ze hun aanzienlijk lichaamsgewicht van de ene voet op de andere leken te werpen, alsof hun vermogen om vooruit te komen volkomen afhing van een complexe vorm van een perpetuum mobile, net als dat speeltje dat je veel op directiekamers aantreft, zo'n rij zilverkleurige kogels die eindeloos tegen elkaar aan ketsen.

De Aziatische godin ging afwachtend achter de balie staan en keek me lief glimlachend aan, totdat de twee reuzen bij haar schouders op-doken en ik geconfronteerd werd met een ietwat bevreemdende visuele versie van de drie aapjes. Ik richtte me op haar vochtige ogen en ze gaf me discreet een bemoedigend knikje.

'Dag,' begon ik briljant. 'Verkoopt u hier ook aapjes?'

De vrouw schudde nauwelijks waarneembaar haar hoofd, alsof het haar oprecht dwarszat dat ze me niet direct begreep.

'Aapjes, zoals die daar?' vroeg ik, wijzend op de beeltenis die in het matglas van de deur was geëtst.

Ze schudde opnieuw haar hoofd en sloeg toen haar blik neer naar een punt van onpeilbaar belang midden op het kale hout van de balie. Uiterst langzaam draaide een van de bullebakken achter haar zijn nek rond zijn massieve schouders, en ik hoorde het gekraak van de ruggen-wervels die het gewicht van zijn hoofd moesten dragen even duidelijk alsof ik droge cornflakes aan het eten was. Zijn tweelingbroer haalde diep door zijn neus adem, en zag eruit alsof hij van plan was de allerlaat-ste zuurstofmolecule in het vertrek in zich op te zuigen, enkel en alleen om mij met plezier door latente ademnood het bewustzijn te zien ver-liezen.

Ik kreeg de indruk dat ze er meestal geen gras over lieten groeien, dus tastte ik in de zak van het leren jasje van de dunne man totdat ik de twee apenbeeldjes te pakken had en zette die vervolgens op de balie recht voor me. Ze stonden er een beetje verloren bij, een aapje met zijn handen op zijn oren, en een ander die ze voor zijn mond hield, ogenschijnlijk enigszins in elkaar gedoken onder de kalme blik van de beeldschone jonge vrouw. Tot mijn grote opluchting keek ze enkele ogenblikken later weer met een ontspannen glimlach naar me, terwijl de twee mannen naast haar hun massieve schouders een fractie los lieten.

'Herkent u deze?' vroeg ik. 'Zijn ze hier misschien gemaakt?'

Het meisje keek me alleen maar aan, knipperde met haar ogen, alsof ze rustig stond te wachten tot ik zou ophouden met het stellen van dit soort triviale vragen.

'De derde ontbreekt aan mijn collectie. Kunt u er eentje voor me maken? Of wilt u deze van me kopen?' vroeg ik, terwijl ik de beeldjes zachtjes over de balie naar haar toe schoof. 'Hoeveel geeft u ervoor?'

Deze keer knikte de jonge vrouw, alsof ze mijn wensen volkomen begreep. Toen reikte ze onder de balie, naar ik vermoedde naar een portefeuille met geld of een soort kasboek. Maar ik zat er helemaal naast. Toen haar hand weer zichtbaar was, hield ze een kleine hamer vast. De hamer was vervaardigd van een mat, loodachtig materiaal, maar in tegenstelling met een gewone hamer liepen beide uiteinden van de kop uit in een punt, zodat het instrument er vanaf de zijkant uitzag als een platte hexagoon.

Ze stak haar hand nogmaals onder de balie en pakte een chamoiskleurig stuk doek dat ze vervolgens op de balie uitspreidde. Daarna pakte ze mijn twee beeldjes, zette ze zorgvuldig midden op het stuk doek, en bracht, voor ik haar kon tegenhouden, het hamertje omhoog en liet dat met twee scherpe, dodelijke tikken op de beeldjes neerkomen, waardoor ze ogenblikkelijk tot een fijn, onherkenbaar hoopje gips en stof werden gereduceerd.

Ik hapte naar adem, stak mijn hand ernaar uit en mijn mond viel open van verbijstering, maar toen ik mijn ogen wat nauwkeuriger over de trieste resten liet gaan, maakte mijn gevoel van afgrijzen plotseling plaats voor begrip. Daar, glinsterend tussen de restjes gips, lag een klein metalen voorwerp. Ik kwam een stapje dichterbij, veegde met mijn vingers de gipsresten opzij en pakte het op. Het voorwerp was een sleutel, niet groter dan het soort dat gewoonlijk op een koffer paste, en in de resten van het tweede beeldje zag ik nu ook een ander exemplaar liggen. In beide sleutels was een identiek Chinees karakter geëtst. Ik pakte de twee sleutels op, legde ze op mijn handpalm en bekeek ze aandachtig. Dus het was waar, de apenbeeldjes waren waardeloos, maar wat erín zat was blijkbaar zo kostbaar dat sommige mensen er een moord voor wilden doen.

Terwijl ik de sleutels omhooghield en me erover verbaasde hoe schoon en glimmend ze waren, ondanks het gips waarin ze opgeborgen hadden gezeten, tilde het meisje een luik op in de van triplex gemaakte balie en gebaarde me dat ik daar doorheen moest en achter haar aan moest komen. Ik deed wat ze me vroeg en ze boog opnieuw voor me, waarna ze een stapje opzij deed en een van de in het pak gestoken sumoworstelaars uitnodigde de weekendtas van me over te nemen en die aan een nader onderzoek te onderwerpen, terwijl zijn partner me begon te fouilleren. De knaap die me fouilleerde vond niets van belang, maar zijn vriend die de inhoud van mijn weekendtas bekeek haalde het pistool tevoorschijn en liet dat aan de ander zien. Daarna namen ze mij heel aandachtig op, alsof ze me plotseling vanuit een heel ander perspectief bezagen. Ik haalde zo nonchalant mogelijk mijn schouders op, keek toe hoe ze behendig de patronen uit het magazijn haalden, het wapen weer in mijn weekendtas terugstopten, en de tas met een snelle voetbeweging aan de kant schoven. Toen ze daarmee klaar waren gebaarde de jonge vrouw dat ik met haar mee moest lopen naar een onopvallende witte deur helemaal achter in het vertrek. Ik deed wat me gevraagd werd, op de voet gevolgd door de twee zwaargewichten, zodat we in groepsformatie in de richting van de deur liepen, en ik stelde me zo voor dat we er wel een beetje uit moesten zien als een bizarre delegatie van een of andere verre planeet tijdens de opnamen voor een sciencefictionserie.

Aan de andere kant van de witte deur bevond zich een halletje waar een zware stalen deur op uitkwam die in het midden van een draaiwiel was voorzien. De stalen deur was breder en hoger dan een normale deur en leek van hoogglansstaal gemaakt te zijn. Het was het soort deur dat je eerder in Fort Knox verwachtte, of bij de ingang van een nucleaire bunker voor hoog regeringspersoneel. Aan de zijkant ervan zat een plat elektronisch scherm en ik keek zwijgend toe hoe het meisje haar handpalm tegen het scherm drukte en de binnenkant van haar hand heel even verlicht werd door een korte, felle lichtflits, bijna als bij een fotokopieerapparaat. Het volgende moment klonk er een zware klik, waarna de deur een fractie uit zijn omlijsting naar voren schoof. Het meisje knikte naar de sumoworstelaar rechts van mij, die een stap naar voren deed en aan het wiel aan de voorkant van de deur begon te draaien, waarna hij de deur helemaal optrok.

Wat ik aan de andere kant van de deur zag benam me de adem. Hier, op de eerste etage van een gebouw in Amsterdam dat er vanbuiten doodnormaal uitzag, bevond zich een beveiligde kluis waar een eersteklas bank zonder meer trots op zou zijn. Over de hele lengte van het vertrek strekte zich de ene rij kluisjes na de andere uit, waardoor er een middenpad was ontstaan dat verlicht werd door het flakkerende schijnsel van een hele serie tl-buizen. De bankkluisjes waren gemaakt van hetzelfde soort staal als de kluisdeur en ze glansden in het licht alsof niemand ze ooit had aangeraakt. Het moesten er minstens driehonderd zijn, allemaal keurig lijnend boven en naast elkaar; op de kluisjes en de tl-buizen na was de ruimte leeg, er zat niet eens een raam in. Ik draaide me naar de jonge vrouw om, die bijna teder de sleuteltjes van me aannam en me voorging naar het midden van de metaalachtige gang recht voor ons.

Halverwege de centrale gang bleef het meisje staan, ze bekeek het Chinese karakter op de voorzijde van beide sleutels en vergeleek dat met het karakter op een bankkluisje ter hoogte van haar heup. Ze gebaarde naar het kluisje en ik zag dat aan de voorzijde ervan drie sloten zaten. Het meisje stak de sleutels die ik haar had overhandigd in twee van die drie sloten, en wachtte toen tot ik de derde tevoorschijn zou halen. Dat kon ik uiteraard niet, aangezien de derde sleutel nog in het laatste apenbeeldje zat, wáár zich dat ook mocht bevinden.

'Ik heb hem niet,' zei ik, ik liet haar mijn lege handpalmen zien en haalde ter verdere uitleg mijn schouders op.

Ze wees naar het derde slot en zei iets in het Chinees, waarna ze net deed of ze de laatste sleutel in het slot stak om hem vervolgens denkbeeldig om te draaien en het kluisdeurtje te openen.

'Ik weet het,' zei ik haar. 'Maar ik héb die derde sleutel niet. Hebt u er misschien een duplicaat van?' vroeg ik, wijzend naar het derde slot, om het meisje direct daarna hoopvol aan te kijken.

Ze wierp een bezorgde blik over mijn schouder naar een van de sumoworstelaars, en die gebaarde naar de deur waardoor we naar binnen waren gekomen. Ze knikte nauwelijks waarneembaar en trok de twee sleutels die ze in het slot had gestoken er weer uit.

'Een duplicaat?' vroeg ik. 'Hebt u geen duplicaat?'

Maar het was zinloos. Het meisje legde beide sleutels op een nogal minachtende manier terug op mijn hand, vond ik, maar maakte toch nog een licht buiginkje voor ze in de richting van de deur liep. Ik ging niet onmiddellijk achter haar aan, en dat oponthoud was voor de dichtstbijzijnde sumoworstelaar voldoende om zijn omvangrijke hand op mijn schouder te leggen en me met een niet mis te verstane zet haar kant uit te duwen. Toen we weer in de receptie waren, ging het meisje een zijvertrek in, waar ik een glimp opving van een salontafel, een leren bank en een televisie, terwijl de twee sumo's me naar de matglazen deur vergezelden, mij mijn weekendtas overhandigden en toekeken hoe ik de trap naar de straat afdaalde.

Gewoonlijk zou ik me hebben getroost met de gedachte dat ik over niet al te lange tijd toch wel binnen zou komen, zij het dan door middel van inbraak, maar in dit geval gaf ik mezelf weinig kans. Ik had geen flauw idee hoe ik langs de vingerafdrukscanner van de elektronisch bewaakte kluis zou moeten komen, en ik was ook niet in het bezit van de hightechapparatuur die nodig was om zónder die scanner de stalen deur open te krijgen. Om nog maar te zwijgen over het feit dat van bankkluisjes bekend is dat ze buitengewoon moeilijk open te krijgen zijn, en dat de twee sumoworstelaars me als een velletje origamipapier aan flarden zouden scheuren als ze me daarbij betrapten. En die kans was redelijk groot, vermoedde ik, want ik was er nagenoeg van overtuigd dat beide mannen het pand vierentwintig uur per etmaal bewaakten. Dit soort toegankelijkheid was ongetwijfeld uitermate aantrekkelijk voor het soort klantenkring dat ze, vermoedde ik, het liefst wilden bedienen, maar ik herinnerde me ook dat Michael me had verteld dat hij van plan was om direct nadat ik hem de twee aapjes had overhandigd uit Amsterdam te vertrekken. Het gebouw waar ik nu voor stond was net vijf minuten wandelen van het Centraal Station verwijderd, dus hoefde je geen genie te zijn om te bedenken waar hij nog even langs zou gaan voor hij de stad verliet. Je hoefde ook geen genie te zijn om te bedenken wat er in dat bankkluisje zat, maar je had niets aan de wetenschap waar de diamanten bewaard werden als je die derde sleutel niet had. Ik kreunde en schudde mijn hoofd. Ik was bekaf, had recentelijk een enorm pak op mijn lazer gekregen, was hard aan rust toe en voelde er ook nog eens weinig voor om rond te blijven hangen in de buurt van een gebouw waarvan ik vermoedde dat de dunne en de dikke man daar maar al te goed van op de hoogte waren. Met de seconde werd Rutherfords appartement een steeds aantrekkelijker oord om te vertoeven.

25

Rutherfords flat bevond zich op de derde etage van een groot, oud herenhuis met een indrukwekkende bakstenen gevel. De vensters van de zitkamer, die van de vloer tot aan het plafond reikten, boden uitzicht op het Oosterpark, en ik stelde me voor dat Rutherford heel wat uren had doorgebracht met het zich vergapen aan dit uitzicht. De inrichting was traditioneel Engels, met heel veel bloempatronen, antiek meubilair en aquarellen. Sommige schilderijen waren origineel en hadden hem waarschijnlijk een lief sommetje gekost. Het familiefortuin moet aanzienlijk zijn geweest, nam ik aan, want hij had de hele santenkraam nooit van zijn ambtenarensalaris kunnen bekostigen.

'Beste kerel,' zei hij toen ik zijn zitkamer binnen liep en hij mijn hoofdwond in het oog kreeg. 'Wat is er in godsnaam met je gebeurd?'

'Ik ben overvallen,' zei ik hem. 'Door twee partners van de Amerikaan.'

'De moordenaars?'

'Ik denk het niet. Maar ze weten wél hoe ze met een honkbalknuppel moeten omgaan.'

'Ga zitten,' zei hij, terwijl hij op een stoel naast hem klopte. 'Ik zal wat voor je halen.'

Even later keerde hij terug met een flesje jodium en wat watten, en begon mijn wond schoon te maken. Elke keer dat hij jodium op een beschadigd stukje huid depte of op haren stootte die in geronnen bloed vastgeklit zaten, moest ik even naar adem happen. Ik rook zijn bepaald niet frisse oksels toen hij aan mijn hoofd bezig was, en zijn omvangrijke buik schurkte tegen me aan. Hij droeg een pantalon die bij een kostuum hoorde en een overhemd met opgestroopte mouwen, en om de zoveel tijd moest ik een bloederige prop watten voor hem vasthouden. Tegen de tijd dat hij klaar was, hield ik een uitgebreide verzameling viezige, roodgekleurde plukken watten in mijn handen, maar gelukkig haalde Rutherford er een prullenmand bij waar ik ze in kon doen.

'Je ziet er afgemat uit,' zei hij.

'Zo voel ik me ook. Ik heb de afgelopen nacht niet geslapen en het erg druk gehad. Ik weet ook niet zeker of ik me nou zo nodig aan je moest opdringen, Rutherford. Ik neem aan dat ik onder een valse naam ook in een hotel had kunnen inchecken.'

'En wie had jouw wond dan moeten schoonmaken? Het kamermeisje? Tussen haakjes, volgens mij moest deze wond eigenlijk gehecht worden.'

'Grandioos.'

'Heb jij een ziektekostenverzekering?'

Ik knikte, en moest toen geeuwen.

'Nou, ik heb het bed in de logeerkamer opgemaakt,' vervolgde hij. 'Je bent uiteraard vrij om zo lang te blijven als je wilt, hoewel ik bang ben dat ik straks naar kantoor moet. Tenzij,' zei hij, terwijl hij een vinger tegen zijn lippen legde, 'ik nu opbel en zeg dat ik wat later kom. Misschien moet ik dat maar doen. Denk je dat je een hersenschudding hebt?'

'Ik vermoed van wel. Dat zou trouwens een hoop verklaren. Maar wat mij betreft kun je rustig naar kantoor gaan. Het belangrijkste wat ik nu nodig heb is slaap.'

'Goed, dan zal ik je naar de logeerkamer brengen, dan ga ik daarna op zoek naar een pyjama.'

Uiteindelijk trok ik die pyjama niet aan. Hij was een paar maten te groot en zodra ik het keurig opgemaakte bed zag wilde ik nog maar één ding: erop gaan liggen en mijn vermoeide ogen sluiten. En direct nadat Rutherford me alleen had gelaten, deed ik mijn schoenen uit, maar ik hield mijn kleren aan en ging op het bed liggen. Mijn hoofd had het kussen nog niet aangeraakt of ik viel in een diepe en rusteloze slaap.

Toen ik vele uren later wakker werd zat mijn hoofd aan het kussen vast. Ik moest in mijn slaap behoorlijk hebben liggen woelen en draaien, waardoor mijn hoofdwond weer was opengegaan en opnieuw was gaan bloeden. Het bloed was samengeklonterd, waardoor mijn haar aan het kussen vast was komen te zitten, zodat een eenvoudige handeling als het optillen van je hoofd uiterst lastig wordt. Nadat me dat eindelijk was gelukt en ik overeind was gekomen, bekeek ik de plakkerige vlek op het kussensloop en kwam ik tot de conclusie dat ik dat nooit meer schoon zou kunnen krijgen. Ik draaide het kussen om, zodat de vlek voorlopig niet ontdekt zou worden.

Ik had niet de tijd gehad de dikke veloursgordijnen in mijn kamer dicht te trekken voor ik was gaan liggen, en ik was enigszins opgelucht om, toen ik naar het raam keek, te zien dat het buiten nog licht was. Ik wreef in mijn opgezette ogen, wierp een blik op de wekker naast mijn bed en zag dat het tegen drieën 's middags was. In de rest van het appartement had ik geen geluiden gehoord, dus nam ik aan dat Rutherford nog steeds op zijn werk was. Ietwat onvast kwam ik van het bed af, ik betastte met mijn vingers behoedzaam de directe omgeving van mijn hoofdwond en besloot het risico van een douche te nemen.

Naar Nederlandse maatstaven was de badkamer zonder meer opzichtig, met een douche die midden in een bad op klauwpoten was gemonteerd. Ik deed mijn kleren uit, stapte het bad in en positioneerde de douchekop zo dat het warme water op mijn nek en schouders terechtkwam in plaats van op mijn achterhoofd. Het dampende water stroomde over de steeds donkerder wordende blauwe plek op mijn ribben, ik zeepte voorzichtig mijn borst in en spoelde vervolgens het schuim van me af. Ik maakte van mijn handen een kommetje, ving er water mee op en gooide dat tegen mijn gezicht, waardoor iets van de irritatie uit mijn ogen verdween. Daarna boog ik me voorover en waste zo goed en kwaad als het ging de rest van mijn lichaam. Toen ik daarmee klaar was, droogde ik mezelf af met een van Rutherfords zachte, donzige badhanddoeken, en liep op mijn tenen terug naar mijn kamer om daar in mijn weekendtas op zoek te gaan naar schone kleren. Toen ik de tas openritste zag ik dat het pistool er nog steeds in zat, omringd door kleding die ik nog net bijeen had kunnen grissen, maar ik pakte het wapen niet beet om het aan een nader onderzoek te onderwerpen. Het had zijn werk gedaan toen ik halsoverkop het appartement van de dikke man had moeten verlaten, en ik zou eeuwig dankbaar blijven dat ik er niet mee had hoeven schieten. Maar dat deed niets af aan mijn ideeën over het in het bezit hebben van een pistool, en ik vroeg me af hoelang ik nog zou moeten wachten voor ik de kans zou krijgen me er op een veilige manier van te ontdoen.

Naast het pistool zag ik mijn paspoort liggen, en aangezien ik geen spion was, was dat toevallig wél mijn echte paspoort, met mijn echte naam en mijn echte geboortedatum. Ook dat liet ik liggen, het was alleen al een geruststellende gedachte te weten dat het er nog was.

Ik kleedde me aan, maakte het bed op en bleef toen een ogenblik lang bewegingloos staan, deed net of ik probeerde te besluiten wat ik nu zou gaan doen, maar gaf vrijwel onmiddellijk toe aan de aandrang om in Rutherfords appartement rond te kijken. Het was voor mij per slot van rekening nieuw terrein, en het zou zonder meer een gemiste kans zijn als ik me niet vertrouwd maakte met de indeling. Stel je voor dat er brand zou uitbreken!

Ik verliet mijn slaapkamer en liep naar de dichte deur vlak naast de zitkamer waarin ik al eerder was geweest. Ik vind dichte deuren altijd buitengewoon onbevredigend, dus pakte ik de deurkruk beet en even later stond ik in een eetkamer met daarin een ovale teakhouten eettafel met daaromheen acht rijkelijk bewerkte stoelen. Het raam bood hetzelfde uitzicht als dat in de zitkamer, en aan de muren hingen opnieuw twee prachtige aquarellen, en op momenten dat ik me wat minder gelegen zou laten liggen aan de wet, had ik wellicht in de verleiding kunnen komen ze mee te nemen.

Interessant.

Ik ging vervolgens een deur door aan de andere kant van het vertrek en kwam terecht in een praktische, kombuisachtige keuken, waarin ik net lang genoeg bleef dralen om er een pakje chips te vinden dat ik naar binnen werkte. De keuken kwam uit op de centrale hal en de badkamer waarin ik een douche had genomen. Naast de badkamer bevond zich Rutherfords slaapkamer en ik stak mijn hoofd naar binnen voor een snelle blik. Bijna onontkoombaar werd dit vertrek gedomineerd door een hemelbed, hoewel je, en dat is jegens Rutherford niet beledigend bedoeld, onmiddellijk kon zien dat hij vrijgezel was. Het bed dat hij had uitgekozen was donkergrijs, en droeg weinig bij aan de gezelligheid van de kamer, terwijl een krijtstreepkostuum en verschillende schone witte overhemden aan de deuren van de garderobekast hingen. Ik verliet de slaapkamer en ging het laatste vertrek van het appartement binnen, die tussen Rutherfords slaapkamer en de mijne ingeklemd lag. Het was maar een klein kamertje, maar wel de ruimte die me het meest interesseerde: zijn studeerkamer.

Alle wanden van Rutherfords studeerkamer werden in beslag genomen door boekenkasten; in een hoek stond een comfortabele, met stof beklede stoel met een enigszins exotische antimakassar, een bijpassend kleed lag op de vloer, en midden in het vertrek stond een groot antiek schrijfbureau van gepolitoerd eikenhout. Het bureaublad lag vol met losse velletjes papier en correspondentie, terwijl ook een groengetinte bureaulamp en een telefoon met druktoetsen er een plekje hadden gevonden. Ik ging in de leren draaistoel zitten die voor het bureau stond en pakte de telefoon. Ik toetste een nummer in en schoof afwezig met wat papieren en prullaria die ik op Rutherfords bureau had aangetroffen, nauwelijks aandacht schenkend aan wat ik zag.

'Je bent een genie,' zei ik toen Victoria eindelijk opnam.

'Meneer de president?'

'Je bent warm.' Glimlachend sloeg ik een mapje met bankafschriften open – het was een privérekening – en begon het door te bladeren. 'Hoe gaat het met je?'

'Heel goed. En met jou?'

'Als een inbreker met hoofdpijn.'

'Ik zal verder nergens naar vragen. Maar vertel eens, waarom ben ik een genie?'

'Weet je dat dan niet?'

'Tja, het zou vanwege van alles kunnen zijn, denk ik zo,' reageerde ze luchtig.

'Eigenlijk komt het door iets wat je hebt gezegd tijdens ons laatste telefoongesprek.'

'Over iets kunnen oplopen bij die blondine?'

'Nee,' zei ik, en ik klonk strenger dan mijn bedoeling was geweest. 'Daar sta ik ver boven. Ik stijg daar, zelfs nu we met elkaar praten, vér bovenuit. Ik ben helium. Ik ben een heteluchtballon. Ik ben een versgebakken brood.'

'Je bent een schrijver die bijna door zijn gelijkenissen heen is. Kom op, wat heb ik dan gezegd, Charlie?'

Ik sloeg het mapje met bankafschriften dicht en begon in een stapeltje papieren te bladeren.

'Je zei, en misschien parafraseer ik nu enigszins, dat volgens jou de aapjes de sleutel tot alles vormden.'

'Heb ik dat gezegd?'

'Ja. En weet je waarom dat zo slim was?'

'Vertel het me maar.'

'Omdat in beide aapjes sleutels záten. En daar is al dat gesteggel om geweest.'

'Echt waar? Alleen maar sleutels?'

Ik sloeg het bovenste blad van het stapeltje om, deed daarna de leeslamp aan en bladerde vervolgens door een Nederlands-Engels woordenboek dat op Rutherfords bureau openlag. Ik tilde het woordenboek aan de rug op en schudde er even aan voor het geval er iets interessants in mocht zitten, maar er viel niets uit.

'Alleen maar sleuteltjes, van een soort bankkluisje,' zei ik tegen Victoria. 'Een kluisje met daarin de gestolen diamanten.'

'Aha.'

'Inderdaad, aha. Er is alleen één probleem.'

'En dat is?'

'Om dat kluisje open te krijgen zijn er drie sleutels nodig.'

'O. En je komt nog steeds een aapje tekort?'

'Precies. Hoewel, nu ik erover nadenk, het feit dat ik gisteravond ben ontvoerd ook wel een probleem genoemd mag worden.'

'Sorry?'

'Ontvoerd. In elkaar geslagen met een honkbalknuppel. Je weet hoe dat gaat.'

'Nee, Charlie, dat weet ik níét. Ik denk dat je me maar beter alles kunt vertellen.'

En dat deed ik dan ook. En terwijl ik Victoria in korte bewoordingen op de hoogte bracht, verlegde ik mijn belangstelling van de zaken die op Rutherfords bureaublad lagen naar de inhoud van zijn bureauladen. Er waren zeven laden in totaal, drie aan beide kanten van het bureau en een centrale, wat grotere lade vlak boven mijn knieën. De centrale la was de enige die op slot zat, en zoals altijd wekte die onmiddellijk mijn nieuwsgierigheid. Onder het praten klemde ik de telefoonhoorn tussen mijn nek en oor, maakte van een van Rutherfords documenten een paperclip los, boog die recht en begon ermee in het sleutelgat te peuren.

'Charlie?' vroeg Victoria enkele ogenblikken later. 'Wat ben je aan het doen?'

'Niets.'

'Je ademhaling gaat anders behoorlijk zwaar.'

'Is dat zo? Sorry, ik probeer onder het praten iets open te krijgen.'

'Zolang het maar niet iets heel anders is.'

'Hoe bedoel je?' vroeg ik terwijl ik mijn bezigheden heel even opschortte.

'Laat maar,' zei ze. 'Maar de dikke en de dunne man... denk je echt dat die de derde sleutel niet in hun bezit hebben?'

'Ze hebben zelfs het derde aapje niet,' zei ik terwijl ik verderging met mijn zelfopgelegde taak. 'Als ze hem wél zouden hebben, waren ze niet bij mij in het appartement gebleven. Dan waren ze allang verdwenen en hadden ze de diamanten zelf wel opgehaald.'

'Tenzij ze bluften.'

'Waarom zouden ze dat doen?'

'Waarom doen mensen tegenwoordig wat ze doen? Ik weet het niet, misschien wilden ze jou doen geloven dat zij de Amerikaan niet hadden gedood.'

'Maar ze hébben hem niet gedood. En waarom zou het hen iets kunnen schelen wat ík denk? Voor hen ben ik slechts een inbreker die zich op het verkeerde moment op de verkeerde plaats bevond. Ik vorm geen bedreiging voor hen. Ik ben alleen maar lastig voor ze.'

'Maar nu heb je hun aapjes dus weer terug.'

'Eerlijk gezegd, nee. De aapjes hebben het leven gelaten. Ze zijn tot stof weergekeerd. Het enige wat ik nu nog heb zijn de twee sleuteltjes die erin hebben gezeten en een bijzonder kleine kans op een kluisje met diamanten.'

'Arme jij.'

'Dat zal ik zijn zodra ze me hebben weten op te sporen. Verdómme.'

'Wat is er?'

'Dat kloteding dat ik probeer open te krijgen. Ik heb net een paperclip gebroken.'

'Een paperclip? Waarom gebruik jij een... O, Charlie, wil ik dit wel weten?'

'Het gaat maar om een bureaulade. Naar alle waarschijnlijkheid volkomen onschuldig.'

'Gaat het om een la van je eigen bureau?'

'Stel geen domme vragen, Victoria. Je bent een genie, weet je nog?'

'Een genie. Ja, natuurlijk. Een genie dat geen flauw benul heeft wie het heeft gedaan.'

'Jij bent de enige niet.'

'Maar daar zit je verder niet mee, hè? Jij bent alleen in de diamanten geïnteresseerd, toch?'

'Klopt,' zei ik afwezig.

'Charlie, wat gebeurt er?'

'De la,' zei ik. 'Hij is eindelijk open.'

'En?'

'En je raadt nooit wat ik hier vind.'

26

Nee, niet het derde aapje. Maar het was er ook niet ver naast. Boven op een kleine verzameling persoonlijke voorwerpen lag een Nederlands paspoort, rood van kleur. Ik haalde het uit de la en sloeg het open, en wat ik helemaal voorin zag zette alles op zijn kop. Waarom? Omdat het exact hetzelfde document was waarvan ik een fotokopie had ontdekt in de overlooppijp van Michaels badkuip. Maar wat dat deed het in Rutherfords appartement?

'Ik bel je terug,' zei ik tegen Victoria. Ik hing op en staarde een hele tijd naar de foto voor in het paspoort, zonder daarbij aan iets specifieks te denken, althans, niets belangrijks. De foto moest een jaar of vijf oud zijn, vermoedde ik, maar de gelijkenis was er nog steeds. De vorm van het haar was veranderd en de bril was vervangen door contactlenzen, maar er was geen vergissing mogelijk om wie het hier ging. Voor misschien wel de twintigste keer las ik naam- en adresgegevens, ik legde het paspoort neer en pakte de hoorn van de haak.

Het telefoontje dat ik pleegde duurde niet langer dan een paar minuten en ik kreeg te horen wat ik eigenlijk al vermoedde. Nadat ik daarmee klaar was, hoefde ik alleen nog maar af te wachten. Het was al half vijf en ik verwachtte dat hij even na vijven thuis zou komen. Tot die tijd ijsbeerde ik door zijn zitkamer, keek af en toe door het raam naar buiten, naar de fietsers en joggers die in het Oosterpark hun rondjes draaiden, en een ander moment bereidde ik voor wat ik precies zou gaan zeggen. Uiteraard was ik alles op slag weer kwijt op het moment dat ik zijn sleutel in het slot hoorde draaien en zijn voetstappen in de gang hoorde, en moest ik het doen met datgene wat me te binnen schoot.

'Prachtig dat je weer op bent,' zei hij, terwijl hij zijn chique overjas over de leuning van de chesterfieldbank neerlegde en me stralend aankeek. 'Voel je je weer wat beter?'

'Mijn hoofd is een stuk helderder,' zei ik.

'Grandioos. En je eetlust?'

'Dat kan nog wel even wachten. Volgens mij moeten we praten.'

'Maar natuurlijk. Is alles goed met je, beste jongen?'

'Dat mag jíj me vertellen, beste jongen,' zei ik, en met die woorden haalde ik het paspoort uit mijn zak en gooide dat naar hem toe. Rutherford probeerde het op te vangen, maar moest bukken om het van de grond op te rapen. Hij sloeg het open, keek me vervolgens met wijd opengesperde ogen aan en schudde toen zijn hoofd alsof hij niet begreep wat er gaande was.

'Wat mij betreft kun je ophouden met toneelspelen,' zei ik hem. 'Ik heb het Britse consulaat gebeld en daar wérkt helemaal geen Henry Rutherford.'

Bijna probeerde hij het over een heel andere boeg te gooien. Ik zag dat hij in zijn hoofd een aantal ideeën de revue liet passeren, op zoek naar mogelijkheden die misschien zouden kunnen werken. Maar toen kruisten onze blikken elkaar en werd het hem duidelijk dat wat hij ook verzon het niet door mij gepikt zou worden.

'Klote,' zei hij terwijl hij zijn schouders liet zakken. 'Eigenlijk wist ik dat ik je niet alleen moest laten. Maar ik had niet verwacht dat je dít zou vinden.'

'Stom geluk, denk ik.'

'Ik neem aan dat klagen geen enkele zin heeft?'

Ik keek hem strak aan.

'Tja, misschien moet ik blij zijn dat je niet mijn hele huis hebt leeggehaald. Voldoende spullen hier die een paar kwartjes waard zijn.'

'Zit er íets bij wat van jou is?'

'Indirect wel. Je weet hoe het gaat,' zei hij, hulpeloos met het paspoort mijn kant uit gebarend, alsof hij over alles wat er was gebeurd geen enkele zeggenschap had gehad.

'Vertel maar eens.'

'Wat zou ik je móeten vertellen? We zijn uit hetzelfde hout gesneden, jij en ik.'

Ik keek hem fronsend aan. 'Ben jíj soms ook inbreker?'

'Nee,' zei hij, terwijl hij vaag zijn appartement rond gebaarde. 'Oplichter. Maar we houden ons geen van beiden echt aan de spelregels, hè?'

Ik schudde mijn hoofd, liet me op de oorfauteuil tegenover hem zakken en gebaarde naar het paspoort.

'Wat doe je daarmee?'

'Mikey vroeg me een paspoort voor hem te regelen,' zei hij met uitdrukkingsloze ogen.

'De Amerikaan.'

'Dezelfde.'

'Dus je kende hem?'

Hij knikte. 'We hebben samen gezeten.'

'In Nederland?'

'Niet ver bij Den Haag vandaan, toevallig. Ik moest een tijdje zitten voor een zaakje dat helemaal fout was gelopen. De Hollandse dame die ik als compagnon had aangetrokken, bleek achterdochtiger dan ik had gedacht toen ze het bedrijfje dat ik had opgezet tegen het licht hield.'

'Ik geloof niet dat ik het wil weten.'

'Dat denk ik ook niet. Wil je iets drinken? Ik heb wel trek in een biertje.'

Ik schudde mijn hoofd en hij liet me even alleen, en kwam kort daarna uit de keuken terug met een blikje pils in de hand. Hij trok het lipje ervan open, maakte zijn stropdas en boordenknoopje los en begon gulzig te drinken, zijn dikke keek had het er maar moeilijk mee.

'Tussen haakjes, ik heet geen Rutherford,' meldde hij uit zichzelf, en hij liet een boer.

'Zoiets vermoedde ik al.'

'De naam is Stuart. Rutherford is maar een pseudoniem. Je bedient je van de juiste naam, van de juiste manier van praten, de juiste kleding en het juiste appartement, en, alsjeblieft,' zei hij, terwijl hij met een weids gebaar de aandacht op het vertrek om hem heen vestigde, 'dan kun je heel wat voor elkaar krijgen.'

'Zolang je maar kans ziet buiten de gevangenis te blijven.'

'Dat is nu eenmaal het risico van dit beroep. Heb jij erg lang moeten brommen?'

Ik schudde mijn hoofd. 'En ik was ook niet van plan om dat ooit nog eens te laten gebeuren.'

'Niemand is dat van plan, jongen. En Mikey al helemaal niet.'

Stuart nam nog een lange teug bier en liet zich toen op de chesterfield vallen, waarbij zijn buik nog iets verder leek uit te zetten en pal vóór hem leek te trillen als een pas uit een vorm geschoven geleipudding.

'Vertel me wat meer over dat paspoort,' zei ik. 'Wanneer heeft hij je gevraagd erachteraan te gaan?'

Stuart stak zijn onderlip naar voren en dacht diep na.

'Een maand geleden, denk ik. Hij belde me vanuit de gevangenis op. Hij zei toen dat hij iets meer over dat meisje wilde weten.'

'Marieke.'

'Zo noemde ze zich tegenover hem,' zei hij met een knikje. 'Maar hij was erachter gekomen dat er iets met haar aan de hand was.'

'Dus hij vroeg jou of je haar paspoort wilde stelen?'

'Nee.' Hij streek met de rug van zijn hand over zijn glinsterende voorhoofd. 'Hij vroeg me zo veel mogelijk over haar aan de weet te komen. Dus ben ik gaan uitzoeken waar ze werkte, en ben toen gaan praten met een paar knapen die daar ook werkten.'

'De jonge barman? De knaap die zo woedend kan kijken?!'

'Een jongen die achter de bar werkte. Dat zou best eens die jongen kunnen zijn. Hoe dan ook, de barkeepers in Amsterdam zijn geen spat anders dan hun collega's elders, ze worden niet bepaald goed betaald.'

'Dus heb je hem omgekocht.'

Hij sloeg zijn ogen ten hemel en liet me zijn klamme handpalmen zien. 'Ik heb hem gevraagd een kijkje tussen haar spullen te nemen, meer niet. Hij was degene die met dat paspoort aan kwam zetten.'

'En jij hebt er een fotokopie van gemaakt en naar Michael opgestuurd.'

'Hé, hoe weet jíj dat?' vroeg hij met toegeknepen ogen.

Ik schudde mijn hoofd. 'Dat doet er niet toe. Hoe was zijn reactie nadat je het naar hem toe had gestuurd?'

'Geen idee,' zei hij bijna terloops. 'Ik heb het gewoon op de post gedaan, samen met een verjaardagskaart.'

'Hebben de gevangenbewaarders zijn post dan niet gecontroleerd?'

'Ze zijn er in elk geval niet achter gekomen hoe ik het heb gedaan. Ik heb dat ding aan de binnenkant van de kartonnen flap van de kaart vastgelijmd.'

'Heel slim.'

'Niet echt. Door de gevangenbewaarders wordt niet zo heel goed opgelet. Binnen de kortste keren heb je in de gaten hoe het er in z'n werk gaat. Ik betwijfel zelfs of hij wel echt jarig was.'

Ik ging wat verder vooroverzitten, de ellebogen op mijn knieën en met mijn vingers naar beneden wijzend.

'Zei haar naam jou iets?'

'Het meisje, bedoel je? Pas toen we in de bibliotheek waren. Direct nadat we dat krantenartikel tegenkwamen begon er bij mij een lampje te branden.'

Ik keek hem gespannen aan. 'Kim Wolkers. Haar achternaam is hetzelfde als die van de bewaker die door Michael gedood zou zijn.'

Stuart knikte. 'Behalve dan dat hij helemaal níémand heeft gedood. In elk geval heeft hij tegenover mij altijd beweerd dat hij het niet gedaan heeft. Maar wat die achternaam betreft heb je gelijk. Zou het zijn dochter kunnen zijn?'

'Dat vermoeden dringt zich wel aan mij op.'

'En dat was waarschijnlijk ook bij Mikey het geval, denk ik. Ik heb trouwens het gevoel dat hij altijd al van de hoed en de rand heeft geweten.'

'Waarom zeg je dat?'

'Gewoon een gevoel wat ik heb. Iets in zijn stem. Ik kan het niet uitleggen.'

'Er zijn een paar dingen die ik nog steeds niet begrijp,' zei ik.

'Een paar maar?'

Ik glimlachte en liet mijn hoofd op mijn handen steunen. 'Eén ding in het bijzonder: waarom is hij zo close met het meisje blijven omgaan nadat hij eenmaal wist wie ze was? Hij moet toch dondersgoed hebben begrepen dat ze hem belazerde?'

Stuart haalde zijn schouders op en zakte nog verder onderuit op de bank, met het blikje bier balancerend op zijn buik.

'Mikey was een eigenaardige knaap. Hij heeft me bezworen dat hij die bewaker niet gedood heeft, maar hij was ook niet bepaald de gemiddelde bajesklant.' Hij zweeg even, en er gleed een donkere wolk over zijn gezicht terwijl hij met een vinger tegen de zijkant van het blikje met pils tikte. 'Het gekke was dat hij nooit klaagde over het feit dat hij achter de tralies zat. Ik daarentegen kon er voortdurend over kankeren, maar bij hem was het net alsof hij het prettig vond dat hij opgesloten zat.'

'Een soort boetedoening?'

'Zo zou je het kunnen noemen.'

'Hoewel dat nergens op slaat als hij die bewaker níét gedood heeft.'

'Inderdaad.'

'En het verklaart ook niet waarom hij haar dekmantel niet onderuit heeft gehaald.'

'Tenzij hij dat wél heeft gedaan. In uiterst besloten kring, bedoel ik.'

Ik bewoog mijn hoofd heen en weer, alsof ik een weegschaal probeerde na te doen.

'Die indruk kreeg ik niet.'

'Ik ook niet. Maar het ís een theorie.'

Stuart stak in een hulpeloos gebaar een hand omhoog, en nam toen een slok uit zijn blikje. Hij hing op een érg on-Rutherfordsiaanse manier onderuit, wijdbeens en zijn buik over zijn broeksband puilend. Dit contrast drukte me nog eens op het feit hoe goed hij toneel kon spelen als hij zich eenmaal een karakter had aangemeten, en die wetenschap maakte me achterdochtig. Ik had grote twijfel of Stuart écht zijn ware naam was. Misschien was het wel jaren geleden dat hij die voor het laatst had gebruikt.

'Jij bent helemaal geen jurist,' zei ik.

'Nee.'

'Maar vertel dan eens, puur uit belangstelling, hoe dit je gelukt is. Ik bedoel, hoe je erin geslaagd bent om je als mijn advocaat op te werpen.'

Hij grinnikte alsof hem een recente seksuele verovering te binnen schoot.

'Dat is gemakkelijker dan je denkt. Ik hing die ochtend gewoon wat rond bij de receptie van dat politiebureau. Ik ving een gesprek op tussen twee geüniformeerde agenten die het erover hadden dat je weigerde te praten zolang jouw advocaat nog niet was gearriveerd. Dus wachtte ik tot ze verdwenen waren en meldde me vervolgens bij de wachtcommandant, of hoe ze zo iemand hier ook mogen noemen.'

'Maar hebben ze je dan niet naar je papieren gevraagd?'

'O, maar ik héb papieren. Daar kan iedereen zo aan komen.'

'Ik begrijp het. Nee, deleten maar. Ik begrijp het niet. Hoe wist je bij welk politiebureau je moest zijn?'

'Jouw arrestatie stond in de krant,' zei hij, en hij klonk oprecht verrast dat ik daar niet aan had gedacht. 'Zodra ik dat had gelezen ben ik ernaartoe gegaan. Ik hoopte daar iets op te vangen wat ik kon gebruiken.'

'Waarvoor dan?'

Hij haalde zijn schouders op.

'De diamanten?' probeerde ik.

Hij knikte langzaam. Toen keek hij me met een treurige blik aan. 'Het leverde aanzienlijk meer op dan ik had durven hopen.'

'Het was wel een enorme stunt die je hebt uitgehaald.'

'Ach,' zei hij met een lillende onderkin, 'als je iets doet om aan de kost te komen, is het wel zo lucratief als je er goed in bent. Ik neem aan dat jij ook geen dingen steelt omdat het je hobby is.'

'Daar zit iets in.'

'Je wacht af tot er iets voorbijkomt wat de moeite van je tijd waard is, toch?'

'En het risico.'

'Het risico dat je loopt is eigenlijk nog het leukst.'

'Voor mij niet,' antwoordde ik, en ik schudde mijn hoofd.

'Kom op, krijg jij er dan géén kick van als je in iemands huis inbreekt? Dat geloof ik niet.'

'Misschien is het een neveneffect van wat ik doe.'

'Zou kunnen.'

'Echt. Ik ben in de eerste plaats schrijver. Het komt alleen wel eens voor dat ik, mocht dat noodzakelijk zijn, de behoefte heb mijn inkomen een beetje aan te vullen.'

'Dat is ook zo,' zei hij, terwijl hij met een dikke wijsvinger naar me wees, 'ik heb een tijdje geleden een van jouw boeken gelezen. Ik wist in hoofdstuk 3 al wie de moordenaar was.'

'Misschien heb je alleen maar goed gegokt.'

'Nee, ik wíst het. Maar dat betekent niet dat ik er niet van genoten heb.'

'We dwalen af,' zei ik. Ik kwam overeind en ging achter de oorfauteuil staan, waar ik mijn handen over de bekledingsstof sloeg. 'Je zei dat je van begin af aan van de diamanten af wist?'

Stuart knikte opnieuw, terwijl de vettige huid rond zijn nek zich als een dikke coltrui oprolde toen hij zijn kin naar zijn borst bracht.

'Ik had er in de gevangenis over gehoord. Er was daar weinig anders te doen dan met elkaar kletsen, weet je. En rond een vent als Mikey ontstonden al snel een hele serie mythen.'

'Hoezo?'

'Nou, ik denk omdat hij vrij stil was,' zei hij, terwijl hij in de opening van zijn bierblikje keek en de inhoud zachtjes liet ronddraaien. 'De meeste oplichters die ik heb ontmoet zijn maar al te bereid te vertellen waarom ze achter de tralies zitten, wat er fout is gegaan en hoe ze het de volgende keer anders zullen doen. Maar Mikey niet. Hij was totaal anders. En de anderen kregen dat ook door. Iedereen wilde weten wat hij had gedaan. Elk detail werd eindeloos uitgeplozen.'

'Zoals?'

'Zoals bijvoorbeeld het kleine speelgoedaapje dat hij in zijn cel bewaarde. Vreemd, hè? Hij keek er voortdurend naar. En daardoor gingen de mensen kletsen.'

'En wat zeiden ze dan?'

'Van alles. Een man als Mikey,' zei hij, terwijl hij zwaarwichtig met een vinger tegen zijn voorhoofd tikte, 'kan binnen de kortste keren hét onderwerp van gesprek worden.'

'En een van de verhalen die de ronde deden was dat hij kans had gezien met een fortuin aan diamanten aan de haal te gaan?'

'Onder andere.'

'Heb je hem er wel eens naar gevraagd?'

'Jazeker.'

'En wat zei hij toen?'

'Niets.' Hij schudde even met zijn bierblikje en nam toen een slokje. 'Maar daar kwam verandering in.'

Ik wachtte heel even, probeerde hem niet te overhaasten. 'O?' zei ik zo nonchalant als ik onder de omstandigheden kon opbrengen.

Stuart grinnikte, zich bewust van wat ik aan het proberen was. 'Luister,' zei hij, 'ik heb wat dit betreft zelf ook een paar dingen aan elkaar proberen te passen, oké? Maar ik neem aan dat jíj de Engelse knaap bent aan wie hij heeft gevraagd de twee aapjes voor hem te stelen. Ik bedoel, wie zou het anders moeten zijn, ja?'

'Ga verder.'

'En jij zei nee. Tenminste, dat was je eerste reactie.'

Hij zweeg even, wachtte tot ik dat zou bevestigen, maar dat genoegen deed ik hem niet. Hij leek daar niet erg van onder de indruk. Een oplichter is eigenlijk een verhalenverteller, en Stuart vond het heerlijk om een goed verhaal te vertellen.

'Het kreeg Mikey helemaal te pakken,' vervolgde hij. 'Om de een of andere reden had hij die aapjes nodig. En het werd op die donderdag al snel later, en hij begon te vermoeden dat je het misschien toch wel eens zou kunnen laten afweten. En toen belde hij mij.'

'Als reserve.'

'Alleen wist hij niet zeker of ik werkelijk de reserve zou zijn.'

'Goed. En jij ging ermee akkoord voor hem in die woonboot en dat appartement in te breken.'

Diep uit zijn keel kwam een laag geluid dat nog het meest op een jammerklacht leek. 'Aanvankelijk niet. Zoals ik al zei, ik ben een meesteroplichter, geen inbreker. Maar...' Hij richtte zijn blik op het plafond en knikte met zijn hoofd, alsof hij zijn morele tekortkomingen best wilde erkennen. 'Het werd al laat en voor hem was het belangrijk dat hij díe avond nog de aapjes in zijn bezit had, oké? En ik wist van het aapje dat hij in de gevangenis bij zich had gehad, wist hoe belangrijk dat altijd voor hem geweest was. Dus liet ik hem een tijdje spartelen, kreeg hem zover dat hij me bijna smeekte om hem te helpen, maar wel op een behoedzame manier, weet je, want hij wilde de zaak niet verpesten. En ik vermoed dat ik het uiteindelijk niet beter had kunnen spelen, want op dat moment biechtte hij me alles over de diamanten op.'

'Hoeveel heeft hij je geboden?'

'De helft,' zei hij, en hij nam nog een slok pils.

'Je liegt.'

Er gleed een sluwe grijns over Stuarts gezicht. 'Hoe weet je dat zo zeker?'

'Je beweegt je lippen.'

'Jeetje,' zei hij, terwijl hij een hand omhoog bracht, om die vervolgens op zijn buik neer te laten ploffen. 'Dat is een opmerking die even oud is als mijn opoe. En die is al bijna twintig jaar dood.'

'Maar toch, het is waar, niet? Volgens mij ligt het percentage ergens in de buurt van de tien procent.'

'Je raadt maar een eind weg, maatje. Het enige wat je hoeft te weten is dat het voldoende was om mij binnenboord te halen.'

'Dus jij was de andere indringer.'

'Wat zei je?'

'De knaap die ná mij op beide adressen heeft ingebroken.'

'Als jij dat zegt. Zo te horen zou het kunnen kloppen, maar ik heb nooit zeker geweten of je daar was.'

'Nou en of,' zei ik, en ik sloeg mijn armen over elkaar. 'Ik was in het appartement in de Jordaan toen jij daar de boel doorzocht. Jij hebt daar met een mes de matras kapotgesneden.'

'Nou zeg. Waar zat je ergens verborgen dan?'

'Op de vliering.' Ik keek omhoog, alsof er in Stuarts plafond plotseling een identiek luik was verschenen dat me kon helpen het een en ander uit te leggen. 'Daar was een soort zolder. Maar ik heb je niet kunnen zien.'

'Anders had je me herkend zodra ik het politiebureau was binnengewandeld,' zei hij bijna weemoedig.

'Je had meer geluk dan je besefte.'

'Maar wat had je ze nou eigenlijk kunnen vertellen?'

'Dat is een strikvraag.'

'Is dat zo?'

'Weet je,' zei ik, terwijl ik over de pijnlijke plek op mijn borst wreef, 'toevallig geloof ik wat je me vertelt. Ik wíst dat degene die in het appartement inbrak een beginneling moest zijn. Tussen haakjes, wat heb je eigenlijk tegen de voordeur ingezet?'

'Een brandblusser. Die had ik op straat gevonden.'

'Ik dacht dat je een grote hamer had gebruikt, hoewel het met een brandblusapparaat ook kan, neem ik aan.'

'In elk geval kon ik ermee binnenkomen,' zei hij, opnieuw grinnikend.

'Maar waarom ben je eigenlijk naar het appartement gegaan? Je moet geweten hebben dat ik dat beeldje uit de woonboot had meegenomen.'

Stuart schudde zijn hoofd. 'Ik zag geen kans dat kluisje open te krijgen. Ik had al tegen Mikey gezegd dat me dat waarschijnlijk niet zou lukken, maar dat laat zien hoe wanhopig hij was geworden. Hij wílde dat ik het zou proberen.'

'Maar toen je bij het tweede appartement aankwam, en het aapje was er niet, moet je toch tot de conclusie zijn gekomen dat ik je voor was geweest?'

'Uit niets bleek dat er was ingebroken.'

'Omdat ik nooit iets kapotmaak. Ik maak gebruik van mijn inbrekersinstrumenten.'

Hij tuitte zijn lippen. 'Alleen wist ik dat niet. Dat had gekund, natuurlijk, maar voor hetzelfde geld was het aapje verplaatst.'

'Wat heb je gedaan nadat je daar bent vertrokken?'

'Ik ben op weg gegaan naar het café waar het meisje werkt. Daar wilde Mikey dat ik naartoe ging. Maar toen ik daar arriveerde was hij al bezig weg te gaan, dus ben ik hiernaartoe gegaan en heb zijn telefoontje afgewacht.'

'Was hij in het gezelschap van de dikke en de dunne man?'

'Er waren inderdaad twee mannen bij hem.'

'Denk je dat zíj hem hebben vermoord?'

'Dat zou kunnen. Hoewel het ook het meisje geweest zou kunnen zijn. Misschien heb jij het wel gedaan.' Hij keek me met gefronste wenkbrauwen aan.

'Of jij,' opperde ik.

'Moet je goed luisteren,' zei Stuart, terwijl hij op de chesterfield wat meer overeind probeerde te komen en en passant wat bier op zijn overhemd morste. 'Ik wéét dat ik het niet ben geweest.'

'Dat geldt ook voor mij,' zei ik, en ik betastte mijn hoofdwond, waar ik een vlokje opgedroogd bloed weghaalde. 'En nadat ze mijn hoofd onzacht met een honkbalknuppel kennis hadden laten maken, beweerden de dikke en de dunne man bij hoog en bij laag dat zíj het ook niet hadden gedaan.'

'Dan moet het het meisje zijn geweest.'

Ik hield mijn hoofd een tikkeltje scheef. 'Zou kunnen. Hoewel ze dan moet hebben gewacht tot de dikke en de dunne man hem alleen hadden gelaten, dan moet ze hem in elkaar hebben geslagen, om vervolgens naar het café terug te gaan om mij te ontmoeten. Wat ik nog niet zo één twee drie zie gebeuren. Weet je zeker dat ze niet bij Michael en de twee mannen was?'

'Absoluut,' zei hij, en hij keek me ernstig aan, zoals hij dat trouwens sinds zijn thuiskomst constant had gedaan. 'Hoewel ze natuurlijk wél al in zijn appartement kan zijn geweest. Toen ik hem uit het café zag komen, ben ik verder niet naar binnen gegaan, maar ik heb haar ook door het raam niet gezien.'

'Het zou kunnen.'

'Of iemand liegt.'

'Of iemand anders heeft hem vermoord.'

'Verdorie, misschien was het wel zelfmoord.'

Ik keek Stuart aan met een blik die duidelijk liet blijken dat ik die opmerking niet grappig vond. Hij zakte weer wat verder onderuit op de bank en sloeg het laatste restje van zijn pils achterover.

'Heb jíj in mijn appartement ingebroken?' vroeg ik.

Hij fronste zijn wenkbrauwen en veegde met de rug van zijn hand zijn lippen schoon. 'Daar weet ik niets van. Maar ik heb wel geprobeerd erachter te komen waar je woonde. Dus er is bij jou ook ingebroken, hè?'

'Ik weet niet zeker of ik me daarover wel mag beklagen.'

'Hebben ze de aapjes te pakken gekregen?'

'Ik ben bang van wel.'

Stuart keek me met half dichtgeknepen ogen aan, en gebaarde toen met het lege bierblikje mijn kant uit.

'Weet je, je keek net even de andere kant uit toen je dat zei. Dat is een duidelijk teken dat je aan het liegen bent.'

'Ik zeg je de waarheid,' zei ik, terwijl ik hem recht in de ogen keek.

'Gelul. Je knipperde met je ogen.'

Ik zuchtte, wreef langs de achterkant van mijn nek en vervolgens over de stoppels op mijn kin.

'Hoe zit het met die secretaresse, de vrouw die mij opbelde?'

'Een of andere deerne in een bar. Ik heb haar wat bankbiljetten gegeven.'

'Ik vond haar nogal kortaangebonden.'

'Verdorie. Maar alle waar is nu eenmaal naar z'n geld, neem ik aan.'

'En dat bibliotheekgedoe,' ging ik verder terwijl ik mijn handen omhoogstak. 'Waarom heb je dát toneelstukje eigenlijk opgevoerd? We hebben daar uren gezeten.'

'Nou, ik kon het toch niet maken dat ik onmiddellijk zou vinden waarnaar je op zoek was?'

'Maar dríé uur!'

'Ja,' reageerde hij met een zelfgenoegzaam lachje. 'Ik voelde toen al dat je een beetje rusteloos aan het worden was. Ik had het ook een uurtje langer kunnen laten duren.'

'Dat was helemaal niet nodig.'

'Ik ben alleen maar grondig te werk gegaan. Bovendien had je me er ook nog eens stevig voor betaald.'

'De zesduizend euro? Die had ik in de kluis op de woonboot gevonden.'

Hij schudde geamuseerd het hoofd. 'Zo gewonnen, zo geronnen, hè?'

'Zo zou je het kunnen noemen. Eerlijk gezegd besefte ik dat het wel eens gemerkt geld zou kunnen zijn, en ik dacht dat het wellicht verstandig was om het via jouw rekening wit te laten wassen.'

Hij floot even. 'Wat dacht je, had je er na een tijdje iets van terug willen hebben?'

'Die gedachte is wel even bij me opgekomen.'

'Van een jurist? Man, je bent een geboren optimist.'

Ik boog voorover naar de stoel en plantte mijn handen opnieuw op de rugleuning.

'Nog één vraag,' zei ik. 'Marieke, Kim, of hoe ze ook mag heten, denk jij dat ze dat derde aapje heeft?'

Hij beet even op zijn lip, en knikte toen langzaam. 'Volgens mij is de kans daarop best groot. En ik zeg dat als iemand die weet dat jij mijn huis al hebt doorzocht.'

'Hé,' zei ik glimlachend, 'als je dan toch iets moet doen om de kost te verdienen, kun je er maar beter zo goed mogelijk in zijn.'

27

Het was drukker in café De Brug dan ik ooit had meegemaakt. Alle tafeltjes waren bezet en in het bovenste gedeelte van het vertrek hing dikke sigarettenrook. Zowel het meisje als de jongeman was achter de bar druk in de weer, en vanwege de vele klanten hadden ze me aanvankelijk niet eens in de gaten. Ik ging op een kruk zitten, stak een sigaret op met een lucifer uit een boekje dat ik een eindje verderop in een asbak had gevonden, en zag er, dacht ik, misschien wel een beetje uit als Clint Eastwood in een van zijn westerns. Ik wist bijna zeker dat ik niet wilde weten hoe ik er wérkelijk uitzag.

Toen ze me ten slotte zag zitten, zag ik onmiddellijk dat ze heel even overwoog me niet te bedienen, maar dat aan haar vingervlugge vriend over te laten. Maar uiteindelijk bedacht ze zich en tapte een biertje voor me.

'Dank je, Kim,' zei ik toen ze het glas bier voor me neerzette.

Ze hield haar vingers om het glas geklemd. Het enige wat er op dat moment toe deed was het feit dat ze mij haar ware naam hoorde noemen.

'Je zult het toch een keer moeten loslaten,' zei ik haar. 'Anders lukt het me nooit een slok te nemen.'

Toen ze nog steeds geen aanstalten maakte haar hand terug te trekken, maakte ik haar vingers zelf maar voorzichtig los, ik bracht het glas naar mijn lippen en nam een lange teug van de ijskoude drank. Daarna nam ik nog een trekje van mijn sigaret. Mijn borst deed nog steeds pijn als ik diep inhaleerde, maar ik deed mijn best daar niets van te laten merken. De droge rook blies ik via mijn neusgaten naar buiten, ik stak mijn hand in mijn zak en haalde haar paspoort tevoorschijn. Dat schoof ik over de bar naar haar toe.

'Laten we een stukje gaan wandelen,' zei ik. 'Zeg maar tegen je vriend dat hij even de handen uit de mouwen moet steken.'

Ik nam nog een slok, stapte van de kruk en wachtte buiten tot ze naar me toe zou komen. Vijf minuten later kwam ze tevoorschijn, nadat ze aanzienlijk langer dan ik had verwacht had gedaan over het aantrekken van een zwart gewatteerd jack en handschoenen. Ik leidde haar zwijgend naar de verlichte brug over de gracht, en wachtte tot we het midden van de brug hadden bereikt voor ik een allerlaatste trekje van de sigaret nam en het peukje in het olieachtige water een paar meter lager schoot en tegen de bakstenen balustrade ging leunen.

'Michael wist het,' begon ik, terwijl ik op het donkere, geleiachtige oppervlak neerkeek. 'Ik heb in zijn appartement een fotokopie gevonden.'

Mijn woorden werden zwijgend aangehoord. Óf ze wist niet wat ze moest zeggen, óf ze wachtte af wat ik nog meer zou gaan zeggen. De waarheid was dat ik niet écht wist hoe ik verder moest, maar het zag ernaar uit dat ik nog iets meer moest zeggen.

'Hij zat in de overlooppijp van zijn badkuip. Ik weet toevallig dat hij die fotokopie al had vóór hij uit de gevangenis werd ontslagen. Dus hij wist wie je was. Hij wist dat hij jóuw vader had gedood.'

Ze haalde haar handen uit de zakken van haar jack en sloeg haar armen om zich heen. Toen gaf ze een trap tegen het groezelige metselwerk van de balustrade, en knikte toen een paar keer, alsof een deel van haar het altijd al geweten had.

'Heeft hij het je niet verteld?' vroeg ik, en ze schudde vreugdeloos het hoofd. 'Je ging naar bed met de man die je eigen vader had omgebracht,' vervolgde ik, de woorden kwamen er scherper uit dan mijn bedoeling was geweest.

Uiteindelijk zei ze. 'Ik niet.'

'Nou,' reageerde ik, 'tenzij je een dubbelgangster hebt van wie ik nog nooit heb gehoord, ben ik er redelijk zeker van dat het zo gegaan is.'

'Nee, Marieke misschien, maar ik niet.'

'Ik weet niet zeker of dat onderscheid werkelijk te maken is.'

'Je weet niet hoe het is,' zei ze, en ze keek me sluw aan.

'Waarschijnlijk niet. Ik geloof dat ik er geen bal van begrijp.'

Ze draaide zich om en leunde naast me tegen de balustrade, liet haar ellebogen op de natuurstenen bovenafwerking rusten en richtte haar blik op de nachtelijke hemel. Haar adem condenseerde in de lucht, waardoor haar gelaat grotendeels aan het zicht werd onttrokken, maar ik zag nog wel dat de kou haar huid een verkleumde teint had gegeven, waardoor haar jukbeenderen zich op de een of andere manier scherper aftekenden. Met haar blonde haren losjes op haar schouders, en ogen die zich in hun kassen leken terug te trekken, had ze iets van een heldin, iets chics, als van een mannequin uit de jaren negentig.

'Ik was helemaal niet van plan hem aardig te vinden,' zei ze met een zacht stemmetje, half tegen zichzelf. 'In het begin vond ik het vreselijk. Maar het was volkomen oprecht. Als we elkaar per ongeluk tegen het lijf waren gelopen, en ik had niet geweten wie hij was, zou ik me ook tot hem aangetrokken hebben gevoeld.'

'Maar je hebt altijd geweten wie hij was. En wat hij had gedaan.'

Ze sloot haar ogen, alsof ze mijn woorden buiten wilde sluiten en zich op die van haarzelf wilde concentreren. 'Toen hij vertelde dat hij onschuldig was, was dat zo'n schok. Niet omdat het me boos maakte.' Ze draaide zich naar me om. 'Maar omdat ik zo graag wilde geloven dat het waar was.'

'Misschien wás dat ook wel zo.'

Ze beet op haar lip, zo hard dat er een bloeddruppeltje te zien was. 'Nee,' zei ze, en ze schudde halsstarrig haar hoofd.

'Ik heb gehoord dat hij dat tegen heel wat mensen heeft gezegd.'

'Er zijn maar weinig moordenaars die erkennen dat ze schuldig zijn.'

'Sommigen kunnen niet anders. Sommigen bekennen het zelfs tijdens hun rechtszaak.'

Ze ademde diep in en probeerde zich weer te beheersen. 'Ik was negen toen het gebeurde. Ik heb zijn foto in de kranten zien staat. Ik heb zijn ogen gezien en ik wist dat híj het was, al ruim voor het proces. Maar toen was het plotseling allemaal achter de rug. Hij zat in de gevangenis en ik wist helemaal niets over hem. Heeft hij wel eens aan mij gedacht? Wist hij eigenlijk wel dat ik bestond? Wist hij wel wat hij me had afgenomen?'

'Dat is niet iets wat hij gemakkelijk had kunnen vergeten.'

'Maar het had gekund. Ik kende hem toen niet. Ik wist alleen maar wat mijn moeder me heeft verteld, waarbij ze zijn naam zo'n beetje úítspuwde en vreselijke dingen over hem zei. Zij vertelde me altijd dat hij een monster was.'

'Was het gemakkelijker om op zo'n manier aan hem te denken?'

'Uiteraard,' zei ze. 'Het wás simpelweg zo. Maar toen, de eerste keer dat we elkaar spraken... ik weet het niet, hij was zo... anders.'

'En dat deed pijn.'

'Ja.'

'Maar dat veranderde.'

Ze verstrakte en ik vroeg me een ogenblik af of ze nog wel door zou gaan. Ze had alle reden om dat niet te doen. Ik was per slot van rekening haar raadsman niet, of iemand van de politie. Ik had kunnen zeggen dat ze me een versie van de waarheid schuldig was, maar wat betekende dat nou eigenlijk? Maar misschien wilde ze alleen maar dat er iemand naar haar luisterde, want na een kort stilzwijgen ging ze verder.

'Maar die verandering duurde maar kort,' zei ze aarzelend. 'In het begin kon ik nauwelijks ademhalen als we met elkaar spraken. Maar ik leerde mezelf in de hand te houden, een deel van mezelf af te sluiten. En toen merkte ik dat ik graag wilde horen wat hij te zeggen had.'

'Freud zou hiervan genoten hebben.'

Kim stampte met haar voeten op de grond en sloeg haar armen nog wat steviger om zich heen. Het leek wel of ze rilde.

'We zouden naar binnen kunnen gaan,' stelde ik voor. 'Dan kun je me daar de rest vertellen.'

'Nee. Het is prima hierbuiten.'

'Vind je dit soort gebrek aan comfort prettig?'

Ze haalde haar schouders op.

'Wanneer besloot je te proberen je de diamanten toe te eigenen? Want dat was het plan, hè?'

Ze keek me ontzet aan.

'O, misschien heb je eerst nog overwogen hem op een of andere manier pijn te doen, hem om te brengen, misschien wel, maar volgens mij kwam daar verandering in toen je hem steeds aardiger ging vinden. Ik vermoed dat je jezelf ervan hebt overtuigd dat de beste manier om hem te vernederen was dátgene van hem af te nemen waarvoor hij twaalf jaar had moeten wachten om het in handen te krijgen. En het kon natuurlijk ook geen kwaad dat die diamanten een klein fortuin waard waren.'

'Nee,' zei ze, en ze sloeg haar ogen neer en keek naar haar voeten.

'O, ik denk van wel. Ik denk dat het exact zo gegaan is. Alleen begon je steeds meer vragen te stellen en werd Michael op een gegeven moment achterdochtig. En toen vond hij een vriend die wat ging rondneuzen, en die vriend ontdekte iets schokkends: het meisje dat zo aan hem gehecht was geraakt, bleek de dochter van de man die hij had omgebracht.'

Kim schudde langzaam haar hoofd, alsof ze de logica van wat ik zei probeerde te ontkennen.

'Wat ik niet begrijp is waarom hij zich er zo voor openstelde. Waarom doorgaan met die schertsvertoning?'

'Hij hield van me,' zei ze toonloos.

'O, ik ben er heilig van overtuigd dat hij dat met zoveel woorden tegen jou heeft gezegd. De vraag is alleen, waarom deed je net alsof je hem geloofde?'

Toen begon ze te huilen, maar niet heel opzichtig. Zachtjes stond ze schokschouderend en trillend naast me, het hoofd gebogen, terwijl het snot in haar neusgaten glinsterde. Ze beet opnieuw op haar lip, harder deze keer, maar ik probeerde me er niet door te laten beïnvloeden.

'Je hebt hem niet vermoord,' zei ik, daar nu plotseling zeker van.

'Nee,' fluisterde ze.

'Omdat je het niet kon. Ook al wilde een deel van jou dat best graag, als je hem zo zag. Daarom trok je uiteindelijk ook aan het kortste eind, denk ik, toen je besefte dat er iets gebeurde wat je graag wilde. En dat is oké. Ik denk echt dat dat geen kwaad kan. Hoewel het me eerlijk gezegd niets kan schelen. Het enige wat ik momenteel wil, zijn de drie aapjes. En ik denk dat jíj de derde in je bezit hebt.'

Ze keek me met een verwilderde blik aan. 'Nee.'

'Wil jij me soms vertellen dat je dat niet ergens in je appartement hebt verborgen, dat als we nú naar boven gaan, ik dat niet tussen je spullen zal aantreffen?'

'Ik heb het niet. En wat doet het er trouwens toe? Je hebt me verteld dat je de andere twee ook niet meer hebt.'

Ze keek me aan, de kaken op elkaar geklemd, en ik zag in haar ogen iets uitdagends. Ze wantrouwde me, zeker weten, en dat kon ik haar niet kwalijk nemen. Maar toen had ik geen tijd meer om na te denken, want ik hoorde gierende remmen en draaide me nog net op tijd om om te zien hoe een vertrouwde witte bestelbus mijn kant op kwam.

'Heb jíj ze gebeld?' schreeuwde ik. 'Voor je naar buiten bent gekomen?'

Iets in haar blik vertelde me dat ik het bij het rechte eind had. Ik keek haar woedend aan, greep haar bij de arm en gaf haar een harde duw in de richting van de dikke man, precies op het moment dat hij met de honkbalknuppel in zijn hand uit de auto sprong. Hij wankelde even, maar duwde haar opzij, liep snel door, bracht de knuppel omhoog en gaf er een harde zwiep mee terwijl hij nog een stap mijn kant uit deed. Deze keer zag ik hem aankomen en ik deed snel een stap achteruit, waarbij ik mijn buik introk om te voorkomen dat ik geraakt zou worden. Toen stormde ik naar voren, gooide de dikke man tegen de neus van de bestelwagen en sloeg mijn armen om hem heen vóór hij de kans kreeg opnieuw met de knuppel naar me uit te halen. Ik ramde mijn knie in zijn maag en daarna nog een keer of twee in zijn kruis. Hij liet de honkbalknuppel kreunend vallen en zakte door zijn knieën, maar had nog voldoende veerkracht over om omhoog te klauwen, mijn nek te pakken te krijgen en met zijn gehandschoende handen mijn keel dicht te knijpen. Ik probeerde zijn vingers los te trekken, terwijl ik tegelijkertijd zijn gezicht wegduwde en mijn vingers in zijn ogen probeerde te steken, maar hij boog zijn hoofd naar achteren, zodat ik er niet echt bij kon. Voor ik me van hem kon bevrijden ging de dunne man zich ermee bemoeien, die mijn arm onder een vreemde hoek naar achteren trok, die ergens vlak bij de schouder dreigde te gaan breken. Ik gorgelde van de pijn, schopte met mijn benen zonder ook maar enige schade aan te richten, waarna ik achteruit wankelde en elk moment over de rand van de brug dreigde te tuimelen. Ik stond op het punt me over te geven, toen ik in de nachtlucht een harde knal hoorde. Ik kneep mijn ogen halfdicht en ving een glimp op van Stuart, die met een rokend pistool boven zijn hoofd stond te zwaaien, hetzelfde pistool dat ik uit de woning van de dikke man had meegenomen.

'Laat hem los!' schreeuwde hij, en hij deed een vrij goede imitatie van een revolverheld. 'Laat hem onmíddellijk los, godverdómme!'

De dikke en de dunne man verstarden, maar hielden nog wel mijn nek en schouder beet.

'Laat hem los!' herhaalde Stuart, die het pistool doorgrendelde en het wapen op de dunne man richtte.

Langzaamaan werd de druk op mijn nek en mijn arm wat minder, en even later hadden ze me zover losgelaten dat ik bij hen vandaan kon stappen. Ik slikte moeizaam iets weg en probeerde behoedzaam mijn arm in de schouderholte te draaien

'Laten we maken dat we wegkomen,' piepte ik terwijl ik met mijn gezonde arm naar Stuart zwaaide.

Maar Stuart had heel andere ideeën. Ik zag hoe hij de brug over liep en Kim bij haar haren pakte, haar hoofd achterover rukte en de loop van het pistool tegen haar slaap zette, en wel met zo'n kracht dat de huid eromheen begon te rimpelen. Met wijd opengesperde ogen keek ze me angstig aan, en ik keek net zo terug toen Stuart haar toesiste: 'Waar ís dat ding? Waar is dat derde beeldje?'

Ze schudde haar hoofd, niet tot spreken in staat.

'Ze heeft hem niet,' zei ik zo kalm mogelijk tegen hem.

'Waar ís het, stomme trut? Zeg het, of anders haal ik die verdomde trekker over.'

Ze jammerde alleen maar, kon geen woord uitbrengen. Er hadden zich nu talrijke toeschouwers vanuit het café op straat verzameld, en het zou niet lang meer duren voor een van hen de politie zou bellen of op het idee zou komen de held uit te hangen. Ik zou niet weten hoe ik dit ooit aan Burggraaf zou moeten uitleggen.

'Ze heeft het niet,' herhaalde ik, iets harder deze keer. 'Laat haar gaan. Ik weet waar het is. Geloof me nou maar, er is maar één plaats waar dat beeldje kan zijn.'

Hij keek om zich heen, en eindelijk begon tot hem door te dringen wat ik zei en werd zijn greep op haar haren wat minder.

'Kom mee,' zei ik. 'We moeten nu echt weg.'

Hij haalde het pistool bij Kims slaap weg en zette bijna in tranen de veiligheidspal van het wapen weer op 'safe', alsof de bewegingen van waarmee hij bezig was hem konden afleiden van de puinhoop die hij had gemaakt van het meisje dat vlak voor hem op de grond in elkaar gedoken zat. Hij liet zijn blik onbewogen over haar heen glijden, en ik stapte naar voren om het pistool uit zijn slap hangende hand los te maken. Ik kneep even in zijn pols en gebaarde dat hij met me mee moest. Toen hij nog steeds geen aanstalten maakte om in beweging te komen, trok ik hem aan zijn arm mee in de richting van de dichtstbijzijnde drukke straat.

28

Halverwege de ochtend van de volgende dag liep ik achter twee meisjes aan door de beveiligde voordeur van een modern appartementengebouw in het zuiden van de stad. Ik bleef net lang genoeg bij de brievenbussen staan om hen in de lift te zien stappen en de liftdeuren achter hen te zien dicht glijden, waarna ik via de gemeenschappelijke trap naar de tweede verdieping liep. Via een branddeur met een ruit van draadglas kwam ik bij drie identiek uitziende houten deuren uit, waar ik eerst langsliep voor ik de deur vond die ik zocht.

In de deur zat op ooghoogte een kijkgaatje en ter hoogte van mijn heup bevond zich een koperen inlaatslot. Ik klopte twee keer snel achter elkaar op de deur, en toen niemand opendeed, keek ik links en rechts de galerij af om me ervan te vergewissen dat er niemand was, ik deed een paar latex weggooihandschoenen aan, haalde mijn picks uit mijn jaszak en ging met het slot aan de slag. Het leek al een hele tijd geleden dat ik me met een echt modern slot had moeten meten, maar het was zeker niet moeilijker open te krijgen dan een van de andere sloten waarmee ik de afgelopen tijd te maken had gehad. En afgezien van het zachte gebrom van een airconditioning die ergens boven mijn hoofd moest zijn gemonteerd, was het erg rustig op de galerij, dus hoefde ik me niet eens te bukken om te horen hoe de pennen op hun plaats vielen. Toen de laatste pen op zijn plaats klikte, draaide ik de binnencilinder om en gleed de schoot gehoorzaam naar binnen. Toen drukte ik de kruk behoedzaam naar beneden, stapte over de drempel en deed de deur achter me dicht.

In het appartement was het nagenoeg donker en ik kon nauwelijks iets zien. Ik tastte langs de muur naar het lichtknopje, en toen de plafonnière aanging bleek ik in een magnoliakleurige gang te staan. Vlak bij mijn voeten stonden ettelijke paren schoenen, en aan een van de haken aan de muur hing een sweater met capuchon. Een eindje verderop gaf een deur links toegang tot een compacte, vensterloze keuken. Ik deed het licht in de keuken aan en liet mijn blik over de essenhouten keukenkastjes, de verchroomde oven en de kookplaat glijden. Het aanrechtblad stond vol vuile borden en koffiebekers, en ik zag een mixer staan waar de resten havermout nog aan vastgekoekt zaten.

Ik ging terug naar de gang, liep langs de badkamer, sloeg toen links af en stapte een relatief grote, L-vormige woonkamer binnen met op de grond een luxueus beige tapijt, alsmede een ultramoderne flatscreentelevisie, een glazen salontafel en een zwartleren bank. De gordijnen, die van het plafond tot aan de vloer reikten, waren dicht, wat verklaarde waarom het zo donker was in huis. Ik liet de gordijnen zo, om te voorkomen dat ik de aandacht zou trekken van iemand buiten, en liep terug om een kijkje te nemen achter de laatste twee deuren van het appartement. De eerste deur was van een kast vol huishoudelijke spullen: een stofzuiger, een strijkplank, nóg meer schoenen, een paar jassen, hoeden en sjaals, en een keukentrap. De tweede deur bood toegang tot een slaapkamer die net groot genoeg was om er een tweepersoonsbed, een zelfbouwkleerkast en een dito ladekast in kwijt te kunnen. Het bed was niet opgemaakt en op de vloer lag een hoop vuile kleren. Naast het bed stond een wekker, terwijl er op de vloer een paperback lag.

Het maakte niet uit waar ik begon, dus leek de slaapkamer een goede plek om met mijn zoektocht te beginnen. Ik liet me op mijn knieën zakken, schoof het dekbed opzij en scheen met mijn zaklantaarn onder het bed. Daar lagen behalve een verdwaalde witte sok heel veel stof en tapijtpluizen, maar verder was er niets te zien. Ik betastte de zijkant van de bedomlijsting, op zoek naar geheime bergplaatsen, maar vond die niet. Daarna bevoelde ik de kussenslopen en het dekbed, en de stank van oud zweet trof me als een harde klap op mijn neus en was zó penetrant dat ik blij was dat ik handschoenen aanhad. Toen ik ook daarin niets aantrof, richtte ik mijn aandacht op de kleerkast, en daarna op de ladekast. Ik haalde de laden er stuk voor stuk uit en controleerde op de gebruikelijke manier de achter- en onderkant. Vervolgens trok ik de garderobe- en ladekast bij de muur vandaan en scheen erachter met mijn zaklantaarn, waarna ik de keukentrap uit de gangkast haalde om de bovenkant van de kleerkast wat beter te bekijken. Ten slotte doorzocht ik het vuile, op de vloer liggende wasgoed, inclusief de zakken, tot ik er zeker van was dat ik in de slaapkamer geen stap verder zou komen, en zette de keukentrap terug op de plaats waar ik hem had aangetroffen.

Na de slaapkamer was de zitkamer aan de beurt. Oppervlakkig gezien viel er in de zitkamer nauwelijks iets te onderzoeken, en binnen de kortste keren schoten er allerlei gedachten door mijn hoofd. Opnieuw moest ik, en dat was niet ongebruikelijk, aan mijn boek denken. Ik had het gevoel dat het al een hele tijd geleden was dat ik daar voor het laatst over had nagedacht, en terwijl ik rustig verderging met mijn zoektocht zette ik de plotwendingen op een rijtje die in eerste instantie tot mijn problemen hadden geleid. Het duurde niet lang voor ik me begon af te vragen of er uiteindelijk niet een simpele oplossing bestond. Het zou natuurlijk enig werk vergen, maar misschien kon ik het begin van het verhaal zodanig herschrijven dat ik het mezelf niet al te moeilijk maakte. Maar het probleem daarmee was dat ik het Faulks en mijn lezers niet al te gemakkelijk wilde maken bij het uitvissen wie de moordenaar was. Maar ik móést er een soort evenwicht in kunnen aanbrengen, ruimte zien te vinden voor logica zonder de plot volkomen onderuit te halen. Misschien moest ik die aktetas maar helemaal vergeten, dacht ik. Ik zou hem kunnen vervangen door een plastic tas van een bekende winkelketen, dan kon Faulks moeiteloos net zo'n tas op de kop tikken. Of misschien was de hand van de butler om te beginnen op de plaats delict achtergebleven. Maar dat was minder interessant, vond ik, want een deel van het mysterie bestond uit de vraag hoe de moordenaar in een kluis had kunnen komen die uitsluitend geopend kon worden via een vingerafdrukscanner, terwijl Faulks zelf daar onmogelijk in kon. Zou Victoria daarmee akkoord gaan? En wat belangrijker was, zou me dat genoeg voldoening geven?

Het eerlijke antwoord was nee. Eigenlijk had ik op zoek moeten zijn naar manieren om meer mijn best te doen, om de dingen moeilijker te maken in plaats van gemakkelijke oplossingen zien te vinden. Maar ik was het zo zat om opgezadeld te zitten met een bijna voltooid manuscript, dat het toch een aanlokkelijk vooruitzicht bleef. Misschien was mijn uitgever het er niet mee eens, en wat voor gevolgen zou dat dan voor mij hebben? Weer helemaal terug naar af, vier maanden werk weggegooid, terwijl het geen cent had opgeleverd.

Misschien dat een heel andere omgeving zou helpen. Italië oefende nog steeds een grote aantrekkingskracht op me uit, en als ik daar naartoe ging bestond er een kans dat ik de inspiratie waarnaar ik op zoek was zou vinden. En zelfs als dat niet zo zou zijn, dan was het weer daar in elk geval een stuk beter, terwijl de winteravonden daar aanzienlijk minder streng waren dan hier. En dan had je natuurlijk nog de Italiaanse vrouwen. Donkerharig, een geelbruine huid. Prachtige benen, althans, in het algemeen. En ik had altijd al iets meer van de taal willen weten, al sinds ik voor het eerst de film *Roman Holiday* had gezien. Ik zou daar mijn eigen Roman Holiday kunnen creëren. Ik zou de rol van Gregory Peck kunnen spelen, hoewel mijn stemgeluid misschien wat minder zoetgevooisd klonk dan dat van hem. En voor zover ik wist waren er geen vlezige Italianen die op korte termijn van zins waren om met een honkbalknuppel mijn kant uit te zwaaien.

Ik vroeg me af hoe vaak Gregory Peck op de televisie die de zitkamer domineerde te zien zou zijn geweest. Vast niet vaak genoeg, wat jammer was, want het was een fraai apparaat. Het beeldscherm was minstens een meter breed, en ik vermoedde dat de stem van Gregory er uiterst aangenaam door ten gehore gebracht zou worden. Hoe groot het ding ook mocht zijn, het hielp me geen steek verder bij het vinden van datgene waarnaar ik op zoek was, en dat gold ook voor de bank en de glazen salontafel, terwijl bovendien de stapel kranten en tijdschriften die achter de deur verborgen lag geen uitsluitsel gaf.

De badkamer sloeg ik over, ik ging ervan uit dat een badkamer nooit twee keer achter elkaar de vindplaats kon zijn, en ook liet ik de gangkast links liggen, want het was veel te veel werk om alle spullen die daar stonden te doorzoeken, die zou ik pas aan een nader onderzoek onderwerpen als ik verder nergens iets zou vinden. Dan bleef alleen de keuken over, waar de stank van opgedroogde etensresten en vuile vaat zo penetrant was dat ik mijn neus optrok. Er waren hier dan misschien nauwelijks aanwijzingen te vinden dat er ook daadwerkelijk werd gekookt, dat betekende niet dat hier niet meer dan genoeg plekken waren die doorzocht moesten worden.

De afvalemmer zat vol verpakkingen van kant-en-klaarmaaltijden, en toen ik in de magnetron keek, zag ik dat die vol lag met vettige etensresten. De kastjes aan de muur bevatten een uitgebreide verzameling ontbijtgranen, hompen brood in diverse stadia van bederf, en verschillende doosjes chocoladehagelslag, het spul dat de Nederlanders 's ochtends bij het ontbijt maar al te graag op hun boterham strooien. In de keukenkastjes onder het aanrecht stond een kleine collectie schoonmaakmiddelen, een paar bakblikken en juskommen, alsmede een paar blikjes voedsel. Ik keek in de oven en achter het afzuigapparaat, waarna ik de houten plinten boven en onder de keukenkastjes helemaal naliep om me ervan te overtuigen dat die nergens waren losgewrikt. Daarna opende ik de koelkast en moest bijna kokhalzen van de rotte-eierenstank die me tegemoetkwam. Ik zag een pak melk staan, plus wat restjes kaas en een halve chocoladereep. Boven in de koelkast bevond zich een vriesvak. Ik duwde het plastic luikje van het vriesvakje naar beneden en schoof een zak ingevroren gemengde groenten opzij. Niets. Ik rechtte mijn rug en toevallig bleef mijn blik rusten op een van de sleuven van de elektrische broodrooster en daar, geloof het of niet, was hij, met de handen voor de ogen geslagen alsof hij zat te wachten tot ik kiekeboe met hem zou spelen.

Ik kan niet zeggen hoe fijn het was hem weer terug te zien. Wat ik er wél over kan zeggen is dat ik een vreugdesprongetje maakte, een mal rondedansje deed, gevolgd door een slechte imitatie van een maanwandeling. Want dat boek van mij kon barsten, er was nu in elk geval één zaak die ik in m'n eentje kon oplossen.

29

Nadat ik het appartement had verlaten, moest ik nog een paar dingen doen, voor één ding moest ik met Stuart afspreken, dat duurde pakweg een uur. Toen we klaar waren, had hij zelf nog een klusje te doen, waardoor ik nog net voldoende tijd had om naar zijn woning terug te keren en daar een stuk of wat telefoontjes te plegen.

Het eerste nummer dat ik intoetste was dat van het hoofdbureau van politie, waar ik vroeg doorverbonden te worden met het toestel van inspecteur Riemer van de recherche. Nadat ik een paar minuten had moeten wachten, waarin ik werd vergast op korte en regelmatig herhaalde mededelingen in het Nederlands, kreeg ik haar eindelijk aan de lijn.

'Meneer Howard,' begon inspecteur Riemer. 'Hebt u nog informatie voor ons?'

'Ach, u herinnert u mij nog,' merkte ik op.

'Natuurlijk. Ik was net bezig nog wat aantekeningen van het gesprek met u door te nemen.'

'Nou, dat zal vast zeer interessante stof zijn.'

'In feite is het rapport vrij beknopt. U weet misschien nog wel dat u maar weinig vragen wenste te beantwoorden.'

'Gelooft u mij als ik zeg dat ik nogal verlegen ben?'

Riemer zweeg lang genoeg om me precies te laten weten wat ze van mijn reactie vond.

'Als ik nou eens zeg dat ik sterk de indruk kreeg dat inspecteur Burggraaf zich een nogal vooringenomen mening over mij had gevormd?'

Ze zuchtte. 'Ik heb geen tijd voor spelletjes, meneer Howard. Wat wilt u?'

'O, niet veel. Ik wil alleen maar zeggen dat ik denk dat ik weet wie Michael Park heeft gedood.'

Riemer aarzelde. In gedachten zag ik voor me hoe haar vingers om de hoorn verstrakten. 'Bent u bereid tot een nieuw gesprek met ons?'

'In zekere zin,' zei ik. 'Als u naar mij toe wilt komen.'

'Wanneer?'

'Om vier uur vanmiddag. En neem uw op een dwaalspoor gebrachte collega ook mee, ja?'

Ik gaf haar de nodige details, maakte een eind aan het gesprek en belde de volgende op mijn lijstje. De gesprekken die ik vervolgens voerde hadden allemaal een identieke opzet, en zonder uitzondering leek iedereen die ik belde maar weinig zin te hebben mij te ontmoeten. Als ik een wat gevoeliger type was geweest, had ik er een complex aan kunnen overhouden, maar eerlijk gezegd trek ik me de zaken nooit persoonlijk aan, en gelukkig kan ik een uiterst koppige jongen zijn als de situatie dat vereist. Maar uiteindelijk kwam iedereen die ik had gebeld toch opdagen, hoewel ik reëel genoeg ben om toe te geven dat dat waarschijnlijk meer te maken had met de verlokkingen van de diamanten, dan dat ik enige reputatie had opgebouwd als iemand die een leuk feest kan organiseren.

De plaats van samenkomst was een van Stuarts meesterzetten. We bevonden ons in het oude centrale pakhuis van het niet meer in gebruik zijnde Van Zandt-complex. Overal om ons heen stonden kapotte laadkisten, stoffige houten pallets, gebutste metalen wagentjes en lege olievaten. De vloer was bedekt met een enkelhoge laag puin, afval en vanaf het plafond naar beneden gevallen pleisterwerk. Binnen was het niet veel warmer dan buiten, want van enige vorm van verwarming was nauwelijks sprake en het overgrote deel van de ramen was ingegooid, waardoor de over het wateroppervlak van het Oosterdok jagende ijskoude windstoten nagenoeg vrij spel hadden.

Om toch enige orde in deze puinhoop te scheppen had ik me de moeite getroost om een aantal kisten en pallets in ruwweg een halve cirkel recht tegenover mij neer te zetten, hoewel ik niet geloofde dat ik het mijn gasten op die manier maar ook iets comfortabeler had gemaakt. Kim bijvoorbeeld, had misschien beter een hoed en een sjaal mee kunnen nemen, want ze had het duidelijk koud. Ze had haar kin diep in de kraag van haar gewatteerde jack teruggetrokken, haar slanke bovenbenen over elkaar geslagen en blies warme lucht in haar tot een kom gevouwen handen. Maar ik kon haar niet vragen hoe ze zich voelde, want ze had duidelijk besloten dat ze niets met mij te maken wilde hebben, trouwens, ook niet met de anderen. Haar 'blik op oneindig'-act verdiende zonder meer bewondering, maar dat was niet zo héél verrassend, aangezien ze daar al sinds haar aankomst op aan het oefenen was.

De dikke man en de dunne man zaten naast elkaar, op dezelfde kist, en ik zag dat de dunne man tijd had gehad om het door mij afgepikte leren jasje te vervangen door een ander. Ik wist nu uit ervaring dat zo'n jasje niet erg warm was, maar wellicht ging het daar helemaal niet om. Misschien maakte het wel deel uit van een soort uniform dat hij en zijn gezette metgezel jaren geleden al voor zichzelf hadden bedacht, ook al was dat misschien onbewust gebeurd. In gedachten zag ik voor me hoe ze vlak voordat ze de deur uit gingen om iets schurkachtigs uit te spoken een soort checklist afwerkten. Autosleuteltjes? Ja. Schoenen met stalen neuzen? Ja. Honkbalknuppel? Ja. Zal ik het leren jasje aandoen? O, doe maar.

Over kleding gesproken, inspecteur Burggraaf en inspecteur Riemer van de recherche waren het beste gekleed voor deze gelegenheid: beiden droegen ze een standaard politieoverjas met dikke bontvoering. Ze wekten ook de indruk dat deze bijeenkomst ze helemaal niet uitkwam, en uit alles bleek dat ik hen van aanzienlijk dringender werkzaamheden afhield. Dat was natuurlijk flauwekul, maar ze waren nu eenmaal van de politie, en het zou een slechte indruk maken als ze zonder morren naar een bijeenkomst gingen op verzoek van iemand anders die de regie in handen had. Dus bleven ze ijsberen, voortdurend op hun horloge en mobieltje kijkend, en juist dáárom begon ik expres minstens twee minuten later met de bijeenkomst dan strikt noodzakelijk was.

Stuart zat vlak naast me en was, net als ik, gekleed in een dikke coltrui, hoewel die van hem een paar maten groter was dan die van mij, en aanzienlijk strakker om zijn buik gespannen was dan bij mij het geval was. Over die trui droeg hij een wollen colbert met leren elleboogstukken en er stak een erg Rutherford-achtige paisley-zakdoek uit het borstzakje. Zijn laatste rekwisiet, een leren aktetas, stond op de vloer vlak naast zijn voeten, en als iemand reden gehad zou hebben om erin te kijken, zou hij of zij hebben ontdekt dat hij even leeg was als het hoofd van de dikke man. Stuart leek volkomen op zijn gemak, wat ook volkomen terecht was, aangezien hij, behalve ikzelf, de enige persoon was die wist wat er op het punt stond te gebeuren.

Naast Stuart bevond zich mijn laatste gast, Niels van Zandt. Naar mijn gevoel zag de heer Van Zandt er kwetsbaarder uit dan ik hem thuis had meegemaakt, zijn melkachtige ogen stonden waakzaam en alert, maar ik zag ook dat het hem aangreep omdat hij was teruggekeerd naar het terrein waar zijn vroegere familiebedrijf gevestigd was geweest, en voor zover ik kon zien leek hij zich net zomin van de kou bewust als van zijn eigen ademhaling. Hij was slechts gekleed in een kasjmieren trui en een corduroy broek, maar als je keek hoe soepel hij op het olievat had plaatsgenomen, de knoestige handen lichtjes op zijn wandelstok steunend, zou je haast de indruk krijgen dat hij comfortabel in een gemakkelijke stoel voor de open haard van zijn studeerkamer zat. Een deel van mij wenste dat ik daar zelf zat, ik had wel een slokje whisky gelust, al was het alleen maar om mijn zenuwen een beetje de baas te zijn voor ik deze bijeenkomst zou openen.

'Hartelijk dank voor uw komst,' zei ik, terwijl ik mijn blik langs de gezichten van de mensen voor me liet glijden en verwelkomend mijn armen spreidde. 'Als ik me niet vergis kennen sommigen van u elkaar al, hoewel ik hoop dat u het niet erg vindt als ik voorlopig een uitgebreide introductie oversla. Laat mij volstaan met de opmerking dat de heer rechts van mij,' – ik gebaarde naar Stuart – 'Henry Rutherford is, mijn advocaat. De heer Rutherford is hier om ervoor te zorgen dat iedereen duidelijk beseft dat niets van wat ik hier vandaag zeg tegen mij gebruikt kan worden.'

Ik keek naar Burggraaf en inspecteur Riemer, en wachtte tot ze beiden instemmend zouden knikken ten teken dat ze met mijn woorden akkoord gingen. En dat deden ze dan ook, maar schoorvoetend.

'Voor de goede orde,' onderbrak Stuart me, die al snel in zijn rol groeide, 'de twee hier aanwezige politiemensen hebben zich bereid getoond met deze afspraak in te stemmen.'

Ik dacht heel even dat hij van plan was ze zover te krijgen dat ze dat ook nog eens zouden uitspreken, maar zoals alle succesvolle zwendelaars wist Rutherford heel goed dat hij zijn hand niet moest overspelen. Burggraaf en Riemer keken met onverholen afkeer naar hem, maar hij stapte daar moeiteloos overheen. Als Rutherford kon hij boven dit alles uitstijgen. In feite voelde hij zich zó prettig in deze rol, dat Kim het erg moeilijk moet hebben gevonden om in deze zich zo gewichtig gedragende man de waanzinnige schutter te herkennen die haar nog maar zo kort geleden een pistool tegen het hoofd had gezet.

'Zoals de meesten van u weten,' hervatte ik, 'was het gebouw waarin we ons nu bevinden de belangrijkste opslagruimte en werkplaats van Van Zandt Diamonds. De heer Niels van Zandt,' vervolgde ik, terwijl ik naar de veerkrachtige oude heer wees, 'is de neef van Lars van Zandt, de oprichter van het diamantbedrijf. De heer Van Zandt heeft zich bereid verklaard bij ons aanwezig te zijn om enkele punten toe te lichten die anders wellicht als speculatief beschouwd kunnen worden. Wederom hartelijk dank voor uw aanwezigheid, meneer Van Zandt.'

Van Zandt boog zijn hoofd even en maakte een vreemd wuifgebaar met zijn hand, enigszins koninklijk wellicht, alsof hij me toestemming gaf verder te gaan. Als ik militair was geweest, had ik misschien kort naar hem gesalueerd, maar zoiets heb ik nooit voor elkaar kunnen krijgen, dus gebaarde ik alleen maar, alsof ik tegen een denkbeeldige pet tikte. Hij leek te genieten van mijn respect, dus ging ik maar door met mijn toneelspel.

'Nadat ik het genoegen heb gehad met meneer Van Zandt te kunnen spreken, kan ik u vertellen dat zijn familie reeds rond het begin van de negentiende eeuw met hun diamantenhandel is begonnen. Hun kernactiviteit bestond uit het importeren van ongeslepen stenen uit de voormalige Nederlandse koloniën. Die werden in Amsterdam bewerkt en verfijnd, waarna ze wereldwijd aan de betere juweliers en diamanthandelaren werden doorverkocht. In tegenstelling tot vele van hun concurrenten waren ze daarin bijzonder succesvol en ze werden al snel een van de belangrijkste en machtigste diamantbedrijven van Nederland.'

'Hebt u ons helemaal hierheen laten komen voor een lesje geschiedenis?' vroeg Riemer scherp.

'Absoluut niet,' verzekerde ik haar. 'Maar ik vind wel dat het geen kwaad kan iets van de achtergrond te weten. En ik moet toegeven dat ik het allemaal bijzonder fascinerend vond toen meneer Van Zandt me erover vertelde. Ik geloof niet dat het onjuist is om vast te stellen,' zei ik, opnieuw naar Van Zandt gebarend, 'dat Van Zandt Diamonds een van de belangrijkste ondernemingen is geweest die dit land ooit heeft gekend.'

Van Zandt knikte, met op zijn gezicht een tevreden trek.

'En, waar we ons allemaal terdege van bewust zijn, werd Michael Park, de Amerikaan, naar de gevangenis gestuurd omdat hij hier een bewaker zou hebben gedood, naar alle waarschijnlijkheid terwijl hij probeerde een aantal ongeslepen diamanten te stelen uit de grote kluis van Van Zandt. De naam van de ongelukkige bewaker was Robert Wolkers. En dit,' zei ik, gebarend naar Kim, 'is zijn dochter Kim Wolkers.'

Iedereen keek haar kant uit, hoewel Burggraaf en Riemer hun hoofd het snelst draaiden. Kim bleef onverstoorbaar, gaf niet toe, maar ontkende het ook niet. Haar blik verplaatste zich alleen van het punt in de verte waar ze tot dan toe naar getuurd had, naar een punt op de grond tussen haar voeten.

'Is dat zo?' vroeg Van Zandt, terwijl hij van Kim naar mij keek, en toen weer naar Kim.

Kim reageerde niet, dus was het aan mij om het te bevestigen.

'Mijn innige deelneming,' vervolgde Van Zandt somber. 'Mijn familie vond het erg triest voor u. Ik weet dat iedereen binnen de bedrijfsleiding het een vreselijk verdrietige gebeurtenis vond, hoewel ik meen dat de directie een royaal bedrag naar uw moeder heeft overgemaakt.'

Kim keek op en wierp hem een woedende blik toe, die zo fel was dat de waterige oude-mannenogen verschrikt keken.

'Ze heeft zich een tijdje Marieke van Kleef genoemd,' zei ik, en ik richtte mijn uitleg rechtstreeks op Burggraaf en Riemer, vóór ze opnieuw met storende vragen konden komen. 'Ik zou nu kunnen uitleggen waarom, maar dan lopen we op de feiten vooruit. Als u mij toestaat zou ik nu graag overstappen naar het punt waarop ik bij dit alles betrokken raakte.'

Ik liet mijn blik langs de gezichten om me heen gaan, hoewel ik niet verwachtte dat een van de aanwezigen mij zou onderbreken. Ze wilden allemaal de waarheid weten, zelfs als dat, zoals in het geval van Van Zandt, meer uit nieuwsgierigheid dan uit noodzaak was. De dikke en de dunne man hadden nog steeds geen woord gezegd, maar ze hadden niet bepaald verrast geleken toen ik Kims werkelijke identiteit onthulde. Ik zag dat ze zich weinig op hun gemak voelden, want ze wierpen constant blikken in de richting van de deur waardoor ze naar binnen waren gekomen, en de dunne man had zijn gebalde vuisten tussen zijn benen geklemd, terwijl hij met zijn schoenen in een hoog tempo nerveus op het beton tikte. Beiden hadden hun gezicht van Burggraaf en Riemer afgewend, onbewust hun gelaatstrekken van hen afschermend, alsof ze bang waren dat ze herkend zouden kunnen worden van lang geleden gemaakte politiefoto's.

'In verband met het doel van vanmiddag, gaan we uit van de volgende veronderstelling,' zei ik, terwijl ik mijn blik van hen losmaakte en naar Stuart keek om nog eens extra te benadrukken dat het slechts om een veronderstelling ging, 'dat ik niet alleen schrijver ben, maar ook nog over bepaalde talenten beschik die juridisch gezien wellicht minder legaal zijn.'

'Je bent een dief,' merkte de dikke man op.

'Alleen op puur theoretische gronden,' antwoordde ik, 'ben ik het met die opmerking eens.'

Burggraaf draaide zich om en keek Riemer strak aan. Ze negeerde hem verder, maar dat verhinderde niet dat ze me een ijzig kille blik toewierp. Ik haalde mijn schouders op, alsof mijn criminaliteit weinig meer was dan een onfortuinlijke aandoening die ik jaren geleden ergens had opgelopen en die ik sindsdien nooit meer van me af had kunnen schudden.

'Laten we er eens van uitgaan,' ging ik verder, 'uiteraard met inachtneming van voornoemde veronderstelling, dat Michael Park via mijn website contact met mij heeft gezocht, en mij heeft gevraagd of ik naar hem toe wilde komen in café De Brug, waar, toevalligerwijs, de beeldschone en op tragische wijze vaderloos geworden juffrouw Wolkers óók werkzaam was. Laten we er ook eens van uitgaan dat ik ernaartoe ben gegaan, en dat Michael me onder het genot van een paar biertjes heeft gevraagd of ik een paar voorwerpen voor hem kon bemachtigen. De voorwerpen in kwestie waren twee beeldjes die apen voorstelden en die te vinden zouden zijn in de woningen van deze twee heren.'

Ik gebaarde met mijn hand losjes in de richting van de dikke en de dunne man. Belachelijk genoeg wist ik nog steeds niet hoe ze heetten, dus kon ik ze ook niet aan de anderen voorstellen, zoals ik aanvankelijk had gehoopt.

'Ik ben bang dat ik nog steeds niet weet hoe u heet,' zei ik, wat een spottend gesnuif van de dunne man uitlokte.

'Maar wíj kennen ze wel,' onderbrak Riemer me, een opmerking die mij minstens even verraste als het tweetal. 'Ik heb gisteren nog een dossier over beide heren binnengekregen.'

De twee mannen keken elkaar aan. De dikke man schudde nauwelijks waarneembaar het hoofd, alsof hij zijn compagnon wilde zeggen dat er niets was om zich zorgen over te maken. Ikzelf was daar niet zo zeker van.

'Kunt u daar iets meer over zeggen?' vroeg ik.

'Dat zijn politiezaken.'

'Goh,' kwam Van Zandt tussenbeide. 'Er zijn mensen die beweren dat er te veel van dit soort "politiezaken" zijn, maar dat de politie verder veel te weinig tijd in zaken steekt.'

'Als u soms een klacht mocht hebben, meneer,' begon Riemer, 'dan hebben we daar de geëigende kanalen voor.'

'Zo is het maar net,' zei ik, 'en op een wat passender tijdstip, als u mij niet kwalijk neemt.' Ik wierp Van Zandt een schaapachtig glimlachje toe, en even later vereerde hij me opnieuw met een van zijn weldoordachte knikjes. 'En, eerlijk gezegd, zijn de namen van deze heren voor ons nauwelijks van belang. Ik heb de afgelopen week trouwens ontdekt dat namen sowieso erg onbetrouwbaar kunnen zijn. Het enige wat er echt toe doet is dat deze heren de apenbeeldjes in hun bezit hadden die Michael graag wilde hebben.'

'Kunt u die beeldjes omschrijven?' vroeg Riemer.

'Dat is niet belangrijk.'

'Dat beoordelen wíj wel,' zei Burggraaf.

'Met alle respect,' reageerde Stuart, 'ik denk niet dat u hier bent om ook maar íéts te beoordelen. Nu in elk geval nog niet.'

'Rutherford heeft gelijk,' zei ik. 'Maar om de boel helder te houden, ze waren ongeveer zó groot.' Ik hield mijn handen een paar centimeter uit elkaar. 'En gemaakt van gips. Het beeldje van Michael hield zijn poten voor zijn ogen. Het maakte deel uit van een set van drie, die we in Engeland de Drie Wijze Apen noemen.'

Burggraaf wendde zich tot zijn superieur en begon in het Nederlands tegen haar te praten, waarbij hij tegelijkertijd zijn handen eerst voor zijn mond en toen voor zijn ogen sloeg.

'Ja, ja,' zei Riemer, opnieuw in het Engels, alsof ze het tegen een dwaas had. 'Iedereen kent ze. Zijn ze geld waard?'

'Ik denk het niet,' zei ik. 'Maar desalniettemin heeft Michael me een grote som geld geboden als ik ze voor hem in handen wist te krijgen. Op dat moment, moet ik er onmiddellijk bij zeggen, had ik geen flauw idee wie hij was, laat staan dat hij zélf een dief was. Maar dat deed er verder niet toe, aangezien ik niet op zijn aanbod ben ingegaan. Hij had me verteld dat de klus de volgende avond al moest worden geklaard, en ik maakte me zorgen dat ik zo weinig tijd had. Helaas gaf hij me toch de twee adressen waar de apenbeeldjes te vinden zouden zijn.'

'Waarom heeft hij dat gedaan?' wilde Burggraaf weten, in een poging, dacht ik, om weer een beetje geloofwaardig over te komen nadat hij door zijn superieur op zijn nummer was gezet.

'Hij zei dat hij hoopte dat ik van gedachten zou veranderen. En ik ben bang dat iets dergelijks inderdaad gebeurd is. De volgende avond, terwijl Michael in café De Brug met beide heren zat te eten, ben ik de woningen van het tweetal binnengegaan en heb de twee apenbeeldjes die ze in hun bezit hadden ontvreemd. Het probleem was alleen dat toen ik terugkwam in het café, Michael verdwenen was. Op dat moment verscheen Kim ten tonele, die me vertelde dat hij onder dwang door onze vrienden hier naar zijn appartement was afgemarcheerd.'

'Dat is niet waar,' zei de dikke man. 'We zijn samen met Michael naar zijn huis gelopen, maar dan wel op zíjn uitnodiging.'

'Ja, zoiets dacht ik al. Ik denk dat het al tegen de tijd liep dat we met elkaar hadden afgesproken, en misschien waren jullie wat later klaar met eten dan hij had gehoopt. Vertel eens, toen u beiden samen bij zijn appartement aankwamen, had hij toen een of andere excuus of deed hij misschien net of hij ziek was?'

De dikke man haalde zijn schouders op, alsof ik redelijk in de buurt kwam.

'Dat moet zijn geweest vlak voordat Kim en ik ter plekke arriveerden. Ze wilde dat ik meeging omdat Michael was afgeweken van het plan dat hij haar had uitgelegd, en ze maakte zich zorgen. Haar zorgen golden deels Michael, maar in feite golden ze eerder de beeldjes.' Ik keek heel even haar kant uit, maar ze weigerde nog steeds me aan te kijken. 'Toen we daar aankwamen, troffen we hem zwaar mishandeld in de badkamer aan.'

'Dus dan hebben deze mannen hem gedood,' zei Van Zandt, alsof het volkomen duidelijk was wie de misdaad had begaan.

'Dat dacht ik ook,' beaamde ik. 'Sterker nog, ik was daarvan overtuigd, en ik dacht dat ik ook wist waarom. Ze wisten niet wie de apenbeeldjes had gestolen, begrijpt u, dus had ik het idee dat ze achter het beeldje van Michael aanzaten. Om de een of andere reden was het beeldje voor hen zo belangrijk dat ze hem daarom om het leven hebben gebracht, en dat was ook de reden waarom hij er zo op gebrand was dat ik de beeldjes zou stelen.'

Burggraaf haalde zijn handen uit zijn jaszakken en reikte naar de handboeien die aan zijn riem bevestigd zaten. Riemer hield hem met haar hand op zijn arm tegen en schudde haar hoofd.

'Denkt u er nu anders over?' vroeg Riemer.

'Ja. En om diverse redenen. Eén daarvan is dat ik een paar dagen nadat ik was gearresteerd op verdenking van het in elkaar slaan van Michael – geheel ten onrechte, moet ik daar direct aan toevoegen – door deze twee heren werd ontvoerd en een tijdje gevangen ben gehouden in hun appartement. Tijdens mijn verblijf daar vertelden ze me dat zij het niet hadden gedaan.'

Burggraaf liet een spottend lachje horen en stak zijn handen in de lucht. 'En dat was voor u voldoende?'

'Nee, natuurlijk niet. Maar dat veranderde toen ik ontdekte dat ze dachten dat ík het derde aapje in bezit had, Michaels beeldje. Dat was interessant. Ik bedoel, als zij dachten dat ík het had, betekende dat dat zíj het niet hadden.'

'Maar dat hoeft niet te betekenen dat ze hem niet om het leven hebben gebracht,' reageerde Riemer toonloos. 'Misschien hebben ze hem wel gedood omdat hij niet wilde vertellen waar hij dat beeldje had verborgen.'

'Daar heb ik ook aan gedacht. Maar kijk, als dat aapje voor hen zo belangrijk was om míj te ontvoeren, met de bedoeling dat ík hen ernaartoe zou brengen, dan begrijp ik niet waarom ze Michael zó gewelddadig onder handen hebben genomen dat hij ze nooit meer kon vertellen waar hij dat beeldje had opgeborgen.'

Riemer knikte traag, alsof ze bereid was mijn uitleg voorlopig te accepteren.

'En toen ik hen de waarheid vertelde, namelijk dat Michael mij had ingehuurd om de beeldjes van hén te stelen, weigerden ze mij te geloven. Het leek wel of zoiets voor hen volkomen onvoorstelbaar was, alsof ze Michael onvoorwaardelijk vertrouwden.'

Deze keer zag ik hoe de dikke en de dunne man me instemmend toeknikten.

'Waarom zouden ze op die manier over hem denken? bleef ik mezelf afvragen. En niet lang daarna werd het antwoord op die vraag me duidelijk. In eerste instantie geneerde ik me voor het feit dat ik er niet eerder aan had gedacht. Deze mannen waren niet alleen vrienden van Michael, ze waren collega's.'

Een ogenblik dacht ik dat ze me nu beiden niet meer geloofden. In elk geval raakten ze een stuk geïrriteerder en schoven onrustig op hun zitplaats heen en weer. Toen zei Riemer iets waardoor alles stilviel en we ons allemaal naar haar toe draaiden.

'Dat weten we al,' zei ze. 'Het stond in hun dossier.'

'Waarom hebt u ze dan niet gearresteerd op beschuldiging van moord op Michael?'

'Dat zijn ook politiezaken.'

'Zie je wel!' riep Van Zandt. 'Als ze ergens het antwoord niet op weten, roepen ze dát altijd. En als ze fouten maken, dan roepen ze het ook. "Dit zijn politiezaken." Bah!'

'Ze zeggen dat ook,' zei ik hem, 'vanwege hun loyaliteit jegens het korps. Dit was een zaak van Burggraaf, toch, inspecteur Riemer?'

Riemer antwoordde niet. Ze staarde me alleen maar aan, alsof ze probeerde mij met pure wilskracht het zwijgen op te leggen.

'Doet er verder niet toe,' zei ik haar. 'Ik kom toch nu pas tot de kern van mijn verhaal. We moeten weer een stapje terug in de tijd doen, begrijpt u. Terug naar de poging tot inbraak waarbij Robert Wolkers om het leven kwam.' Ik wendde me weer tot Van Zandt. 'De hoofdopslag voor diamanten was ongeveer op de plek waar we ons nu bevinden, niet, meneer Van Zandt?'

Van Zandt trilde zenuwachtig.

'Moet ik de vraag herhalen?'

Zijn ogen vernauwden zich en hij trok zijn lippen in een streep. Hij leek me nu vanuit een heel ander perspectief te bekijken. 'Het is het beleid van het bedrijf om niet...'

'O, hou toch op met die flauwekul,' onderbrak ik hem. 'Daar hebben we het al eens over gehad. Dat hebt u me al een keer verteld. Dus ik zal de vraag nog eens stellen: de hoofdkluis waarin de diamanten werden opgeborgen bevond zich ongeveer hier, hè? Klopt dat?'

Van Zandt weigerde antwoord te geven. Zelfs mijn beste no-nonsenseblik kon hem niet verleiden dat wél te doen. Maar die van Riemer was van een heel andere orde.

'Geef antwoord op die vraag,' beval ze, terwijl ze een hand in haar zij plantte en haar stem liet klinken alsof haar geduld elk moment op kon zijn.

Van Zandt gaapte haar met open mond aan, maar ze was niet van plan zich te laten vermurwen. Hij draaide zich naar me om met de blik van een kind dat zojuist een standje had gekregen.

'Ja,' bracht hij met enige moeite uit.

'Goed. Zou u zo vriendelijk willen zijn die opslag voor ons te beschrijven?'

Van Zandt zuchtte en sloeg zijn ogen ten hemel, maar zijn manier van doen had iets pantomimeachtigs. Net als in zijn studeerkamer kreeg ik de onmiskenbare indruk dat hij best wilde praten, maar alleen wanneer hij in het middelpunt van de belangstelling stond.

'Als hoofd van de bedrijfsbeveiliging heb ik het systeem eigenhandig ontworpen,' begon hij hautain, alsof ik hem wel voor de hónderdste keer had gedwongen zijn verhaal te doen. 'Het was in feite een grote, van staal gemaakte ruimte, min of meer te vergelijken met een enorme kluis.'

'Een soort bunker, hadden we dacht ik geconcludeerd.'

'Goed, een bunker, zo zou u het kunnen noemen. De muren waren gemaakt van staal dat verscheidene centimeters dik was. De vloer eronder was van beton. Om het staal heen was een betonnen wand aangebracht. En daar weer omheen bevond zich een stalen kooi.'

'En hoe werd die opslagplaats precies gebruikt?'

Van Zandt siste zachtjes, alsof hij had kunnen weten dat die vraag eraan zat te komen.

'Aan het einde van elke dag,' vervolgde hij, 'gingen alle in het bedrijf aanwezige diamanten in díé ruimte achter slot en grendel, waarna de eromheen gebouwde kooi op slot ging. En er waren altijd bewakers aanwezig.'

'Ja. Het was een nogal uitgebreid systeem, maar in de praktijk redelijk simpel te bedienen.'

'Simpel is goed,' zei hij me. 'Simpel kan erg sterk zijn.'

'Dat is zo,' zei ik, en ik wierp een veelzeggende blik in de richting van de dikke man. 'En ik mag aannemen dat het slot van die bunker van uitstekende kwaliteit was?'

'Zoals ik u al eerder heb verteld, was de kluisdeur van diverse sloten voorzien. En die waren van de beste kwaliteit.'

'Vast wel. Konden de tralies van de kooi worden doorgezaagd?'

'Daar hebben we het al over gehad.'

'Dat klopt. Ik geloof dat we het erover eens waren dat betonscharen weinig konden uitrichten, en dat je echt wel een snijbrander nodig had om door die stalen tralies heen te komen.'

'Misschien was zelfs dát niet voldoende.'

'En, zoals u al zei, er waren altijd bewakers in het pand aanwezig. Bewakers zoals Robert Wolkers.'

Van Zandt knikte.

'Hoeveel?'

Hij aarzelde, misschien was hij zich bewust van de verandering in mijn toon. "s Nachts waren het er twee.'

'En op de avond dat Robert Wolkers werd gedood, hoeveel hadden er toen dienst?'

'Twee, natuurlijk.'

'Weet u dat zeker?'

Hij bolde zijn wangen bij die opmerking. 'Er was twee man bewakingspersoneel aanwezig.'

'Nou, dat is dan interessant. Want ik weet toevallig zeker dat er maar één man aanwezig was.'

Van Zandt stampte met zijn wandelstok op de grond, alsof hij hoopte een punt te kunnen zetten achter alles wat ik verder nog zou willen zeggen. 'Twee bewakers,' zei hij simpelweg.

'O, maar het was wel de bedóéling dat er twee waren,' zei ik. 'Daar bestaat geen twijfel over. En ik ben ervan overtuigd dat in het toen bijgehouden register hetzelfde aantal stonden. En ik weet ook dat dat in de krantenartikelen stond waarin verslag van Robert Wolkers' dood werd gedaan, want meneer Rutherford en ik hebben dat kort geleden nog nageplozen in de Openbare Bibliotheek. De naam van de tweede bewaker was Louis Rijker. De heer Rijker is iets meer dan twee jaar geleden helaas overleden. Hartverlamming. Maar we hadden het grote geluk dat Rutherford kans heeft gezien zijn moeder op te sporen.'

Ik knikte naar Stuart, die opstond van zijn kist en vervolgens bij ons vandaan liep in de richting van een rechthoek waar daglicht doorheen viel aan de oostkant van het gebouw. Aan de andere kant van die doorgang lag een binnenplaats, en op die binnenplaats stond een taxi met stationair draaiende motor, met op de achterbank een bezorgd uitziende weduwe.

Terwijl ik wachtte tot Stuart terugkwam, liet ik mijn blik aandachtig langs elk van de mij omringende gezichten glijden, tuurde vervolgens op mijn horloge en keek ten slotte naar mijn schoenen. De eerstkomende seconden had ik niets te zeggen en de stilte voelde merkwaardig drukkend aan. Die stilte wekte de indruk het interieur van de hal tot aan het verstikkingspunt te vullen, alsof iemand een hoofdgasleiding had laten openstaan, en een deel van mij maakte zich zorgen dat als Stuart en Karine Rijker niet snel in de deuropening zouden verschijnen, iemand misschien wel eens iets ontvlambaars zou zeggen waarna de hele handel de lucht in zou gaan.

Toen hoorde ik een autoportier dichtslaan, als het geluid van een gedempt geweerschot in de verte, en kort daarna kwamen beiden binnenlopen. De platte schoenen van Karine Rijker schuifelden als schuurpapier over de betonnen vloer, en het leek een eeuwigheid te duren voor ze ons bereikt had. Met een arm steunde ze op Stuart om in evenwicht te blijven, terwijl er aan haar andere hand een uitpuilende leren handtas hing. Ze gooide bij elk stapje haar lichaamsgewicht tussen haar voeten, als een chef-kok die een grote eierdooier van het wit scheidt. Haar kledij was bijna identiek aan de kleren die ze had gedragen toen ik haar in haar appartement had ontmoet. Ze had een verschoten, gewatteerde

overjas aan, met daaronder een blauwe ochtendjas met een bloemen-
motief, en aan haar gezwollen benen en enkels droeg ze dikke kousen
die om haar knieën gerimpeld zaten. De pruik op haar hoofd was niet
bepaald mooi te noemen, zat vol klitten en zag er armoedig uit. En ook
al had ze de moeite genomen wat make-up op haar gezicht aan te brengen, ze zag eruit alsof ze zo van de clownsopleiding afkwam.

'Mevrouw Rijker,' zei ik, en ik stak, nadat ze eindelijk onze kleine
vriendenkring had bereikt, mijn hand naar haar uit om de oude vrouw
te ondersteunen.

Ze greep mijn pols stevig vast, de handtas bungelend aan haar onder-
arm, pakte vervolgens mijn elleboog beet, en toen ze eindelijk houvast
had gevonden, lieten Stuart en ik haar op een pallet zakken die we speciaal voor dat doel boven op twee kisten hadden gelegd. Daar zat ze redelijk comfortabel met haar handtas op haar knieën. Het enige teken
waaruit op te maken was dat ze een beetje geïrriteerd was, bleek uit de
manier waarop ze haar handtas vasthield: ze had de leren hengsels strak
om haar handen gewikkeld.

Ik ging op mijn hurken zitten, keek haar recht in de ogen en glimlachte haar zo geruststellend als ik kon toe en gaf een tikje op haar knie.
De oude dame vertrok haar rijkelijk beschilderde gelaatstrekken tot een
weinig bevallige karikatuur van mijn eigen gezichtsuitdrukking, terwijl
de slappe onderhuidse spieren hun best deden om haar wangkwabben
zodanig omhoog te trekken dat er iets anders zou ontstaan dan een gelaat dat alleen deemoed en neerslachtigheid uitstraalde. Omdat ik een
eind wilde maken aan dat bekkentrekken, kwam ik overeind en wendde me weer tot de anderen.

'De komende paar minuten,' zei ik, 'zult u mij mijn slechte Nederlands moeten vergeven en begrip moeten hebben voor het feit dat mevrouw Rijker geen Engels spreekt. We dachten dat het wellicht het
beste was als we haar haar relaas in haar eigen woorden laten doen, en
daarom zal ik er nu het zwijgen toe doen en haar het woord geven, zodat ze haar verhaal kan vertellen.'

Op dat punt aangekomen knikte ik het oude dametje toe, die, na een
korte aarzeling en nadat Stuart zachtjes iets tegen haar had gezegd, even
haar slijmerige keel schraapte en met haar verhaal begon. Het duurde
niet lang, maar hoewel de nuances van wat ze zei en hóé ze het zei mij

natuurlijk ontgingen, leek haar relaas vanwege haar aarzelende manier van spreken toch meer tijd in beslag te nemen dan ik had verwacht. Ze was nerveus en onzeker, en af en toe klonk ze schor, of haperde ze, en sloeg ze haar blik neer naar haar vingers, waarmee ze nog steeds haar handtas kneedde. Op die momenten legde Stuart een hand op haar schouder en moedigde haar aan door te gaan, sprak hij haar toe alsof het om een kind ging dat onder zijn zorg was geplaatst en hij uitsluitend wilde horen wat haar dwarszat vóór een van de anderen te hulp zou schieten.

Maar wat haar kwelde was simpel genoeg, hoewel dat de zaak niet minder traumatisch maakte. Ze vertelde per slot van rekening juist díé dingen waarover ze jarenlang niet had willen spreken, feiten die ze diep in haar psyche had opgeborgen. Haar zoon, Louis Rijker, vertelde ze, was bewaker geweest bij de Van Zandt-onderneming. Hij was niet bepaald ambitieus, maar tevreden met zijn baan, en hij vond het prettig dat zijn werk hem in staat stelde voor zijn al wat ouder wordende moeder te zorgen. Voor het dak boven hun hoofd en het brood op de plank was het tweetal volledig van zijn salaris afhankelijk, en hij was bereid nagenoeg alles te doen om de situatie zo te houden. Dus toen hij op een dag door iemand werd benaderd die hem de kans bood boven op zijn weekloon iets extra's te verdienen, kwam hij al snel in de verleiding. Het enige wat hij hoefde te doen, kreeg hij te horen, was tijdens een van zijn nachtdiensten een uurtje te verdwijnen. Als hij zijn mond hield over zijn absentie, wat de consequenties ook mochten zijn, zou er voor hem een stevig geldbedrag aan vastzitten. Maar als hij ook maar íémand erover zou inlichten, zou dat ernstige gevolgen voor hem hebben. Het dreigement werd niet nader gespecificeerd, maar hij kreeg de stellige indruk dat het geen loze opmerking was.

Met die keuze in zijn achterhoofd ging de arme Louis ermee akkoord de nacht in kwestie uit de buurt te blijven. Maar toen hij terugkeerde trof hij naast de Van Zandt-bunker Robert Wolkers aan, doodgeschoten. Toen hij door de politie verhoord werd, kwam hij met het verhaal dat hij toen zijn collega werd doodgeschoten elders in het complex op ronde was geweest. Die leugen was een instinctieve reactie op de situatie waarin hij was terechtgekomen, maar hij besefte wel snel dat hij zich aan die verklaring moest houden. De ochtend na de dood van Wolkers drong iemand het huis binnen waarin hij samen met zijn moeder woonde, lichtte haar van haar bed en liet in niet mis te verstane bewoordingen weten welke vergelding moeder en zoon konden verwachten als Louis ooit zijn mond voorbij zou praten. Dus had hij altijd zijn mond gehouden. Maar zijn moeder was ervan overtuigd dat de schuld en de angst die hij bijna tien jaar met zich had meegetorst, de oorzaak waren geweest van zijn hoge bloeddruk, zijn slapeloosheid en zijn stress, en uiteindelijk tot zijn fatale hartstilstand hadden geleid.

Tegen het einde van haar verhaal kwamen de woorden steeds fragmentarischer en weifelender uit de mond van de oude vrouw. Ze begon te snikken en haalde een rafelig zakdoekje uit de mouw van haar ochtendjas, waarmee ze haar ogen afdepte. Op dat moment keek Riemer me aan en zei: 'Ze is blijkbaar klaar met haar verhaal. Heb je alles gehoord?'

'Ja,' zei ik. 'En ik ben geneigd haar te geloven.'

'Er is geen enkele reden om haar níét te geloven.'

'Nee,' zei ik, 'die is er niet.'

'Maar wat maakt het uit?' zei Kim, die eindelijk mijn kant uit keek, en enigszins schor sprak nu ze voor het eerst iets zei. 'Wat maakt het verder nog uit?'

'Het is een volgend stukje van de puzzel,' zei ik haar zo geruststellend mogelijk. 'Een nieuwe aanwijzing met betrekking tot wat er die nacht gebeurd is.'

'Maar we wéten wat er is gebeurd,' reageerde Van Zandt.

'Is dat zo? Volgens mij weten we nog maar heel weinig. Waaronder één heel belangrijke factor: waarmee heeft Michael Park zich uit de voeten gemaakt in de nacht dat Robert Wolkers werd doodgeschoten?

Ik ving de blik van Van Zandt op en hield die vast. Ik dacht dat hij misschien zijn hoofd zou afwenden, maar hij was een halsstarrige oude smeerlap en was zo arrogant om te denken dat ik hem niet zou blijven aankijken. Maar ik sta erom bekend dat ik bij tijd en wijlen ook wel arrogant kan zijn, en was dan ook niet van plan om toe te geven.

'Het gerucht deed de ronde dat uw familie een klein fortuin kwijt was geraakt, meneer Van Zandt. Het verhaal was dat Michael ervandoor was gegaan met een groot aantal diamanten, nadat hij de enige bewaker die dapper genoeg was geweest om het tegen hem op te nemen had doodgeschoten. En het feit dat Van Zandt dit nooit publiekelijk heeft toegegeven, was voor nogal wat mensen aanleiding om aan te nemen dat het zo wel gebeurd zou kunnen zijn.'

Van Zandt reageerde stekelig. 'We spráken niet over beveiligingszaken. Dat weet u, dat was een belangrijke regel binnen ons bedrijf.'

'Belangrijk omdat uw veiligheidsmaatregelen niet goed genoeg waren. De waarheid is dat u tíén bunkers van dik staal had kunnen bouwen, de een in de ander, maar het hele systeem was precies zo veilig als de mannen die voor de bewaking moesten zorgen. En toen er nog maar één man bij stond, en die man ook nog eens corrupt was, tja, dan is het eigenlijk alleen nog maar één grote grap, toch?'

'Zo mag u niet tegen me praten,' zei Van Zandt, die zachter was gaan praten en een zijwaartse blik in de richting van Kim wierp. 'In elk geval niet waar zíj bij is.'

Ik dwong mezelf naar Kim te kijken, en wat ik op haar gezicht zag was voldoende om er het zwijgen toe te doen. Haar lippen waren smal, haar ogen waren vochtig en leken in het niets te staren, alsof ze dwars door het tafereel vlak voor zich tuurde, terug naar datgene wat zich hier twaalf jaar eerder had afgespeeld, toen haar vader was doodgeschoten. De vader die ze zich had voorgenomen te wreken. De vader van wie ze zojuist had gehoord dat hij corrupt was.

'Vergeef me,' zei ik tegen haar, 'maar het is waar. Het kan niet anders. Vakbekwame dieven op zoek naar buit zijn altijd op zoek naar de simpelste oplossing. En jouw vader wás die oplossing. Hij had jou waarvoor hij moest zorgen, en ook je moeder. Stel nou eens dat Michael hem een aandeel van de gestolen diamanten in het vooruitzicht heeft gesteld? Stel nou eens dat hij van plan is geweest het bij deze éne keer te laten, dat die ene keer voldoende zou zijn? Alleen besefte hij niet wat dat precies betekende. Want mannen als jouw vader begrijpen dat nooit. Bij dit soort complotten wordt de buit altijd over zo min mogelijk mensen verdeeld. En dít tweetal had daar baat bij.'

Ik wees naar de dikke en de dunne man. De dunne man draaide zich om en keek met een gejaagde blik in zijn ogen hoe Riemer zou reageren. De dikke man leunde alleen maar achterover in zijn stoel, sloeg zijn omvangrijke armen over elkaar en strekte zijn in hoge schoenen gestoken voeten ver naar voren op de betonnen vloer.

'Sommige dieven werken alleen,' vervolgde ik. 'Maar dat gold niet voor Michael. Hij vond het prettig om ruggensteun te hebben. Mensen die hem behulpzaam waren bij het dragen van de gestolen goederen. Mensen die hem hielpen bij de opslag en het verdere transport. Wat extra spierkracht, mocht die nodig zijn. En in Amsterdam maakte hij daarvoor van dit tweetal gebruik.'

De dikke man keek me met een scheef glimlachje aan, alsof ik hem enorm amuseerde.

'Kijk, één ding zat me altijd al behoorlijk dwars. Michael had twaalf jaar in de gevangenis gezeten en hij was nog maar een paar dagen op vrije voeten toen hij contact met me opnam. Maar hij kende álle details van de klus die ik voor hem moest klaren. Hij wist waar jullie woonden en wist ook wat voor veiligheidsmaatregelen jullie hadden getroffen. Hij wist dat een van jullie het apenbeeldje bewaarde in een kluis op zijn woonboot. Hij wist dat de ander met het beeldje onder zijn kussen sliep, en dat er drie uitstekende sloten op de voordeur waren gemonteerd. Hij wist dat geen van beide woningen een alarminstallatie had. Maar hoe kon hij dat allemaal weten? Hij was bevriend met jullie twee, dat heeft hij me zelf verteld, maar hij kon dat soort dingen onmogelijk weten, zelfs als hij ná zijn vrijlating al bij jullie op bezoek was geweest, en het lijkt me onwaarschijnlijk dat jullie hem dat uit eigener beweging hebben verteld.'

Ik deed net of ik de brede grijns van de dikke man niet zag en was vastbesloten rustig te blijven. Ik deed dit deels voor Kim en deels voor Michael zelf. Dit was niet iets om te lachen. De man was vermóórd, verdomme nog aan toe!

'Er was maar één manier waarop hij dit aan de weet had kunnen komen,' zei ik, 'en toen ik erachter kwam dat hij een dief was, viel alles op z'n plek. Michael wist het namelijk omdat hij al eerder in jullie woning was geweest. Hij had al een keer in jullie huis ingebroken en de aapjes gevonden. Eerlijk gezegd had hij al veel meer gedaan dan alleen een simpele verkenningstocht uitgevoerd, het was een soort generale repetitie voor hem geweest.'

Ik zweeg even en keek de dikke man zelfverzekerd aan. Toen ik hem wat onderzoekender opnam, had ik het gevoel dat iets van zijn bravoure begon weg te ebben. Ik wilde dat dit druppeleffect zou overgaan in een stortvloed. Ik wilde dat hij de dingen ging zien zoals ik ze zag. In sommige opzichten had Victoria gelijk gehad, er bestond een soort band tussen Michael en mij. Niet alleen oefenden we hetzelfde beroep uit, we maakten deel uit van dezelfde wereld, en het was niet ondenkbaar dat op een gegeven dag iemand míj dood zou willen slaan vanwege iets wat ik had gestolen.

'Ik stelde mezelf toen de volgende vraag,' vervolgde ik, en de woorden klonken me wat mechanisch in de oren. 'Waarom heeft hij die aapjes niet meegenomen toen hij daar de kans toe had? Ze bevonden zich binnen handbereik. Hij hoefde alleen zijn hand maar uit te steken, ze te pakken en ervandoor te gaan vóór jullie iets in de gaten zouden hebben. Maar dat deed hij niet.' Ik zweeg opnieuw, en keek nog nadrukkelijker naar de dikke man, zodat hij zou begrijpen hoe belangrijk dit was. 'Toen herinnerde ik me nog iets anders wat hij me had verteld. Hij zei dat jullie hem nooit van betrokkenheid bij de diefstal van de beeldjes zouden verdenken, ook al zouden jullie de verdwijning onmiddellijk na thuiskomst ontdekken. Hij zei dat de reden daarvoor heel simpel was: jullie vertrouwden hem. En toen vroeg ik me af: waar komt zulk onbegrensd vertrouwen vandaan? Het antwoord is uiteraard gelegen in het feit dat jullie samenwerkten. Het komt doordat jullie een eenheid vormden. En zoals inspecteur Riemer daarnet al bevestigd heeft, jullie vormden met z'n drieën een bende. Wie weet hoeveel jullie met z'n drieën hebben buitgemaakt. Ik vermoed heel wat. Maar de grootste slag sloegen jullie hier, in de nacht dat Robert Wolkers werd doodgeschoten.'

Ik gebaarde om me heen, maakte een complete cirkel en ademde diep in, alsof iets van die tijd hier nog steeds in de lucht hing. Ik keek Karine Rijker heel even aan en keek toen omhoog, naar de stalen balken van de dakconstructie, en ging toen verder.

'Eerlijk gezegd heb ik heel veel nagedacht over die avond. Ik ben zelfs hiernaartoe gegaan, heb wat rondgelopen en geprobeerd me voor te stellen hoe de dingen op die avond gegaan zouden kunnen zijn. En weten jullie tot welke conclusie ik kwam?'

Opnieuw keken de dikke man en ik elkaar aan. Er was nu iets anders in zijn ogen te lezen. Nieuwsgierigheid wellicht, en misschien ook wel een soort bezorgdheid.

'Ik kwam tot de conclusie dat jullie waarschijnlijk hebben gewacht tot Robert Wolkers hier een keertje alleen zou zijn, al was het maar voor even. Misschien was het een kwestie van wachten tot hij zou zeggen dat het zover was, maar misschien hebben jullie de datum en de tijd wel bepaald. Hoe dan ook, Robert Wolkers was hier in zijn eentje toen jullie hier met z'n drieën arriveerden, en hij was degene die jullie in de gaten hield terwijl Michael de sloten van de grote kluis te lijf ging. Nadat hij hem had open gekregen, namen jullie zo veel mogelijk mee, misschien wel alles. En vervolgens hebben jullie hem doodgeschoten.'

Vanuit mijn ooghoek zag ik de dunne man heftig zijn hoofd schudden. De dikke man keek me alleen maar met half dichtgeknepen ogen aan en zei uiterst kalm: 'Dat is níét waar.'

'Nee?'

'We hébben hem niet vermoord.'

'Hmm. Nou,' zei ik schouderophalend, en plotseling ging ik op een opgewektere toon verder, 'dat was mijn eerste gedachte. Ik had kunnen weten dat ik daar niet op moest vertrouwen. U moet begrijpen, ik zit met een boek, mijn laatste roman, en het lukt me al een tijdje niet om daar een fatsoenlijk eind aan te breien. Ik heb nu al een stuk of zes mogelijke oplossingen bedacht wie de dader zou kunnen zijn en waarom hij het heeft gedaan, maar niet één daarvan klopt. Dus waarom zou déze zaak oplossen zoveel anders zijn? Ik bedoel, ik zal vast niet bij de eerste keer al meteen op de waarheid stuiten, toch?' Ik wees naar de dikke man en bewoog een vinger heen en weer, alsof wij tweeën beter hadden moeten weten. 'Eigenlijk had ik sowieso niet het gevoel dat jullie het hadden gedaan. Waarom zouden jullie ook? Wat had jullie motief moeten zijn? Het was niet zo dat Robert Wolkers jullie erbij zou lappen, hij had net zoveel te verliezen als een ander. En laten we niet vergeten dat Michael altijd ontkend heeft dat hij het is geweest. En bovendien, we hebben nog geen rekening gehouden met het mysterie van het ontbrekende moordwapen, het nog rokende pistool zogezegd.

Dus ontwikkelde ik een tweede theorie. Aanvankelijk leek die nogal bizar, het soort theorie dat ik voor een boek zou kunnen verzinnen, om haar vervolgens weer overboord te zetten omdat hij te vergezocht is. Maar hoe meer ik aan de weet kwam, hoe aannemelijker ze werd. En ik ging er verder mee aan de slag, verfijnde haar, schaafde haar hier en daar wat bij. En raad eens? Het begon steeds meer te lijken op de enige manier waarop het mogelijkerwijs kon zijn gebeurd.'

30

'Wat er volgens mij is gebeurd,' vervolgde ik, 'is dat Robert Wolkers contact heeft opgenomen met Michael, en niet andersom. Hij vertelde hem wie hij was en wat hij voor de kost deed, en zei verder dat er een manier bestond waarop ze elkaar behulpzaam konden zijn. Michael, vermoed ik, had er aanvankelijk geen oren naar. De meeste beroepsinbrekers gaan het liefst zélf naar een klus op zoek. Dan zijn ze bij het regelen van hun zaakjes niet van andere mensen afhankelijk, en hoeven ze ook de opbrengst niet met anderen te delen. Maar we zijn slechts mensen, en ongetwijfeld kwam hij later toch in de verleiding in te gaan op het voorstel van Robert Wolkers. Hij had nu de kans om tot ín de grote kluis van Van Zandt door te dringen, en Michael was op het gebied van diamanten een purist. Waarschijnlijk heeft hij er een tijdje over nagedacht, en hij kwam toen tot de conclusie dat hij best een deel van die buit wilde, maar dat hij niet in z'n eentje alle risico's op zich wilde nemen. Als het wáár was wat hij had gehoord, moesten er heel wat diamanten in die kluis liggen, en hij kon best wat ruggensteun gebruiken. Dus ging hij op zoek naar handlangers en vond deze twee plaatselijke in te huren bullebakken, en binnen de kortste keren vormden ze hun eigen bende.'

Ik zweeg en keek naar de gezichten om me heen om me ervan te overtuigen dat ik nog ieders onverdeelde aandacht had. Want het zou niet voor het eerst zijn dat het me niet lukte de mensen bij de les te houden. Zo'n groot publiek had ik niet meer meegemaakt sinds ik voor het eerst uit eigen werk had voorgelezen, voor twee tot de harde kern behorende fans en een zich nogal generende boekhandelaar aan Charing Cross Road. Als ik niet oppaste zou al deze aandacht me nog naar het hoofd stijgen.

'Wolkers,' vervolgde ik, 'moet op de hoogte zijn geweest van het systeem dat ze bij Van Zandt hadden geïnstalleerd, en hij moet gemakkelijk te weten zijn gekomen wanneer er nieuwe zendingen werden verwacht, en waaruit die zendingen dan bestonden. Mijn theorie luidt dan ook dat hij wachtte tot er een grote zending zou arriveren en vervolgens heeft geregeld dat de bewaker die samen met hem dienst had pakweg een uur uit het zicht zou verdwijnen. Dan hoefde hij alleen nog maar op de uitkijk te staan als Michael en zijn twee Hollandse vrienden de stalen kooi en de erachter liggende kluis te lijf gingen. Mits hij voldoende tijd heeft, kan iedere ervaren dief elke willekeurige kluis ter wereld open krijgen. Per slot van rekening is een safe slechts zo goed als het slot waarmee hij is uitgerust, en triest genoeg kan dat slot altijd geforceerd worden of met behulp van wat gereedschap onbeschadigd worden geopend. Nadat Michael zijn eigen specifieke expertise op het slot had losgelaten, haalde de bende van drie de bunkeropslag leeg om vervolgens, aangezien ze verder toch niets meer aan hem hadden, Robert Wolkers om het leven te brengen, waarna ze er met de buit van hun leven vandoor gingen.'

Ik hoorde iemand naar adem happen, en draaide me naar Kim om, die haar ogen had dichtgeknepen en haar handen tot vuisten had gebald, waarbij haar nagels diep in haar huid drongen. Het was moeilijk om op dat moment niet iets tegen haar te zeggen, te proberen rechtstreeks een beroep op haar te doen, en wel zo dat het allemaal wat gemakkelijker voor haar zou worden. Maar in plaats daarvan ging ik door met mijn relaas.

'Maar er waren te veel diamanten, die konden ze niet onmiddellijk op de markt gooien, en omdat Robert Wolkers dood aangetroffen was, zat de politie met aanzienlijk meer materieel achter hen aan dan ze hadden verwacht. De politie had een nieuwe, gretige rechercheur op de zaak gezet, een knaap die Burggraaf heette, iemand die alle zaken leek op te lossen waar hij bij geroepen werd.'

Burggraaf spitste zijn oren. Hij ging rechtop zitten en kneep zijn ogen achter zijn rechthoekige brillenglazen tot spleetjes, alsof iemand precies goed zijn rug masseerde. Ik deed mijn best het te negeren, en richtte mijn blik in plaats daarvan op inspecteur Riemer.

'Dus de bende moest onderduiken en ze spraken af de diamanten ondertussen op een veilige plaats onder te brengen. Ergens in de Chinese buurt moest een plek zijn, hadden ze gehoord, en hoewel het niet echt ideaal was, geen enkele plek is immers ideaal als een van de bendeleden een getalenteerde dief is, waren ze het met elkaar eens dat het de minst slechte oplossing was. Bij een bank konden ze niet terecht, want daar zouden veel te veel vragen worden gesteld en moest je een identiteitsbewijs overleggen, maar de plek die ze uiteindelijk vonden was even veilig als een bank, maar dan zonder al de lastige toestanden eromheen.'

Ik draaide me naar de dikke en de dunne man om, en richtte me met mijn verdere uitleg tot hen, in een poging ze te laten zien dat ik alles doorhad. Ze luisterden nu aandachtig, wachtten af wat ik als volgende zou gaan zeggen, en of het nodig zou zijn dat te ontkennen.

'Door een toepasselijke speling van het lot waren er voor de kluisjes in dit bedrijf drie sloten nodig om ze open te krijgen. Het was ideaal: elk bendelid zou een eigen sleutel in bewaring houden, zodat iedereen zeker wist dat niemand er in z'n eentje met alle diamanten vandoor kon gaan. De sleutels zagen er zó uit,' zei ik, en ik haalde de twee sleutels uit mijn zak tevoorschijn, en legde ze op mijn handpalm zodat de aanwezigen ze konden zien. 'Maar vóór ze werden uitgegeven, werden ze in sneldrogend gips gestopt, dat in de vorm van de drie wijze apen werd gegoten. Horen, zien en zwijgen. De eigenaar van het kluisjesbedrijf wilde daarmee zeggen dat het hem absoluut niet interesseerde wát je in je safeloket daar bewaarde, dat hij geen moeilijke vragen zou stellen. De twee sleutels die ik in m'n hand heb, zaten in de twee beeldjes die ik voor Michael heb gestolen. Daarom was dat derde aapje zo belangrijk. Degene die díé sleutel in handen weet te krijgen, is de bezitter van een ware schat aan Van Zandt-diamanten, daterend uit het begin van de jaren negentig. En daarvoor, lijkt het wel, was het doodslaan van Michael niet bepaald een te hoge prijs.'

Ik gaf de sleutels aan Riemer en keek toe hoe ze ze in haar hand woog. Er zaten nog wat stukjes gips aan het koperachtige materiaal, waardoor mijn verhaal een authentiek tintje kreeg. Na enkele ogenblikken maakte ze haar blik los van de sleutels en keek me strak aan.

'Maar u zei eerder dat ze de bewaker níét hebben gedood,' merkte ze op, terwijl ze tegelijkertijd naar de dikke en de dunne man gebaarde.

'Ja,' beaamde ik, terwijl ik me omdraaide om te zien hoe het met Karine Rijker ging. Haar ogen stonden gealarmeerd, maar waarschijnlijk alleen omdat ik haar voor het eerst na vrij lange tijd weer rechtstreeks aankeek. Ik kreeg in elk geval niet het gevoel dat ze van het Engels dat wij spraken ook maar íéts begreep, dus richtte ik mijn aandacht weer op Riemer.

'Ik ben bang dat het hier allemaal een beetje ingewikkeld gaat worden. Eerlijk gezegd, wat ik u zojuist heb verteld was mijn eerste herziening van het eind. Maar toen ik er wat beter over nadacht, toen ik echt de logica ervan probeerde te doorgronden, klopte het gewoon niet. Dus ging ik er vanuit een heel andere hoek naar kijken. Ik bedacht iets waar ik verder nog geen rekening mee had gehouden, om mezelf vervolgens af te vragen welke vraag dit opriep. En weet u welke vraag dat was?'

'Waarom hebben ze mijn vader om het leven gebracht?' vroeg Kim vanuit het niets.

'Nee,' zei ik, en ik schudde mijn hoofd en ging zachter praten. 'Dat had niets geholpen. Ze hadden hem kunnen doden om te voorkomen dat hij zou gaan praten, of om niet met hem te hoeven delen, of omdat een van hen een heethoofd was. Ik had te veel mogelijkheden opengelaten. Nee, de vraag die ik mezelf stelde was deze: waar kwam dat wapen vandaan?'

'Dat zouden ze bij zich gehad kunnen hebben,' opperde Burggraaf.

'Dat zou kunnen, ja. Om het daarna ergens te dumpen. Maar waarom? Ik moet de eerste inbreker nog tegenkomen die een vuurwapen bij zich heeft als hij aan het werk is. En ik weet uit eigen ervaring dat deze twee heren de voorkeur geven aan honkbalknuppels boven vuurwapens. Ik vroeg me dan ook op een gegeven moment af: en als Van Zandt zélf zijn bewakers nou eens een vuurwapen had gegeven?'

'Larie!' riep Van Zandt uit, hij stak zijn handen in de lucht en liet zijn wandelstok weer met een dreun op de vloer neerkomen, alsof ik nu écht gek was geworden.

'Dat zou volslagen illegaal zijn geweest,' zei Riemer, Van Zandts theaterspel onderbrekend. 'Wat dat betreft heeft Nederland een uiterst strikte regelgeving.'

'Zoiets vermoedde ik al. Maar laten we er eens van uitgaan dat de man die aan het hoofd stond van de bedrijfsbeveiliging van Van Zandt, de veiligheid van zijn diamanten belangrijker vond dan het naleven van de wet. Laten we er voor het gemak eens van uitgaan dat hij zijn bewakers middelen ter beschikking stelde om zich te beschermen.'

'Dat slaat nergens op,' reageerde Van Zandt op autoritaire toon.

'Wat mij betreft is het zeer aannemelijk,' zei ik tegen hem. 'U hebt altijd de veiligheidsaangelegenheden binnen dit bedrijf als vertrouwelijk behandeld. U hield die zaken het liefst onder uw pet. Neem nou eens de nacht dat Wolkers werd gedood, u had te maken met de grootste roof uit de geschiedenis van het bedrijf, en toch weigerde u openlijk met de politie samen te werken; u wilde zelfs niet dat het in de kranten kwam.'

'Dat was een directiebeslissing. Wij maakten ons alleen maar zorgen over de privacy van het gezin van de heer Wolkers. Het was een moeilijke tijd.'

'Ja, dat was het zeker. Maar u hebt ook het nieuws in de doofpot laten stoppen dat Van Zandt een van zijn bewakers een vuurwapen had gegeven, het wapen waardoor hij om het leven is gekomen.'

Ik keek naar Stuart, en gebaarde toen naar de handtas die Karine Rijker zo stevig tegen zich aangedrukt hield.

'Rutherford? Zou je zo vriendelijk willen zijn?' vroeg ik.

'Uiteraard,' antwoordde hij, en hij boog zich wat naar voren en zei iets in het Nederlands tegen de bejaarde vrouw. Ze luisterde een ogenblik, knikte toen steels en knipte de sluitingen van haar handtas open, duwde het leer zorgvuldig uiteen en stak uiterst langzaam haar hand in de tas, alsof ze er iets ongelooflijks breekbaars in bewaarde. Even later kwam op min of meer dezelfde wijze haar hand weer uit de tas tevoorschijn, en omklemden haar vingers een pakje dat zo te zien in een oude theedoek was gewikkeld. Ze gaf het pakje aan Rutherford, die het vervolgens aan mij overhandigde. Ik vouwde het zo behoedzaam mogelijk open, totdat ik het voorwerp nog net aan een hoekje van de stof kon vasthouden.

'Dit is het pistool dat Louis Rijker van de beveiligingsafdeling van Van Zandt uitgereikt heeft gekregen. Na zijn vertrek hier heeft hij het wapen altijd in zijn garderobekast bewaard, voor het geval de mannen die zijn moeder hadden bedreigd nog eens zouden komen opdagen, en daar is het wapen blijven liggen totdat mevrouw Rijker het na zijn dood tegenkwam, toen ze zijn spullen uitzocht. Ik weet nagenoeg zeker dat Robert Wolkers gedood werd met een identiek wapen. En dat was een vuurwapen dat zijn werkgever hem ter beschikking had gesteld.'

'Geklets,' zei Burggraaf, terwijl hij Riemer aankeek. 'Het wapen waarmee hij is gedood is nooit teruggevonden. Dit is een zinloze discussie.'

'Ach, dat zóú het zijn,' zei ik, terwijl ik het wapen ondertussen op zijn zijkant neerlegde en snel een van mijn weggooihandschoenen aantrok. 'Als dít er niet was.'

Dat 'dít' waaraan ik refereerde was een tweede vuurwapen, dat ik uit mijn achterzak tevoorschijn trok en nu met mijn gehandschoende hand bij de trekkerbeugel vasthield, zodat het voor iedereen zichtbaar in de lucht bungelde. Ieders ogen leken erop gefixeerd, alsof ik een goochelaar was die op het punt stond een wereldberoemde truc over het voetlicht te brengen.

'Ik wil er een vermogen om verwedden dat dít het pistool is waarmee Robert Wolkers om het leven is gebracht,' vervolgde ik. 'En het is het wapen dat hij van Van Zandt had gekregen. Zoals u kunt zien, is het identiek aan het pistool dat mevrouw Rijker hiernaartoe heeft meegebracht. En weet u waar ik het heb gevonden? In úw appartement, meneer,' zei ik, terwijl ik me naar de dikke man omdraaide.

De dikke man ging voor het eerst rechtop zitten. 'Maar het is niet van mij,' zei hij, en zijn stem klonk oprecht verbijsterd.

Ik wachtte even voor ik reageerde, nieuwsgierig of hij zijn zelfbeheersing nog verder zou verliezen.

'Ik heb dit pistool nog nooit eerder gezien,' voegde hij eraan toe.

'O, maar u hebt dit wapen wel degelijk eerder gezien,' zei ik hem. 'Hoewel u bij die gelegenheid net zo verbaasd was als nu. U moet weten dat dít het wapen is dat ik op u gericht hield toen ik halsoverkop uit uw appartement moest vertrekken, kort nadat u mij ontvoerd had. Ik zag aan uw gezicht dat u geen idee had hoe ik aan een pistool was gekomen. Per slot van rekening had ik geen wapen bij me toen u me, vóór u me in uw slaapkamer aan een stoel vastbond, fouilleerde. De waarheid is dat ik dit pistool op uw vlierinkje heb gevonden.'

Ik wachtte opnieuw, probeerde tijd te rekken, maar hij hapte niet toe. Misschien omdat hij er écht geen flauw idee van had.

'Ik kwam hem voor het eerst tegen toen ik uw kamer doorzocht, op zoek naar het beeldje, in de nacht dat ik bij u inbrak. Oorspronkelijk lag hij in de hutkoffer, maar ik heb hem op de vliering achtergelaten omdat ik toevallig de gewoonte heb om wapens die ik tegenkom ergens te verstoppen. Vreselijke dingen, vuurwapens. Je kan er enorm veel schade mee aanrichten. Maar ik moet toegeven, u leek oprecht verrast toen ik met dit ding in mijn handen uw kamer uit kwam. En ik bedoel niet verrast omdat u al een tijdje naar dat wapen in uw hutkoffer op zoek was geweest en maar niet begreep waar het was gebleven, nee, ik bedoel verrast omdat u geen idee had dat er sowieso een wapen in uw appartement aanwezig was. En ik denk dat de reden waarom u geen idee had, gelegen is in het feit dat Michael het daar had neergelegd.'

Er verschenen diepe rimpels in het voorhoofd van de dikke man en hij keek me met half dichtgeknepen ogen aan.

'U begrijpt het nog steeds niet, hè? Michael was niet alleen op verkenning, toen hij in uw appartement inbrak. Hij liet daar ook het pistool achter.'

Heel even was het stil. De rimpels in zijn voorhoofd werden nóg dieper.

'Dus hij probeerde hem ervoor op te laten draaien,' zei Stuart met treurige stem.

'Nee,' zei ik, terwijl ik me naar hem omdraaide. 'Waarom zou hij dat doen? Waarom zou hij twaalf jaar in de gevangenis zitten zonder de andere bendeleden te verraden, om vervolgens, nadat hij er eindelijk uit is, ze te belazeren? Dat slaat gewoon nergens op.'

'Wat dan?' vroeg Stuart.

'Aha,' zei ik, 'nou, dat is het slimme aan dit alles. Laten we nog even een stap terug doen. Michael heeft me ingehuurd om die twee apenbeeldjes te stelen, ja?'

Stuart knikte. Ik keek opnieuw om me heen en zag dat de dikke en de dunne man ook knikten.

'De vraag is, waarom deed hij dat? Ja, het zou hem bij zijn vrienden een soort alibi verschaft hebben, maar verder? Nou, op het meest elementaire niveau betekende het dat niet híj degene zou zijn die ze in zou pikken, althans, niet rechtstreeks. En ik denk dat dat erg belangrijk voor hem was. Ik bedoel, hij heeft twaalf jaar achter de tralies gezeten, en al die tijd zijn jullie geduldig geweest. Jullie hebben niet geprobeerd je die diamanten toe te eigenen. Nee, jullie hadden afgesproken te wachten tot hij uit de gevangenis zou komen, en dan de buit onder elkaar te verdelen.'

Met mijn vrije hand beschreef ik terloops een cirkel in de lucht, als een spreker die op het punt stond van zijn script af te wijken.

'Maar de kans is natuurlijk ook groot dat het iets te maken had met het feit dat jullie de stenen niet naar een andere plaats konden overbrengen, maar er was nog iets anders. Jullie vormden een bende, en jullie hebben een zekere mate van groepsloyaliteit ontwikkeld. Michael wilde de diamanten van jullie stelen, maar hij wilde níet degene zijn die de diefstal daadwerkelijk pleegde. En tegelijkertijd wilde hij ook het pistool bij jullie achterlaten, als een soort vereffening, zo u wilt.'

'Hoe bedoelt u, vereffening?' vroeg Kim, terwijl haar ogen zacht begonnen te schitteren.

'Omdat het het moordwapen was. Daarmee zouden ze de werkelijke moordenaar van jouw vader achter de tralies kunnen krijgen, mocht hij hen nog last bezorgen.'

'Maar ik begrijp het niet,' zei ze. 'Hoe dan?'

'Vingerafdrukken,' reageerde ik. 'De vingerafdrukken van de moordenaar zitten nog steeds op het pistool, zelfs twaalf jaar na de misdaad. Heb ik gelijk of niet, inspecteur?'

'Dat is niet onmogelijk,' beaamde Burggraaf.

'Niet onmogelijk?'

Hij haalde zijn schouders op. 'De moordenaar kan ook nog handschoenen hebben gedragen.'

'Maar natuurlijk,' zei ik, en ik sloeg met mijn hand tegen mijn voorhoofd. 'Daar heb ik helemaal niet aan gedacht. En hebt u dat?'

'Wat?'

'Handschoenen gebruikt? Toen u Robert Wolkers doodschoot?'

31

Burggraaf was een ogenblik als met stomheid geslagen, alsof hij niet kon geloven wat ik zojuist had gezegd. Daar stond hij, met wijd open-gesperde ogen, het hoofd onvast op zijn schouders. Maar het volgende moment vermande hij zich en stormde naar voren, alsof hij me een hengst recht in het gezicht wilde geven. Maar voor hij dat kon doen, stonden de dikke en de dunne man gelijktijdig op en versperden hem de weg. Burggraaf draaide zich met een ruk om en keek naar Riemer, die hem met een kille blik bekeek, en niet helemaal, dacht ik, met ande-re ogen. Hij wendde zich van haar af en keek me woedend aan, met een gezicht dat rood aanliep.

'Dat is gelogen,' zei hij. 'Je bent gek als je denkt dat je dit soort din-gen kunt zeggen.'

'Inspecteur Burggraaf heeft bij het onderzoek naar de moord erg ge-degen werk afgeleverd,' voegde Van Zandt eraan toe.

'U bedoelt dat hij zich maar al te graag schikte in de manier waarop u graag wilde dat het uitgevoerd werd,' antwoordde ik vanaf de andere kant van de door de beide boeven gevormde muur. 'Denkt u nou echt dat ik geloof dat een ervaren en gelauwerde rechercheur als Burggraaf er niet binnen twee minuten achter zou zijn gekomen dat Robert Wol-kers steekpenningen aannam, dat Louis Rijker was omgekocht, kort-om, dat er fundamentele fouten zaten in uw beveiligingssysteem? Hij zou daar onmiddellijk achter zijn gekomen. Maar dat wist hij sowieso al. Omdat hij ook in het complot zat. U beiden waren bij dit alles be-trokken.'

'Nonsens,' sputterde Van Zandt tegen, en hij richtte zich vervolgens tot Riemer. 'Inspecteur, ik denk dat u beter een eind aan deze scherts-vertoning kunt maken, voor ik mijn advocaat opdracht geef de politie voor het gerecht te slepen.'

'Houd uw mond,' zei ze. 'Laten we eerst eens luisteren naar wat hij te zeggen heeft.'

'Maar dit is laster.'

'Zo is het wel genoeg!' blafte ze. En tegen mij zei ze: 'Ga verder.'

'Diamanten zijn veel geld waard,' zei ik haar. 'Iedereen weet dat. En zelfs het beste beveiligingssysteem van de wereld kan falen. Dus wat doet een bedrijf als Van Zandt om zichzelf te beschermen?'

'Dat sluit een verzekering,' zei Stuart, die net deed alsof het antwoord hem plotseling te binnen schoot.

'Inderdaad,' zei ik, 'het sluit een uitgebreide diefstalverzekering.'

Op dat moment besefte ik hoe moe ik werd van het kijken over de schouders van mijn twee oppassers, dus tikte ik de dikke en de dunne man op hun arm, en nodigde hen uit weer te gaan zitten. Burggraaf leek nog steeds met me op de vuist te willen gaan, zijn vingers tot vuisten ballend en weer strekkend, de voeten iets uit elkaar. Maar met zijn baas pal naast hem kon hij weinig doen, en als het erop aan zou komen, had ik natuurlijk het pistool nog in mijn hand. Ik wachtte tot de dikke man en daarna ook de dunne man weer waren gaan zitten, en verzekerde me ervan vóór ik mijn relaas hervatte, dat Van Zandt onder mijn blik ongemakkelijk heen en weer schoof.

'Waar was ik ook alweer?' vroeg ik.

'Diefstalverzekering,' herhaalde Stuart.

'O ja, de verzekering. Nou, zoals u zich allen zult kunnen voorstellen, zijn de premies voor een diefstalverzekering in de diamanthandel bijzonder hoog. En het hoofd van de beveiligingsafdeling, de heer Van Zandt, moest die kosten natuurlijk wel kunnen verantwoorden. Nou, bestaat er een betere manier om die kosten te rechtvaardigen dan een diefstal in scène te zetten? Met een beetje creatief schuiven met papieren kon hij een hoog bedrag bij de verzekeringsmaatschappij claimen, om vervolgens tegenover de directie net te doen of hij een aanzienlijk lager bedrag had teruggekregen.'

'Zo is het genoeg!' zei Van Zandt, en hij kwam met een krachtige beweging overeind. Een ogenblik kruiste zijn blik die van Burggraaf, en wisselden de twee mannen een stilzwijgende communicatie uit. Toen draaide hij zich om en strompelde moeizaam weg.

'Het verschil tussen die twee bedragen zou in zijn eigen zak verdwijnen,' vervolgde ik, terwijl ik harder ging praten zodat Van Zandt me ook nog zou horen. 'Dus u vond een bereidwillige bewaker, meneer Van Zandt, en u bood hem een bonus aan als hij contact zou opnemen met een lokale inbreker en zou regelen dat er een diefstal werd gepleegd, toch? Een diefstal die het bedrijf goed uitkwam.'

Van Zandt deed net of hij mij niet had gehoord en bleef naar de uitgang doorlopen.

'Waar of niet, meneer Van Zandt?'

Hij maakte een afwerend gebaar en schudde zijn hoofd, maar hield geen moment zijn pas in. Dat deed er uiteindelijk echter totaal niet toe, want zonder iets te zeggen gebaarde de dikke man met zijn duim naar zijn partner, en met z'n tweeën gingen ze achter de oude man aan, overbrugden de afstand binnen enkele seconden en tilden hem moeiteloos bij zijn ellebogen op. Van Zandt stribbelde tegen, trapte met zijn benen en hapte naar adem, waarbij zijn voeten in het luchtledige maalden, maar hij kon zich onmogelijk uit hun greep bevrijden. Enkele seconden later werd hij weer op zijn zitplaats neergezet, en deze keer werd hij geflankeerd door de twee heren, die duidelijk niet van plan waren om hem opnieuw te laten gaan. Goddank zag inspecteur Riemer geen enkele reden om tussenbeide te komen. Sterker nog, ze gebaarde dat ik door moest gaan.

'Maar ik vroeg me wél af, hoe u wist welke dief u moest benaderen. En toen besefte ik dat op dát moment inspecteur Burggraaf in beeld kwam. Hij was toentertijd een ambitieuze jonge politieagent, maar door alle misdaden die hij oploste begonnen de mensen te praten. Was hij corrupt? Je zou het haast denken. Ik vermoed dat u contact met Burggraaf opnam en dat u samen tot een akkoord bent gekomen, en daarna vielen alle puzzelstukjes keurig op hun plaats. Afgesproken werd de boel te beduvelen. Geregeld werd dat Louis Rijker pakweg een uur afwezig zou zijn. Misschien heeft de inspecteur dat zelf georganiseerd, maar het is ook mogelijk dat hij een plaatselijke crimineel kende die bereid was de nodige druk op hem uit te oefenen. Hoe dan ook, op de betreffende avond deed Louis Rijker wat hem werd opgedragen en liet Robert Wolkers onze nietsvermoedende dieven de opslagplaats binnen en keek toe hoe ze aan het werk gingen. Vanaf dat moment liepen de dingen in grote lijnen zoals ik eerder al verteld heb, op de nasleep na, natuurlijk.'

Ik zweeg even en liep langs de kleine halve cirkel toeschouwers heen en weer, terwijl mijn rubberzolen een zacht geluid op de betonnen vloer maakten. Ik tilde het pistool tot boven mijn hoofd en zwaaide er lichtjes mee, alsof het een doodnormaal voorwerp was dat ik gebruikte om mijn gedachten op een rijtje te zetten. Maar ik zorgde er wel voor dat ik niet al te dicht bij Burggraaf in de buurt kwam, want ik wist nog steeds niet precies hoe zijn reactie zou zijn. Op dat moment leek hij af te wachten wat ik nog meer te zeggen had, wellicht in de hoop dat hij voldoende gaten in mijn theorie kon schieten om ter plekke een eind aan de zaak te maken.

'Toen de versterkte kluis leeg was en de bende allang was verdwenen,' ging ik verder, 'had Wolkers nog genoeg tijd om de diefstal te melden vóór Rijker terug zou keren. Om te beginnen waarschuwde hij het hoofd van de bedrijfsbeveiliging, en daarna werd de plaatselijke politie pas gealarmeerd. Uiteraard reageerde Burggraaf als eerste. Het zou me niet eens verbazen als hij samen met meneer Van Zandt ergens in de buurt had staan wachten. Met z'n tweeën zouden ze Wolkers hebben ontmoet, zoals van tevoren was afgesproken, maar wat de bewaker niet wist was dat hij nu als een los eindje werd beschouwd, dat moest worden weggewerkt. Misschien had Burggraaf tegen hem gezegd dat hij vastgebonden moest worden, of een klap op zijn hoofd moest krijgen om alles wat geloofwaardiger te maken. Maar hij moest eerst zijn vuurwapen aan hen afgeven. Van Zandt moest er niet aan denken dat men zou ontdekken dat hij zijn bewakers had bewapend, dat zou waarschijnlijk tot gevolg hebben dat de verzekeringsmaatschappij niet zou uitkeren.'

Ik maakte me los van het beeld dat ik had geschetst en keek van Van Zandt naar Burggraaf. Ik probeerde het beeld buiten te sluiten dat ik van Kim had opgevangen, die met een lijkbleek gezicht tussen hen beiden in zat, de ogen stijf dichtgeknepen en haar tanden opeengeklemd.

'Ik weet niet zeker wie van jullie beiden hem heeft neergeschoten,' zei ik, 'maar ik vermoed dat het inspecteur Burggraaf is geweest. Meneer Van Zandt beschouwde zichzelf als zakenman, zodat hij waarschijnlijk dacht dat een geldbedrag voldoende was om Robert Wolkers zijn mond te laten houden. Misschien liep hij zelfs al met het idee rond om over een tijdje hetzelfde trucje nog eens uit te halen. Maar voor u was het maar al te riskant, inspecteur, u kon met geen mogelijkheid knoeien met het onderzoek naar zo'n gedurfde overval. Dus schoot u Robert Wolkers dood, en daarna maakte u uw eerste grote fout.'

'Was het vermoorden van mijn vader dan nog niet erg genoeg?' vroeg Kim met een holle stem.

'Sorry,' zei ik haar, 'je hebt gelijk. Ik druk me een beetje ongelukkig uit. Ik had moeten zeggen dat hij zijn eerste tactische fout beging. Begrijp je, hij ging ermee akkoord het gebruik van het pistool helemaal te verdoezelen.'

Ik kruiste Burggraafs blik en bleef hem aankijken. Ik had gelijk, ik wíst het, maar hij gaf nog steeds geen krimp. Van Zandt kon door een ervaren ondervrager tot een bekentenis worden gebracht, daar had ik geen moment aan getwijfeld, maar Burggraaf vormde een gigantische uitdaging. In de arena die ik hier had ingericht, gedroeg hij zich steeds meer als een prijsvechter, en onvervalste rouwdouwer, en ik kreeg langzamerhand het gevoel dat hoeveel slagen ik hem ook toebracht, hij nooit neer zou gaan.

'Ik weet zeker dat de inspecteur oorspronkelijk van plan is geweest het wapen ergens te dumpen, misschien wel in een van uw vele grachten, maar om de een of andere reden, naar alle waarschijnlijkheid geld, liet hij het aan de heer Van Zandt over om het wapen te vernietigen. Nadat hij het pistool had afgegeven, had hij nog net voldoende tijd om wat laatste details aan de plaats delict toe te voegen vóór er nog meer politie zou arriveren. Toen, in de loop van de daaropvolgende vierentwintig uur, zorgde hij ervoor dat Michael van de misdaad beschuldigd zou worden. Hij liet zelfs onopvallend een paar diamanten in Michaels appartement achter, stenen die meneer Van Zandt eerder aan de laatste zending had onttrokken. Verbazingwekkend hoe snel hij de dief op het spoor was, hij haalde er alle voorpagina's mee. Alleen was het een stuk minder verbazingwekkend als je weet hóé hij bij Michael uitkwam.'

Eindelijk deed Burggraaf zijn mond open. 'Ik hoop dat uw boeken heel wat beter zijn dan de onzin die u híér verkondigt,' zei hij tegen me. Toen draaide hij zich naar Riemer om en maakte een vluchtig gebaar met zijn hand. 'Dit is een hersenspinsel. Pure fantasie.'

'Ik dacht het niet. Hoewel dit pistool ongetwijfeld licht in deze duisternis kan brengen,' zei ik, terwijl ik opnieuw het wapen dat ik in mijn gehandschoende hand hield onder ieders aandacht bracht.

'Zo'n pistool is overal te koop,' zei Burggraaf.

'Dat zullen we wel zien,' zei ik tegen hem, en ik stond mezelf een glimlach toe. Ik vond het heerlijk dat ik hem zo ergerde, maar Kim onderbrak ons.

'Vertel me de rest,' zei ze met een smekende ondertoon in haar stem. 'Ik wil de rest horen. Er is toch nog meer te vertellen, ja?'

'Niet zo heel veel meer,' moest ik toegeven. 'Neem bijvoorbeeld Michael. Hij wist dat hij niemand had gedood, sterker nog, hij wist heel goed dat jouw vader nog in leven was toen hij daar vertrok. Dus moet hij begrepen hebben dat er iets aan de hand was, en al helemaal toen Burggraaf die goedkope diamanten in zijn woning vond. Maar wat kon hij doen? En bovendien heb ik sterk het vermoeden dat hij zich ergens voor deze moord verantwoordelijk voelde, op een manier waar minder ethische lieden wellicht geen last van hebben.'

Van Zandt liet een minachtend gesnuif horen, alsof wat ik zei met de minuut minder geloofwaardig werd.

'U doet daar nou zo laatdunkend over,' zei ik tegen hem, 'maar ik denk dat het waar is. Hij heeft weliswaar niet de trekker overgehaald, en altijd ontkend dat hij schuldig was, maar een deel van hem voelde zich nog steeds verantwoordelijk voor wat er toen gebeurd is hier. Waarschijnlijk omdat hij van begin af aan had gevonden dat er een luchtje zat aan deze klus. Misschien had dat iets te maken met de reden waarom hij zijn straf heeft uitgezeten, maar denk alstublieft niet dat hij zich er blindelings in heeft gestort. Michael was een intelligente man, meneer Van Zandt. Over het algemeen geldt dat voor alle topdieven. En in de tijd dat hij in de gevangenis heeft gezeten, heeft hij nagedacht over wat er gebeurd is, heeft hij de stukjes die hij wist in elkaar gepast en is zo tot een groter totaalbeeld gekomen. Volgens mij heeft hij nadat hij op vrije voeten kwam, van alle dingen als eerste in uw nogal indrukwekkende woning aan het Museumplein ingebroken. En weet u wat hij daarbij volgens mij heeft aangetroffen? Volgens mij kwam hij erachter dat u het pistool helemaal niet hebt laten verdwijnen, volgens mij ontdekte hij dat u het wapen simpelweg in uw huis had verborgen, en niet eens erg zorgvuldig. Wie weet waarom u dat wapen hebt bewaard? Misschien dacht u op die manier onze inspecteur hier nog eens te kunnen chanteren. Maar door dat ding te bewaren, bleek u de domste van het hele stel te zijn. Zodra Michael dat wapen vond, moet hij zich gerealiseerd hebben dat u of Burggraaf hierdoor alsnog beschuldigd zou kunnen worden van een moord waarvoor híj had gezeten. Dus nam hij het wapen mee, om het een paar dagen later achter te laten in een appartement van een voormalig bendelid.'

'Dat begrijp ik niet,' onderbrak Riemer me. 'Waarom is hij niet direct met dat wapen naar de politie gegaan?'

'Dezelfde politie die hém voor die moord heeft laten opdraaien?'

'Als hij daar bang voor was, had hij altijd nog naar een andere rechercheur kunnen vragen, iemand van wie hij het gevoel had dat die wél te vertrouwen was.'

'Goed,' zei ik haar, 'maar ik weet niet zeker of al uw collega's zo fatsoenlijk en nobel zijn als u, inspecteur.'

Ze keek me uitdrukkingsloos aan.

'Maar zou u nu zo vriendelijk willen zijn dat wapen aan míj te geven?' vroeg ze.

Ik kauwde op mijn onderlip en keek naar het stuk staal in mijn hand. Ik raakte er steeds meer aan gewend; de kolf was fraai vormgegeven en paste precies in mijn hand. Maar ik kon me voorstellen waarom Riemer misschien liever niet zag dat ik goedschiks of kwaadschiks met een pistool stond te zwaaien, vooral als met dat schietijzer datgene bewezen kon worden waarvan ik zei dat het te bewijzen wás. Ik draaide me naar Burggraaf om en gebaarde met het wapen zijn kant uit.

'U hebt daar geen bezwaar tegen?' vroeg ik hem.

'Natuurlijk niet,' antwoordde hij nogal stijfjes.

'Nou, dan zie ik geen enkele reden om het niet aan inspecteur Riemer te overhandigen. U draagt ook handschoenen, zie ik.'

Ik reikte haar het wapen aan, dat ze uit mijn uitgestrekte hand griste. Ze trok het magazijn uit de kolf en haalde de nog resterende patronen eruit. Toen schoof ze het magazijn met een polsbeweging weer op zijn plaats en stopte het wapen in haar jaszak.

'En dat andere wapen ook,' zei ze.

'Ik zou niet weten waarom niet,' zei ik, en ik gebaarde dat ze haar gang kon gaan en het wapen dat Karine Rijker uit haar handtas had gehaald kon overnemen.

Riemer deed een stap naar voren en nam het pistool aan, vergewiste zich er opnieuw van dat het magazijn leeg was en stopte het in een andere jaszak.

'Ik neem aan dat u ze nog wel uit elkaar kunt houden?'

'Bent u klaar met uw verhaal?' vroeg ze.

'Je kunt dit onder de huidige omstandigheden bepaald geen "verhaal" noemen, vindt u wel? En ik ben bang dat er nog een akkefietje van recenter datum opgeheldert moet worden, als ik u niet ontrief.'

'Ik luister.'

'Goed. Nou, uw collega hier, inspecteur Burggraaf,' zei ik, naar de uiterst gespannen gestalte rechts van mij knikkend, 'moet de afgelopen twaalf jaar dat Michael in de gevangenis zat voortdurend aan al die diamanten hebben gedacht waarmee Michael ervandoor was gegaan. Ze móésten ergens zijn, en als het hem zou lukken er de hand op te leggen, zouden de stenen heel wat meer opbrengen dan het bedrag dat hij ooit van Van Zandt had gekregen. Uiteraard,' zei ik, gebarend naar mijn nieuwe beschermengelen, die nog steeds links en rechts van de oude man stonden opgesteld, 'kon hij geen onderzoek naar deze twee heren instellen, want dat zou allemaal wel eens minder goed kunnen uitpakken dan in het verleden het geval was geweest. Maar misschien kon hij via andere kanalen iets aan de weet komen, bij een paar contacten binnen de gevangenis informeren of Michael wel eens iets had losgelaten. Maar dat heeft Michael nooit gedaan, hij was erg voorzichtig, maar er werd wel gekletst over een apenbeeldje dat hij in zijn cel bewaarde. Misschien dat Burggraaf onmiddellijk besefte wat dat betekende, per slot van rekening heeft hij volgens mij in de loop der jaren een hoop geld verzameld dat hij bepaald niet op zijn bestaande bankrekening kon storten, maar zelfs als hij dat wél had gekund, dan nog kon hij niets uitrichten zonder die drie sleutels. De baas van de bankkluizen in de Chinese buurt trekt zich nu eenmaal niets van de politie aan. En zeker niet van de politieman die een kijkje in die kluizen wil nemen maar niet wil dat iemand anders van het korps dat te weten komt. En Burggraaf had ook geen toegang tot het beeldje dat Michael in zijn gevangeniscel bewaarde. Eigenlijk heel ironisch, Michael had voor zijn sleutel de veiligste plek ter wereld gevonden.'

Ik keek Burggraaf meesmuilend aan en haalde nadrukkelijk mijn schouders op in de hoop dat ik hem daarmee nóg verder op stang zou jagen. Ik zag aan zijn gelaatsuitdrukking en de manier waarop hij heel licht trilde dat als ik nu alleen met hem was geweest, ik in de problemen zou zitten.

'Wat heeft dit alles u opgeleverd? Nou, u kunt terugkijken op twaalf corrupte jaren bij de politie en aan het einde van die periode kwam Michael op vrije voeten. Ik stel me zo voor dat u hem vanaf dat moment in de gaten hebt gehouden, hem in de stad hebt geschaduwd, de zit-slaapkamer hebt gevonden waarin hij zich schuilhield, hebt gelet op de bijzonderheden van het meisje met wie hij regelmatig omging. U bent daar voortdurend mee bezig geweest, hem eindeloos observerend, op een bijna obsessieve manier, tot u op een avond zag dat Michael in café De Brug een etentje had met exact hetzelfde duo met wie u jaren geleden de diamanten had gestolen. Ik moet toegeven dat ik niet precies weet wat er gebeurd is, maar het lijkt niet onwaarschijnlijk dat u het groepje na het eten hebt zien vertrekken en hen bent gevolgd naar Michaels appartement. Wellicht hebt u ze het gebouw waar Michael woonde zien binnengaan, en hebt u even later de twee mannen weer naar buiten zien komen. Ik vermoed dat u op dat moment tot de conclusie kwam dat als u nú niet in actie kwam, de kans voor altijd verkeken zou zijn.'

Ik zweeg, in de hoop dat hij me op de een of andere manier zou onderbreken, maar hij zei niets. Misschien had dat iets te maken met zijn steeds groter wordende woede. Ziedend, dat was het enige woord waarmee je het kon beschrijven. Zijn gezicht liep paars aan en het speeksel stond op zijn lippen. Hij wipte voortdurend op zijn tenen, alsof hij op het punt stond op me af te stormen, en ik zag dat het hem moeite kostte zijn armen langs zijn zij te laten hangen, want hij stond hevig te trillen en de spieren en aderen in zijn nek zwollen steeds meer op.

'Dus u drong het gebouw binnen en stapte op Michael af. Misschien hebt u hem verrast. Hoe dan ook, het gesprek verliep anders dan u gehoopt had. Michael was absoluut niet van plan om te vertellen waar de diamanten waren, en grote kans dat hij schermde met bewijsmateriaal waarmee u aan de moord op Robert Wolkers gekoppeld kon worden. En toen verloor u uw zelfbeheersing. U wilde weten waar de juwelen waren, waar de apenbeeldjes ergens uithingen, ten koste van alles. En op een gegeven moment bent u geweld gaan gebruiken, maar nog steeds was Michael niet van plan over de brug te komen met de nodige details. Hij moet tegen die tijd alle puzzelstukjes wel op zijn plaats hebben gehad, en u gedroeg u niet bepaald als een gewaardeerd lid van het politiekorps Amsterdam-Amstelland.'

'Hier zul je spijt van krijgen,' onderbrak hij me met trillende stem. 'Je kunt dit soort dingen niet zeggen zonder voor de consequenties op te draaien.'

'Uiteindelijk,' vervolgde ik, hem overstemmend, 'ging u nog een stapje verder, en brak u bij Michael zelfs enkele vingers, als de eerste de beste onbehouwen folteraar, maar u kwam geen steek verder. Michael had twaalf lange jaren achter de tralies doorgebracht, wachtend tot hij eindelijk de hand op die diamanten kon leggen, en hij was sowieso niet van plan te vertellen waar die waren, en al helemaal niet aan de man die hem een loer had gedraaid. Misschien heeft hij het zelfs in die bewoordingen gezegd; dat zou me niets verbazen. En u moet toen hebben geweten dat het waar was. Wat kon u nu nog doen? U kon hem niet in die toestand onder valse voorwendsels mee naar het bureau slepen, en u kon ook niet toestaan dat hij met de diamanten zou ontsnappen. Dus,' zei ik schouderophalend, 'hebt u hem vermoord.'

Burggraaf keek me aan en schudde zijn hoofd, zijn ogen als vlijmscherpe messen achter zijn brillenglazen, terwijl overal op zijn voorhoofd zweetdruppeltjes verschenen.

'Of misschien moet ik zeggen: dácht u hem vermoord te hebben,' vervolgde ik. 'U ramde hem net zolang met zijn hoofd tegen de rand van de badkuip tot hij bewusteloos was, en doorzocht toen snel zijn appartement. Gelukkig voor u vond u daar Michaels beeldje, het beeldje van de aap met zijn handen voor zijn ogen, en ik vermoed dat u daar ook de gefotokopieerde paspoortpagina hebt gezien die ik even later heb gevonden, kort nadat ik het appartement was binnengegaan,' zei ik, en ik keek Kim waarschuwend aan, zodat ze mijn versie van de gebeurtenissen niet zou tegenspreken, 'een kopie waaruit bleek dat Marieke van Kleefs echte naam Kim Wolkers was.'

Burggraafs gezicht drukte een en al minachting uit, maar ik was nu goed op dreef.

'Ik weet niet precies wat er daarna is gebeurd. Of u had, toen u Kim en mij aan de voorkant van het gebouw naar binnen hoorde gaan, nog net genoeg tijd om via de trap een etage hoger te gaan, of u stond misschien al buiten, kijkend wat u kon doen als u ons toevallig zou zien arriveren. Hoe dan ook, u wist toen al dat Kim de dochter was van de bewaker die u had doodgeschoten. En ik ga ervan uit dat u ook al wist wie ik was, aangezien u me de avond ervoor in het gezelschap van Michael kon hebben gezien, me misschien zelfs wel naar mijn huis bent gevolgd. Wat u ook heel goed besefte, was dat we op het punt stonden het lijk van Michael te vinden. Dus wachtte u tot we het appartement waren binnengegaan en pleegde toen snel een anoniem telefoontje naar de politie, waarschijnlijk vanuit een telefooncel, want er staat er eentje bij Michael in de straat. En toen zorgde u ervoor, zoals u dat al die jaren geleden ook al had gedaan, als eerste te reageren toen er alarm werd geslagen.'

Hij ademde diep in, alsof hij zich erop voorbereidde spottend gehakt te maken van alles wat ik had gezegd, maar daar gaf ik hem de kans niet toe.

'Uiteraard wist u dat er iets speelde toen u Kim als enige in het appartement aantrof. Tot mijn schaamte,' zei ik terwijl ik naar mevrouw Rijker keek, de enige niet-Engelssprekende van het gezelschap, 'moet ik bekennen dat ik bij het horen van de sirenes aan de achterkant het raam uit ben geklommen.'

Mevrouw Rijker keek me opgewekt glimlachend aan, alsof ik zojuist een van haar favoriete anekdotes had verteld. Ik knikte terug, een soort acceptatie van haar stilzwijgende absolutie, en richtte mijn aandacht vervolgens weer op Burggraaf.

'Door mijn reactie wilde u me kost wat kost vinden, en nadat u van het Britse consulaat had gehoord dat ik ooit voor diefstal veroordeeld ben geweest, telde u een en een op, zoals alle goede politiebreinen dat doen, en vroeg u zich af of Michael deze twee heren wellicht had belazerd. En nu hij dood was, besefte u plotseling dat ík wel eens degene zou kunnen zijn die de twee resterende beeldjes in zijn bezit had, de twee aapjes die u nog nodig had. Dus arresteerde u mij op de verdenking dat ik iets met Michaels dood te maken had, en hebt u me de hele nacht in een cel laten zitten en Kims getuigenis genegeerd,' zei ik, en ik keek daarbij nadrukkelijk naar Riemer, 'dat ik ten tijde van de moord bij haar was. Eén, omdat u wist dat ze een verklaring onder een valse naam had afgelegd, en twee, omdat u wist dat ze loog. Jammer genoeg voor u werd u tijdens het verhoor geen cent wijzer van me, terwijl u natuurlijk mijn vingers niet ook kon breken of me met mijn hoofd tegen de muur kon slaan. Maar wat wél handig uitkwam, was dat u tijdens mijn nachtje in de cel in mijn appartement kon inbreken, waarbij u om binnen te komen, de deur letterlijk uit de scharnieren hebt geramd.'

'Dus nu ben ik ook nog een inbreker.'

'Ga hier nou niet de vermoorde onschuld spelen, alstublieft,' zei ik hem. 'Ik vind dat nog altijd een stuk beschaafder dan een moord plegen. U was uiteraard al eens eerder in mijn woning geweest, toen u me over de aanval op Michael kwam ondervragen, maar toen had u geen tijd om op zoek te gaan naar waar u uw zinnen op had gezet. Nu was u eindelijk in de gelegenheid om op uw gemak mijn woning te doorzoeken, hoewel ik tot mijn genoegen kan zeggen dat u de twee beeldjes die ik had verstopt nooit hebt weten te vinden.'

Ik keek Kim weer aan, verontschuldigend deze keer.

'Maar uw drift ging weer eens met u op de loop,' hervatte ik, 'en u maakte een regelrechte puinhoop van mijn appartement. Er bestaat natuurlijk altijd een kans dat u daarbij vingerafdrukken zou achterlaten, dus zorgde ik ervoor dat ik bij het opruimen handschoenen aanhad.'

'Als daar vingerafdrukken van mij worden gevonden,' zei Burggraaf, 'dan zijn die afkomstig van mijn éérste bezoek aan uw appartement. Ik heb toen vast dingen aangeraakt.'

'O, dat kunt u nu wel beweren,' zei ik. 'Maar hoe verklaart u het dan als het derde aapje toevallig in úw woning wordt aangetroffen? Als ik me niet vergis zijn daar nu enkele collega's van u aanwezig, niet, inspecteur Riemer?'

Riemer keek me strak aan en negeerde de verwilderde blik van Burggraaf. Langzaam knikte ze.

'Wat heeft dít te betekenen?' wilde Burggraaf weten, terwijl hij zich naar Riemer omdraaide en dreigend haar kant uit helde. 'Jullie voeren een huiszoeking bij me uit! Het zijn allemaal leugens. Dat kúnnen jullie helemaal niet. Op wiens gezag gebeurt dit eigenlijk?'

'Op gezag van de commissaris,' deelde Riemer hem toonloos mee.

Een ogenblik lang keken ze elkaar aan; geen van beiden gaf ook maar een duimbreed toe. Zelfs een blinde moet hebben gemerkt dat ze een bloedhekel aan elkaar hadden, hoewel Burggraafs zelfverzekerdheid opmerkelijk genoemd mocht worden. Als ik niet zo zeker van mijn zaak was geweest, zou zelfs ík wel eens in de verleiding geweest kunnen zijn om te denken dat ik er helemaal naast zat.

'We zullen wel zien hoe dit afloopt,' zei hij, en hij draaide zich om, maakte zich los van ons groepje en beende met grote passen in de richting van de dubbele deuren aan de andere kant van het gebouw, waarbij de slippen van zijn lange politieoverjas achter zijn benen aan fladderden.

Ik keek Riemer onderzoekend aan, wachtte af tot ze in actie zou komen. Enkele seconden lang beantwoordde ze mijn blik, maar ze liet niets blijken. Op dat ogenblik, net toen ik ongelovig mijn handen in de lucht en mijn hoofd achterover gooide, stak ze haar hand in haar binnenzak en haalde ze een kleine walkietalkie tevoorschijn.

32

'Dus,' zei ik, nadat Victoria de telefoon had opgenomen, 'kijk ik vanaf mijn balkon op de Eiffeltoren uit.'

'Je maakt een geintje.'

'Ach, je moet je wel een heel eind vooroverbuigen en je nek opzij draaien, en dán nog eens dwars door de zitkamer van de flat die ertussen staat kijken, maar dan zie je hem wel, zo duidelijk als wat. Zolang je maar een telescoop gebruikt.'

'O, Charlie.'

'Maar ik ruik wel de croissants in de patisserie op de begane grond. En vanuit mijn slaapkamer heb ik een prachtig uitzicht op het verkeer.'

'Denk je dat je daar aan schrijven toekomt?'

'Uiteraard. Zodra ik er een beetje aan gewend ben hóór ik het lawaai niet meer.'

'En je hebt er geen spijt van dat je niet naar Italië bent gegaan?'

'Absoluut niet. Ik heb Parijs een tijdje links laten liggen, begrijp je? Ik bedoel, het is zo'n voor de hand liggende stad. Maar het is er prachtig.'

'En de vrouwen?'

'Ik heb inderdaad gehoord dat die er zijn. Je komt ze tegenwoordig overal tegen. Een of andere dappere ziel zou toch echt eens hun nestgewoonten moeten onderzoeken.'

'Je was behoorlijk onder de indruk van dat blondje, hè?'

'Dat valt best mee,' zei ik. 'Het is eigenlijk niet veel meer dan een pijnlijk kloppende schotwond midden op de borst.'

'Jij weet het ook zo theatraal te brengen.'

'Ach, dat is nu eenmaal het risico van het vak.'

'Charlie,' zei Victoria, 'ik heb nog steeds wat vragen over wat er is gebeurd.'

'Nóg meer?'

'Een paar maar. Je weet hoe ik sta tegenover plots die niet helemaal kloppen. Ik kan niet rustig slapen als iets in strijd is met de logica.'

'Maar de laatste keer dat we met elkaar spraken, zei je dat je blij was met het resultaat.'

'Dat is ook zo. Maar thuis, toen ik een manuscript had gelezen, stapte ik in bed, en tóén pas drong het tot me door. *Whám!* Waarom heeft de Amerikaan dat gedaan? Waarom heeft hij de hulp van de dikke en de dunne man ingeroepen om zelf alle diamanten in handen te krijgen? Ik vond dat niet echt logisch. Het leek me ook niet iets wat hij zou hebben gedaan.'

'We hebben het wel over een díéf, Vicky.'

'Dat weet ik.'

'Stelen was zijn vak.'

'Dat geef ik onmiddellijk toe. Maar hij was toch ook een stuk milder geworden. En als hij, omdat hijzelf geen zin meer had die apenbeeldjes in te pikken, om die reden jóú heeft ingehuurd, waarom had hij er dan geen enkele moeite mee zich de diamanten toe te eigenen?'

'Goh,' zei ik, 'je bent veel te goed.'

'Is dat zo?'

'Ja, Vic. Ik had in die opslagruimte acht mensen om me heen, onder wie twee ervaren rechercheurs, en niemand heeft me die vraag gesteld.'

'Ondergraaft dit jouw theorie?'

'Niet echt. O, het ondergraaft de theorie die ik ten voordele van alle anderen had opgebouwd. Maar dat is een heel andere zaak. Feit is dat ik, toen ik bezig was alles uit te werken, mezelf juist díé vraag voortdurend heb gesteld. En het duurde best een tijdje voor ik iets kon bedenken wat hout sneed.'

'En wat was dat dan?'

'Ik denk dat Michael van plan was de diamanten weg te geven.'

'Sorry?'

'Aan Kim.'

'O, Charlie. Dat meen je niet. Waarom zou hij zoiets doen?'

'Om te beginnen denk ik dat hij zich schuldig voelde om wat er met haar vader is gebeurd. Duidelijker gezegd, een jong meisje verliest haar vader bij een roof waarbij hij betrokken was, en dat meisje was zo beschadigd dat ze in de gevangenis ging werken waar haar vaders moordenaar in opgesloten zat. Toen hij erachter kwam wie ze was, stel ik me zo voor dat hij daar werkelijk door aangedaan was. En dan bestaat er natuurlijk nog altijd de mogelijkheid dat hij écht voor haar viel.'

'O, kóm nou.'

'Je hebt haar niet gezien, Vic. Goed, ze was zonder meer aantrekkelijk. Maar ze hád iets, iets wat haar op een bepaalde manier onderscheidde. Ik kan me voorstellen dat na twaalf jaar achter de tralies elke man haar behoorlijk verleidelijk zou vinden.'

'Voldoende verleidelijk om haar een fortuin aan diamanten te geven?'

'Als het aan hem lag wel. Ik denk dat hij haar verlies wilde goedmaken. En de dikke en de dunne man zouden dat niet begrijpen. Volgens mij heb ik al eens eerder gezegd dat Michael iets heel aantrekkelijks had.'

'Ik weet niet zeker of ik het daarmee eens ben.'

'Ach, misschien draaf ik een beetje door. Maar je weet zelf hoe het gaat als je voor iemand valt. Dan ben je totaal niet voor rede vatbaar.'

'Hmm. Misschien dat ik voor een deel met je mee kan gaan. Laten we zeggen dat hij van plan was zich alle diamanten toe te eigenen, om er vervolgens met haar vandoor te gaan.'

'Dat is mogelijk. Of misschien is het even simpel als ik aanvankelijk dácht dat het zat. Misschien dat hij na twaalf jaar achter de tralies tot de conclusie was gekomen dat hij zonder meer recht had op de hele buit.'

'Ik geloof dat die laatste verklaring me nog het meest bevalt.'

'Nou, dat is het verschil tussen ons beiden,' zei ik, 'de romanticus en de huursoldaat.'

'Hoe dan ook, ik denk niet dat het er nog veel toe doet. Hij is dood en de politie heeft alle stenen.'

'Mmm.'

'Wat bedoel je met "mmm", Charlie?'

'Nou, je zou kunnen zeggen dat ze niet álle diamanten hebben.'

'Hoe kan dat nou? Jij hebt zelf gezegd dat je ze de twee gestolen sleutels hebt gegeven, én je hebt ze verteld waar ze het derde aapje konden vinden. Werd een deel van de diamanten dan ergens anders bewaard?'

'Aanvankelijk niet.'

'Aanvankelijk niet... O, Charlie, wat heb je gedaan?'

'Niet iets waar jij echt van zult opkijken, denk ik.'

'Heb je je soms een paar stenen toegeëigend?'

'Eerlijk gezegd wel méér dan een paar.'

'Hoe heb je dat dan gedaan?'

'Eigenlijk was het heel gemakkelijk. Toen ik er eindelijk van overtuigd was dat zowel de dikke en de dunne man als Kim niet in het bezit waren van het laatste aapje, was ik er nagenoeg van overtuigd dat Burggraaf hem ergens verstopt had. Maar voor ik naar zijn appartement ging, ben ik eerst naar dat bedrijf in de Chinese buurt geweest, waar ik een eigen kluisje heb gehuurd. Dat was niet goedkoop, maar ik had het gevoel dat het het geld wel waard zou zijn. Uiteraard kreeg ik drie nieuwe beeldjes mee, met daarin de drie sleutels voor mijn opslagkluisje. Het enige wat ik hoefde te doen was de beeldjes van de aap met zijn handen tegen zijn oren én de aap met zijn handen voor zijn mond kapotslaan en de sleutels apart houden. Toen ik in Burggraafs appartement het derde aapje vond, verwisselde ik die met het apenbeeldje met zijn handen voor zijn ogen dat ik die ochtend had gekregen.'

'Dus het kluisje waarvan de politie de sleutels had was leeg?'

'Nou, nee. Ik moest er natuurlijk wel wat diamanten in achterlaten. Eigenlijk best nog wel veel. Anders had mijn verhaal niet meer geklopt.'

'Maar jij hebt de rest ingepikt?'

'Mea culpa, edelachtbare.'

'Charlie, je bent knettergek. Ze komen vast achter je aan.'

'Dat betwijfel ik. Ik heb ze een moordenaar en een behoorlijk deel van de buit op een presenteerblaadje aangeboden. Ik denk niet dat de Van Zandts er behoefte aan hebben dit alsnog aan de grote klok te hangen. Ze hebben de roof de afgelopen jaren categorisch ontkend, weet je nog?'

'Nou, ik hoop dat je gelijk hebt, anders loopt het nog slecht met je af. Zijn die diamanten veel waard?'

'Ik denk dat ik er wel een paar jaar van kan leven.'

'Ik ben traag van begrip, hè? Ik bedoel, dáárom ben je juist naar Parijs vertrokken, toch? Om bij die man langs te gaan, die heler van jou, aan wie je volgens mij al die toestanden te danken hebt.'

'Pierre. Ik heb toevallig vanmiddag een afspraak met hem. Dan zie ik eindelijk eens een gezicht bij die waarschijnlijk verzonnen naam van hem.'

'Ik kan mezelf wel voor mijn hoofd slaan. Waarom heb ik dat verband niet eerder gezien?'

'Je wist niet dat ik de diamanten had.'

'O jawel.'

'Je vergat hoe ik in feite in elkaar steek. Jij dacht dat ik die misdaad gratis en voor niets had opgelost, om daarna met een warme gloed om me heen vanwege alle moeite die ik heb gedaan, mijn leven weer op te pakken.'

'Waarom niet?'

'Omdat ik zo niet in elkaar zit, Victoria.'

'Je meent het. Nou, zware jongen, vertel me dan maar eens of je die blondine nog wat diamanten hebt gegeven.'

'Dat zóú ik je kunnen vertellen.'

'Maar dat hoeft dan niet per se de waarheid te zijn, hè? En laat me eens raden: ze heeft je ervoor bedankt op haar eigen natuurlijke manier, om er vervolgens vandoor te gaan en jouw hart te breken.'

'Ik dacht het niet. Ik heb haar zelf gezegd dat ze beter kon gaan. En als ze ook maar een greintje gezond verstand heeft, luistert ze naar me en regelt ze een nieuw paspoort voor zichzelf, compleet met valse identiteit, als ze toch bezig is. Er is geen enkele garantie dat de Nederlandse politie haar toch niet ergens voor in staat van beschuldiging stelt, denk ik. Maar veel belangrijker is het feit dat de dunne en de dikke man niet bepaald het soort mensen zijn die je achter je aan wilt hebben.'

'O, zeker. Wat is er met hén gebeurd?'

'Geen idee, hoewel ik ervan overtuigd ben dat het in de krant zal staan als zíj ooit voor de rechtbank moeten verschijnen. Maar misschien gebeurt het wel nooit. En uiteindelijk, Vic, had ik alleen maar een verhaal, dat was het enige. Het lijkt misschien allemaal keurig netjes te kloppen, maar het is niet het harde bewijs dat Riemer nodig heeft om een van hen ooit in staat van beschuldiging te stellen.'

'Het was iets méér dan zomaar een verhaal, Charlie. Je hebt ze ook vingerafdrukken geleverd.'

'Denk je? Ik weet het niet, er zijn twaalf jaar voorbijgegaan. En ik heb een paar keer zonder handschoenen aan dat wapen gezeten. Stuart heeft met dat verdomde ding zelfs een schot gelost.'

'Getuigen dan. De moeder van Louis Rijker bijvoorbeeld. Grandioos hoe ze je verhaal ondersteunde.'

Ik zoog wat lucht tussen mijn tanden op, alsof ik me net gesneden had.

'Wat is er?'

'Meen je dat echt? Ik had de indruk dat je daar dwars doorheen keek.'

'Wáár doorheen keek? Ik begrijp je niet.'

'Nou, laat ik het zo zeggen, herinner jij je mijn kattenallergie nog?'

'Natuurlijk.'

'En herinner jij je nog dat ik je heb verteld hoe ik reageerde toen ik bij Karine Rijker thuis ben geweest?'

'Ja, je moest niezen.'

'Denk nou eens terug aan wat ik je over de gebeurtenissen in dat oude pakhuis heb verteld.'

'Oké, nu je het erover hebt, besef ik dat je in dat pakhuis niet hebt geniesd. Dat zegt niets. Het is toch niet zo heel verrassend dat de allergie op een andere plaats, búíten haar huis, minder ernstig is.'

'Maar ik heb ontzettend snel last van die allergie, Vic.'

'Wat wil je daarmee zeggen?'

'Ik moet het blijkbaar voor je uitspellen. De Karine Rijker die in het oude bedrijfspand van Van Zandt aanwezig was, was niet dezelfde Karine Rijker die ik in haar eigen huis heb opgezocht.'

'Lopen er daar dan twee van rond?'

'Nee hoor, eentje maar.'

'Maar dan...'

'Het was doorgestoken kaart. Een kennis van Stuart.'

'Maar... ze had dat vuurwapen bij zich, het wapen dat Van Zandt aan die arme Louis had gegeven.'

'Dat heb ik zelf aan haar gegeven.'

'Maar nu ben ik de draad weer even kwijt. Charlie, je bent opzettelijk onduidelijk. Hoe ben je aan dat pistool gekomen?'

'Wil je écht met me doornemen wat ik doe als ik niet aan het schrijven ben?'

'O.'

'Maar als je je daardoor prettiger gaat voelen, kan ik je wel zeggen dat ik hem in de woning van de echte Karine Rijker heb gevonden. Herinner je je nog dat Stuart en ik op de ochtend vóór we met z'n allen in het voormalige bedrijfspand bij elkaar kwamen nog wat boodschappen hebben gedaan? Nou, het eerste wat we hebben gedaan was teruggaan naar het huis van Karine Rijker, waar Stuart haar gezelschap heeft gehouden terwijl ik snel haar slaapkamer doorzocht. Dat pistool lag helemaal onder in een garderobekast, precies zoals ik zei.'

'Dus het was eigenlijk een truc?'

'Voor de helft zou je het een truc kunnen noemen, maar het wapen was echt. En het kwam precies overeen met het pistool dat ik al had. En ik durf er heel wat geld om te verwedden dat ik gelijk had dat Van Zandt zijn bewakers met vuurwapens uitrustte.'

'Maar toch.'

'Je bent ondanks alles toch teleurgesteld?'

'Een beetje wel. Het lijkt enigszins...'

'Oneerlijk.'

'Ik wilde eigenlijk "achterbaks" zeggen.'

'Ach, je hebt helemaal gelijk. Het was een tikkeltje achterbaks. Maar ik ben er heilig van overtuigd dat soms het doel de middelen heiligt.'

'En ik neem aan dat Rutherford geen problemen had met deze aanpak?'

'Je bedoelt Stuart. Volgens mij heeft hij er geen moment wakker van gelegen.'

'Heeft hij nog om een deel van de diamanten gevraagd?'

'Hij heeft niets gevraagd en ik heb niets aangeboden. Zoals je je nog wel zult herinneren heeft hij zesduizend euro aan me verdiend, en ik twijfel er niet aan dat hij die zal gebruiken voor het financieren van zijn volgende zwendel.'

'Ja, waarschijnlijk wel.'

'Luister, misschien dat je er ongemakkelijk onder bent, maar feit is wel dat momenteel de meeste diamanten in mijn bezit zijn.'

'Goed. Ach, ik wil niet zeggen dat ik er grote problemen mee heb, Charlie, maar ik moet wél zeggen dat, tenzij jij de afgelopen tijd tussen al deze waanzin door nog tijd hebt gevonden om jouw aktetasprobleem op te lossen, ik niet van plan ben om in de nabije toekomst jouw boek aan een uitgeverij aan te bieden.'

'O ja, mijn boek. Goed dat je erover begint. Je moet weten, Vic, dat ik het hele project wil schrappen.'

'Maar dat kun je niet doen! Ik meende het niet, Charlie. Ik was alleen maar een beetje jaloers, enkel en alleen omdat je me nauwelijks iets hebt verteld. Je lost het probleem vast snel op, dat weet je best. We kunnen er zelfs met z'n tweeën eens rustig voor gaan zitten, nu je wat meer tijd hebt.'

'Eigenlijk geloof ik er niet meer zo erg in. Eerlijk gezegd wil ik een heel ander verhaal vertellen. In dat pakhuis in Amsterdam heb ik zo'n beetje een complete plot aan de kaak gesteld, begrijp je. En als ik hier en daar een paar namen verander, en misschien een paar scènes toevoeg om het allemaal wat pittiger te maken; nou, wat vind jij ervan?'

'Een soort fictieve memoires? Ik weet het niet, Charlie. Het zou kunnen verkopen, vermoed ik. Maar dan hebben we wel een goede titel nodig.'

'Grappig,' zei ik. 'Daar heb ik ook al aan zitten denken.'

DANKWOORD

Dank aan mam, pap, Allie, mijn familie en vrienden. Mijn grote dank ook aan iedereen die het manuscript gelezen heeft, aan Andrew, April, Ben, Kaushik, Paul, Simon en Will, en vooral aan Debs en aan Jo.

Mijn speciale dank aan Susan Hill, Jessica Ruston, Lynne Hatwell, Scott Pack en aan alle anderen bij Long Barn Books en Sheil Land Associates.